Escarafunchando Fritz

CIP-BRASIL. CATALOGAÇÃO NA PUBLICAÇÃO
SINDICATO NACIONAL DOS EDITORES DE LIVROS, RJ

P529e
5. ed.

Perls, Frederick S., 1893-1970
   Escarafunchando Fritz : dentro e fora da lata de lixo / Frederick S. Perls ; ilustração Russ Youngreen ; tradução Carlos Silveira Mendes Rosa, Débora Isidoro. - 5. ed. - São Paulo : Summus, 2023.
   288 p. : il. ; 21 cm. (Clássicos da Gestalt-terapia ; 2)

   Tradução de: In and out the garbage pail
   ISBN 978-65-5549-102-9

   1. Perls, Frederick S., 1893-1970. 2. Gestalt-terapia. 3. Psiquiatras - Biografia - Estados Unidos. I. Youngreen, Russ. II. Rosa, Carlos Silveira Mendes. III. Isidoro, Débora. IV. Título. V. Série.

23-82098
CDD: 616.8914092
CDU: 929:(615.851:159.9.019.2)

Meri Gleice Rodrigues de Souza - Bibliotecária - CRB-7/6439

www.summus.com.br

Compre em lugar de fotocopiar.
Cada real que você dá por um livro recompensa seus autores
e os convida a produzir mais sobre o tema;
incentiva seus editores a encomendar, traduzir e publicar
outras obras sobre o assunto;
e paga aos livreiros por estocar e levar até você livros
para a sua informação e o seu entretenimento.
Cada real que você dá pela fotocópia não autorizada de um livro
financia o crime
e ajuda a matar a produção intelectual de seu país.

Escarafunchando Fritz

Dentro e fora da lata de lixo

Frederick S. Perls

Do original em língua inglesa
IN AND OUT THE GARBAGE PAIL
Copyright © 1969, 2023 by Real People Press
Direitos desta tradução adquiridos por Summus Editorial

Editora executiva: **Soraia Bini Cury**
Tradução: **Carlos Silveira Mendes Rosa e Débora Isidoro**
Revisão técnica: **Ênio Brito Pinto**
Ilustrações: **Russ Youngreen**
Revisão: **Samara dos Santos Reis**
Capa: **Alberto Mateus**
Projeto gráfico e diagramação: **Crayon Editorial**

Summus Editorial
Departamento editorial
Rua Itapicuru, 613 – 7º andar
05006-000 – São Paulo – SP
Fone: (11) 3872-3322
http://www.summus.com.br
e-mail: summus@summus.com.br

Atendimento ao consumidor
Summus Editorial
Fone: (11) 3865-9890

Vendas por atacado
Fone: (11) 3873-8638
e-mail: vendas@summus.com.br

Impresso no Brasil

Apresentação da coleção Clássicos da Gestalt-terapia

Podemos apontar o início da abordagem gestáltica no ano de 1951, ocasião em que o livro *Gestalt therapy*, escrito por Perls, Hefferline e Goodman foi lançado em Nova York, embora seja importante lembrar que suas raízes já estavam presentes em textos anteriores de Fritz e de Laura Perls e de seus colaboradores. A Gestalt-terapia aparece desde aquela época como uma das abordagens do grupo das psicologias humanistas, movimento que emergiu com o propósito de ir além da psicanálise e do behaviorismo, predominantes naquele contexto. Os psicólogos humanistas trouxeram uma nova visão de ser humano, compreendido a partir daí, entre outros aspectos, como apto a escolher com liberdade relativa e responsabilizar-se existencialmente por suas escolhas, sempre em constante interação com seu ambiente e com seu campo.

Nas décadas que se seguiram, e até hoje, tanto o movimento humanista na psicologia quanto a abordagem gestáltica evoluíram e se transformaram, acompanhando e influenciando os novos conhecimentos humanos nas mais diversas áreas.

A Gestalt-terapia, como criação dinâmica e viva, compõe-se historicamente, desenvolve-se e frutifica ao longo do tempo e em provocativa relação com seu campo. Torna-se paulatinamente mais e mais complexa, como uma árvore que aos poucos proporciona frutos cada vez mais nutritivos e sombra progressivamente cada vez mais acolhedora. Tem em suas raízes o fundamento necessário e consistente para exercer, com ampliada e ampliável potência, sua função ante o ser humano e suas coletividades.

Essas raízes, fundadoras de paradigmas, modelos de originalidade e de criatividade, bases para uma série de desenvolvimentos teóricos e práticos, compõem-se de obras que podemos, com muita propriedade, chamar de *clássicos*, pois são fundamentais e imprescindíveis para que se conheça a abordagem.

Frederick S. Perls

Pioneira na publicação e na divulgação da Gestalt-terapia no Brasil, com edições que remontam à década de 1970 e continuam ininterruptamente desde então, a Summus Editorial reúne nesta coleção **Clássicos da Gestalt-terapia** o que há de mais importante nas obras que enraízam a abordagem.

Cada uma das obras dessa coleção recebeu uma nova tradução para o português, atualizada de acordo com a renovação da abordagem e de seu vocabulário, feita para servir — de maneira ainda mais clara e fidedigna — como base para o conhecimento e o aprimoramento da Gestalt-terapia brasileira.

Trata-se de livros que não se voltam apenas para os profissionais da área da psicologia e das ciências afins, mas, dada sua riqueza e clareza, destinam-se também às pessoas que desejam ampliar seu autoconhecimento e sua percepção e compreensão do ser humano.

São clássicos, são um passado que se atualiza a cada leitura e fundamenta ações e olhares para a construção de novos e férteis horizontes.

Ênio Brito Pinto
Coordenador da coleção

Caro Fritz,

Você chegou e fez como queria fazer, e muitos de nós nos apaixonamos por você e pelo seu jeito de ser. Você era o que dizia ser, o que é raro nos homens. Sua fala era fácil, sua voz despertou a minha esperança adormecida, e agora me lembro das lágrimas que brotavam nos seus olhos quando você sentia um bom bocado de amor ao redor. Às vezes eu o vi cansado — muito poucos estavam à sua altura e muitos o rebaixaram com tentativas torpes de se autopromoverem.

Porém, isso é passado, e agora faz um ano que você se foi. Muitos de nós, alunos da sua escola de vida, continuamos aprendendo com você. Diversas vezes eu volto a pensar de repente no que você quis dizer com não ser solícito. Não acreditei quando disse que não "precisava" de ninguém, mas percebo agora que o verdadeiro ensinamento é viver neste mundo sempre sem querer nada, e que não apressar o rio é viver a Vontade de Deus. Consigo ouvi-lo bufando ao ouvir essa última frase. Você nos ensinou a estarmos *aware* pelo bem que isso faz. Alguns de nós já conseguimos prestar muita atenção a nós mesmos. Acordamos num mundo estranho e nos achamos muito diferentes dos demais, que dormem sem conhecer a empolgação desse espetáculo passageiro. Muitas vezes, num dia que parece sonho ou numa noite entrecortada, descubro os indícios de que você passou por aqui antes de mim. O reconhecimento das suas orientações precisas — dadas em algum momento na Big Sur, mas presentes aqui e agora nesta escrivaninha onde você escreveu partes do seu *Dentro e fora da lata de lixo* —, o reconhecimento das suas orientações me enche de gratidão pelo fato de você ter aparecido na minha vida e ter-me ensinado, de tal modo que estou aqui agora, de caneta na mão, enviando a energia do amor a você, velho professor, onde quer que esteja.

Como sempre,

Bob Hall

Dentro e fora da lata de lixo
Pus a minha criação
Seja boa ou besteira
Júbilo ou desolação.

Alegria e pesar como tive
Devem ser reavaliados
Sinto-me são sendo louco
Acolhido ou rejeitado.

Lixo e caos, saiam da frente!
Em vez de desorganização
Criem uma Gestalt convincente
Na minha vida em conclusão.

Desta vez escreverei sobre mim. Ou melhor, sempre que alguém escreve, escreve sobre si — ou quase isso. Claro, pode-se escrever sobre as chamadas observações objetivas ou sobre conceitos e teorias, mas o observador, de um modo ou de outro, faz parte dessas observações. Ou escolhe o que observar. Ou obedece à exigência de um professor, caso em que seu envolvimento será menor, mas ainda existirá.

Pronto, fiz de novo. Pontifiquei. Nunca digo "na minha opinião…"

Meu nome é Friedrich Salomon Perls; em americano, Frederick S. Perls, geralmente chamado de Fritz ou Fritz Perls, às vezes Doutor Fritz — ao escrever isso me sinto assim meio superficial e informal. Também me pergunto para quem estou escrevendo isto e, acima de tudo, quanto conseguirei ser sincero. Ah! Sei que ninguém me exige confissões verdadeiras, mas eu gostaria de ser sincero porque quero. Por que não arriscar?

Estou me transformando em figura pública: de um obscuro garoto judeu de classe média baixa a um psicanalista medíocre e a um possível criador de um método "novo" de tratamento e expoente de uma filosofia viável que poderá fazer algo pela humanidade.

Isso significa que sou um filantropo ou quero servir à humanidade? O fato de eu formular essa pergunta denuncia minhas dúvidas. Acredito que faço o que faço por mim mesmo, pelo meu interesse em solucionar problemas e, acima de tudo, pela minha vaidade.

Sinto-me melhor quando posso ser prima-dona e exibir minha competência para perceber rapidamente a essência de uma pessoa e sua situação. Contudo, deve existir outro lado em mim. Quando acontece algo *real*, fico muito emocionado, e sempre que fico profundamente envolvido numa sessão com um paciente esqueço totalmente a minha plateia e sua possível admiração e me sinto *todo lá*.

Consigo fazer isso. Consigo "esquecer" por completo de mim mesmo. Em 1917, por exemplo, estávamos num quartel perto de uma estação ferroviária. Quando essa estação foi bombardeada e dois trens de munição atingidos, entrei sem medo, sem pensar em salvar a minha pele e, em meio às explosões da munição, atendi os feridos.

Pronto, fiz de novo. Estou me gabando; me exibindo. Eu exagero ou invento isso? Quais são os limites de uma vida fantasiosa? Como contou Nietzsche, a Memória e o Orgulho brigavam. A Memória disse: "Foi desse jeito". O Orgulho retrucou: "Não pode ter sido!" E a Memória se rendeu.

Eu me sinto na defensiva. O capitão do meu batalhão era antissemita. Ele tinha retido a minha indicação à Cruz de Ferro, mas dessa vez tinha o dever de fazê-la, e eu ganhei a minha cruz[1].

O que estou fazendo? Começando um jogo de tortura pessoal? De novo me exibindo. Veja como estou tentando ser o mais escrupulosamente sincero possível!

Ernest Jones[2] me chamou certa vez de exibicionista. Sem maldade. Ele era amável e gostava de mim.

Verdade seja dita, eu tinha certas tendências exibicionistas — até sexuais —, mas o interesse em espiar sempre foi bem maior. Além disso, não acho que chamar a minha necessidade de me exibir de perversão sexual seja uma boa explicação.

Tenho certeza de que, apesar de toda a minha ostentação, não penso muito em mim mesmo.

Meu primeiro sobrenome é Salomon. O sábio rei Salomão declarou: "Vaidade, tudo é vaidade!"

---

1. A Cruz de Ferro era uma condecoração militar com várias gradações de mérito, concedida primeiramente na Prússia, a partir de 1813, e até o final do regime nazista, em 1945. [N. T.]
2. Alfred Ernest Jones (1879-1958), neurologista e psicanalista galês, amigo de Freud e seu biógrafo, presidiu a Associação Psicanalisa Internacional e a Sociedade Psicanalítica Britânica nos anos 1920 e 30. [N. T.]

Nem posso me vangloriar de ser muito vaidoso. Porém, tenho certeza de que a maior parte do meu exibicionismo é supercompensação. Não só para compensar minha incerteza, mas para supercompensar, hipnotizar os outros de modo que acreditem que sou mesmo muito especial. E não duvide disso!

Durante anos eu e minha mulher brincamos de "você não está impressionado comigo? Consegue fazer melhor?" até perceber que eu sempre tomava um surra e não tinha chance de ganhar. Na época, eu ainda me interessava pela loucura humana bem disseminada de que vencer é importante, até mesmo obrigatório.

Tudo isso se reduz ao fenômeno da autoestima, do amor-próprio e da autoimagem.

Do mesmo modo que todo fenômeno psicológico, a autoestima é vivenciada como uma polaridade. Alta autoestima, orgulho, glória, sentir-se com três metros de altura opõe-se à baixa autoestima: sentir-se deprimido, inútil, abjeto, pequeno. O herói se contrapõe ao monge.

Ainda preciso ler a maioria dos textos de Freud. O que me surpreende é o fato de que com toda aquela preocupação com sexo ele não tenha per-

Frederick S. Perls

cebido a relação entre autoestima e a teoria da libido. Da mesma maneira, Sullivan[3], que se especializou no sistema da autoestima, parece ter ignorado essa ligação.

Para mim, é óbvia a semelhança do funcionamento desse sistema com a ereção e o desintumescimento dos genitais. A ereção da personalidade radiante de orgulho contrasta com a postura abjeta de quem se sente deprimido. A suscetibilidade da solteirona virgem é proverbial. Por vergonha, o sangue lhe sobe à cabeça e esvazia os genitais. Em alemão, os genitais são chamados de *die Schamteile* — as partes da vergonha.

Na terminologia freudiana, poderíamos chamar de deslocamento o comportamento libidinal do sistema de autoestima. Ao mesmo tempo, temos um dos primeiros e raros *insights* das relações psicossomáticas.

É óbvio que a ereção é fundamentalmente uma função fisiológica, enquanto a autoestima é uma questão da "mente": aquela função (erroneamente vista como um lugar onde acontecem coisas) que denomino fantasia ou imaginário — criação de imagens.

Isso nos leva direto à esfera da filosofia existencial. Um esclarecimento da questão existencial elucidará, acredito, a questão de vaidade *versus* existência verdadeira, e talvez até indique um modo de curar a cisão entre o nosso ser social e o ser biológico.

Por sermos indivíduos biológicos, somos animais; por sermos seres sociais, desempenhamos papéis e realizamos jogos. Como animais, matamos para sobreviver; como seres sociais, matamos por glória, ganância e vingança. Como seres biológicos, levamos uma vida ligada à natureza e infundida nela; como seres sociais, levamos uma existência de "como se" (Hans Vaihinger, *A filosofia do como se*[4]), na qual existe uma confusão considerável de realidade, fantasia e dissimulação.

Para o ser humano moderno, a questão se resume à diferença, e geralmente à incompatibilidade, entre autoatualização e atualização de autoconceito ou de autoimagem.

---

3. Herbert (Harry) Stack Sullivan (1892-1949), psiquiatra e psicanalista neofreudiano estadunidense, responsável por uma teoria psiquiátrica fundada nas relações interpessoais: "[A] personalidade não pode nunca ser isolada das complexas relações interpessoais nas quais o indivíduo vive". [N. T.]

4. Hans Vaihinger (1852-1933), filósofo alemão seguidor de Immanuel Kant, mais conhecido por sua obra *A filosofia do como se*, publicada em 1911. Edição brasileira: Trad. de Johannes Kretschmer. Chapecó: Argos, 2011. [N. T.]

Escarafunchando Fritz

Em 1926, fui assistente do professor Kurt Goldstein[5] no Instituto de Soldados com Lesões Cerebrais. Talvez eu venha a falar mais dele. Nesta altura, quero apenas mencionar que ele usou o termo autoatualização sem que eu o compreendesse. Quando, vinte e cinco anos depois, ouvi a mesma expressão de Abraham Maslow, ainda não consegui entendê-la, a não ser que parecia ser algo bom, algo como se expressar genuinamente e, ao mesmo tempo, algo que se pudesse fazer por vontade própria. E isso equivaleria a um programa, a um conceito.

Levei mais alguns anos para entender a natureza da autoatualização com base na frase "uma rosa é uma rosa é uma rosa" de Gertrude Stein[6].

A atualização do auto*conceito* já existia, por exemplo, com Freud sob o nome de ideal do ego. Contudo, Freud usou indistintamente os termos superego e ideal do ego, como um truque de mágica. São fenômenos inteiramente diferentes. O superego é a função moralista e controladora, que só poderia ser chamada de ideal por um ego 100% desejoso de submissão. Freud nunca chegou a compreender o *self*; estacou no ego. As pessoas de língua inglesa têm outra dificuldade para acompanhar o raciocínio de Freud: em alemão, ego é sinônimo de eu. Em inglês, ego aproxima-se do sentido do sistema de autoestima. Podemos traduzir "quero reconhecimento" por "meu ego precisa de reconhecimento", mas não "quero um pedaço de pão" por "meu ego precisa de um pedaço de pão". Para os ouvidos de um alemão, isso soa absurdo.

Autoatualização é um termo modesto, glorificado e distorcido por *hippies*, artistas e, lamento dizer, muitos psicólogos humanistas. Foi divulgado como um programa e uma conquista. É o resultado de reificação, a necessidade de criar uma *coisa* partindo de um *processo*. Nesse caso, até significa mesmo deificar e glorificar um *locus*, pois o *self* indica apenas um "local" de acontecimento — *self* comparável ao *diverso* dele (e fazendo sentido apenas por meio dessa comparação).

Self como indicativo — "eu faço sozinho", apenas para mostrar que ninguém mais faz — deve ser escrito com s minúsculo. Quando ele é dei-

---

5. Kurt Goldstein (1878-1965), neurologista e psiquiatra alemão, criador da teoria organísmica, na qual aparece o princípio da autoatualização. [N. T.]
6. Gertrude Stein (1874-1946), escritora, colecionadora de arte e dramaturga estadunidense. Mudou-se para Paris no início do século 20 e criou um salão que reunia periodicamente os maiores nomes da arte internacional. [N. T.]

ficado como *Self* com *S* maiúsculo, facilmente ocupa o lugar de uma parte — e uma parte muito especial — do organismo todo; algo que se aproxima de uma alma antiquada ou da essência filosófica como "causa" daquele organismo.

Os antônimos são potencial e atualização. O germe de trigo tem o potencial de se tornar uma planta, e a planta do trigo é a sua realização.

Porém, autoatualização significa que o germe de trigo se atualizará como planta de trigo, jamais como planta de centeio.

Preciso interromper aqui. Se este texto chegar a ser publicado, o editor provavelmente cortará o que vem a seguir ou o colocará no contexto apropriado.

Para mim, um dos dois "problemas" meus se insere na categoria "exibição". O outro — o problema de eu fumar e me envenenar — pode esperar. Quanto ao primeiro, a experiência frequente de me entediar está ligada à "exibição". Espero descobrir qual é essa ligação enquanto escrevo este texto. Costumo pedir aprovação, reconhecimento e admiração durante conversas. Aliás, quase sempre me ponho a discorrer sobre certos assuntos ou levo a conversa a eles não a fim de parecer brilhante e me destacar, mas para me vangloriar do reconhecimento que eu ou — considero sinônimo — a Gestalt-terapia tem conseguido.

Quase sempre o tédio me leva (veja como recuso responsabilidade pelo meu tédio!) a ser desagradável com as pessoas, ou a fazer "maus presságios", ou a começar a flertar e bancar o sensual. Isso pede uma discussão maior em contexto diferente. Aqui vai uma fanfarrice. A revista *The Nation* publicou num artigo sobre Esalen: "E todas as garotas concordam: ninguém beija tão bem como Fritz Perls".

Escarafunchando Fritz

Nos últimos tempos encontrei uma forma mais construtiva de acabar com o tédio: sentar e escrever. Não fosse o tédio, é provável que eu não estivesse aqui escrevendo frases num papel.

Isso parece ser uma inversão de certas investigações que conduzi num hospital psiquiátrico: o tédio resulta do bloqueio de interesses autênticos.

Será que agora eu deveria chegar à conclusão de que a autoglorificação é o meu interesse autêntico na vida, de que me escravizo e trabalho a serviço da imagem do Grande Fritz Perls? De que não atualizo meu *self*, mas sim um auto*conceito*?

De repente, isso soa muito honrado para mim, e "deverístico" também. A atualização do autoconceito é um pecado. Será que estou virando puritano?

Então retomemos a "virtude" da autoatualização do *self* e a *realidade* da autoatualização.

Levemos às raias do absurdo os exemplos de germes de trigo e centeio.

É óbvio que o potencial de uma águia se atualiza quando ela perambula pelo céu, mergulhando sobre animais menores para se alimentar, e constrói ninhos.

É óbvio que o potencial de um elefante se atualiza no tamanho, na potência e na falta de jeito.

Nenhuma águia quer ser elefante; nenhum elefante quer ser águia. Eles "aceitam" a si mesmos; aceitam o próprio "eu". Não, eles nem mesmo aceitam a si próprios, pois significaria uma possível rejeição. Eles se acham inatos. Não, eles nem se acham inatos, pois isso abriria a possibilidade de serem outra coisa. Eles simplesmente existem. Eles são o que são o que são. Seria um absurdo se eles tivessem fantasias, insatisfações e enganassem a si mesmos como fazem os seres humanos! Seria um absurdo se o elefante, cansado de caminhar pela Terra, quisesse voar, comer coelhos e pôr ovos. E se a águia quisesse ter a força e a pele grossa do paquiderme.

Deixem para os humanos a tentativa de ser algo que não são, ter ideais inalcançáveis, ser condenados ao perfeccionismo para se safar de críticas e abrir caminho para uma infindável tortura mental.

Torna-se clara a distância entre o potencial de uma pessoa e sua atualização, de um lado, e a distorção dessa legitimação, do outro. O deveriísmo cultiva sua cara feia. Nós "deveríamos" eliminar, rejeitar, reprimir, contestar muitas características e fontes de autenticidade e adicionar, fingir, representar, criar papéis ausentes no nosso elã vital, que resultam em comportamento falsos de diferentes graus. Em vez da plenitude de uma pessoa real, ficamos com a fragmentação, os conflitos, o desespero não sentido das pessoas do mundo de papel.

Substitui-se a homeostase — o mecanismo sutil de autorregulação e autocontrole do organismo — por uma loucura controladora externa, minando o valor da sobrevivência do indivíduo e da espécie. Sintomas psicossomáticos, desânimo, fadiga e comportamento compulsivo substituem a *joie de vivre*[7].

A divisão mais profunda, arraigada há muito em nossa cultura e, portanto, dada como natural é a dicotomia mente-corpo: a superstição de que existe uma separação e ao mesmo tempo uma interdependência de dois tipos diferentes de substância, a mental e a física. Criou-se uma sucessão interminável de filosofias que afirmam que tanto a ideia, o espírito ou a mente geram o corpo (por exemplo, Hegel) quanto, da perspectiva materialista, esses fenômenos ou epifenômenos constituem o resultado ou a superestrutura da matéria física (por exemplo, Marx).

Não é nada disso. *Somos* organismos; nós (isto é, um *eu* misterioso) não *temos* um organismo. *Somos* uma unidade integral, mas temos a liberdade de abstrair muitos aspectos dessa totalidade. *Ab*strair, não *sub*trair, não cindir. Conforme o nosso interesse, podemos abstrair o comportamento desse

---

7. Em francês no original: alegria de viver. [N. T.]

Escarafunchando Fritz

organismo ou sua função social ou sua fisiologia ou sua anatomia ou isto ou aquilo, mas devemos estar alertas para não entender uma abstração como "parte" do organismo inteiro. Já escrevi sobre a relação entre interesse e abstração, de aspectos e do surgimento da Gestalt. Podemos ter uma combinação de abstrações, podemos nos aproximar do conhecimento de uma pessoa ou de uma coisa, mas nunca podemos ter a *awareness* total, para usar a linguagem kantiana, de *das Ding an sich*, da coisa em si.

Estou ficando muito filosófico? Afinal, precisamos demais de uma nova orientação, uma nova perspectiva. A necessidade de orientação é função do organismo. Temos olhos, ouvidos e tudo mais para orientar-nos no mundo, e temos os nervos proprioceptivos para saber o que se passa abaixo da pele. Filosofar significa reorientar-se no mundo. A fé é uma filosofia que dá como ponto pacífico o quadro referencial do indivíduo.

Filosofar é um exemplo extremo dos nossos jogos intelectuais. Insere-se essencialmente na classe dos jogos de "adequação".

É provável que existam outros jogos, mas constato que dois tipos prevalecem na maior parte das nossas ações e orientações: os jogos de comparação e os de adequação. Abstrações são funções organísmicas, mas, ao tirá-las do seu contexto, isolá-las, transformá-las em símbolos e dados, elas se tornam material para jogo. Pensem nos trocadilhos ou nas palavras cruzadas como exemplo de que podemos ir longe demais ao tirar as abstrações do contexto original.

O melhor livro sobre jogos que conheço é *Magister ludi*[8], de Herman Hesse. Para mim, faz muito sentido ver Bach brincando com sons, formando temas de padrão complexo, dedicado com devoção a orações enlevadas.

Não posso acatar o ditado de que brincar é ruim e ser sério é louvável. Os *scherzi* do mestre não são sérios, mas ele continua sendo sincero do mesmo modo. Os filhotes de animais brincam. Mas será que eles aprenderiam a caçar e a viver sem essas brincadeiras?

Estou confuso.

Quero brincar com o meu jogo de encaixe.

---

8. Esse romance, o último escrito pelo suíço-alemão Herman Hesse (1877-1962), foi publicado no Brasil com o título de *O jogo das contas de vidro*, tradução do título em alemão. O título em latim citado por Perls, *Magister ludi* (mestre do jogo), é alternativo ao título original. [N. T.]

Frederick S. Perls

Alérgico como sou a incongruências, desleixado como sou
Nos hábitos — meu quarto e minhas roupas — preciso de ordem
Nos pensamentos
Correlacionar pedacinhos em um todo.
Gestalt e caos estão guerreando.
O que mais é compreensão?

Comecemos por sexo.
Os muitos jogos que homem e mulher
E pais com seus filhos jogam,
De um carinho a estupro e homicídio
Os muitos milhares de tipos e matizes,
Pervertidos ou normais,
Torturas e jogos prazerosos.
O fim surge bem claro:
Orgasmo é o objetivo final.
Sem controle,
O ritmo se acelera.
A natureza não pensante tem sua conduta:
um acontecimento sem jogos.
Render-se ao uníssono,
Profunda retirada do mundo
E o encerramento de uma Gestalt forte.

Duas etapas em jogo, até aí está claro.
Uma é fazer amor de vários modos;

Fornicar é a outra etapa.
Uma é coisa multirresplandecente, sublime e sublimada;
Seus *meios pelos quais*, como diz Dewey[9].

Mesmice com poder explosivo
Como animal, o *ganho final* se mostra.
O ganho final é uma serenidade feliz.
O "nada" do Nirvana dura pouco.
A Gestalt se fecha e a satisfação transpira
Por todos os poros da pele e da alma.

Mas a vida continua. Outra necessidade, outro jogo
Emerge de um vazio fértil.
Um apetite, uma tarefa, uma mágoa
Ainda aberta, bem ignorada pelo sexo,
Exige atenção, grita nos seus ouvidos.
Acorde e aja!
Pois a vida continua, córrego infinito
De *Gestalten* incompletas!

A vida continua, assim como este livro.
Por alguns dias não escrevi nada.
Mostrei as páginas anteriores a amigos,
Pois eu estava feliz que, do nada,
De repente eu escrevera com ritmo
Sinto que transcendo a descrição seca.
Como um novo estilo surgindo.
Da menção à música a pegar o ritmo,
Brincando com palavras, mas no mesmo momento
Uma imagem se expressa,
Uma Gestalt total projetada no papel.

---

9. Há controvérsia sobre a autoria da expressão "meios pelos quais" (*means-whereby*, em inglês). Segundo o Centro Técnico Alexander, em Washington, essa expressão é de Frederick Matthias Alexander (1869-1955), ator e escritor australiano, pai da técnica Alexander de ensino. A expressão do educador estadunidense John Dewey (1859-1952), colaborador de Alexander, seria "controle inteligente dos meios" (*intelligent control of means*), tida como sinônimo da primeira. Veja https://www.alexandercenter.com/mobile/john-dewey.html. [N. T.]

Frederick S. Perls

Preciso escrever sobre mim.
Sou o meu laboratório.
A privacidade das suas experiências é minha desconhecida
Exceto as reveladas.
Não há ponte de homem para homem.
Acho, imagino, empatizo, seja lá o que isso signifique.
Porque estranhos somos e estranhos seremos
Exceto em identidades em que você e eu
Na semelhança nos misturamos.
Ou, melhor ainda, onde você me toca
E eu toco você,
Quando o estranho soa familiar.

Na maioria das vezes estamos jogando
E o satélite girando e girando,
Evitando a colisão do toque.
Ainda brinco como autista com o ritmo das palavras,
Lutando para voltar ao tema relevante
Que eu queria discutir.
Também quero aprender
a escrever em verso.
Não verso que rime, mas que flua
Ritmicamente em descidas
E para cima e para baixo,
Que flua como água
Em marolas suaves.
Mesmo em prosa, contar o que quer vir
À mente e ao coração.

Sem ciência árida
Nem poesia.
Gestalt emergindo de um solo.
Vida vivendo o *self*.
Não morte plástica.

Mas as palavras são sociais, não?
Então, revolvendo da vida ao *self*
Palavras que jogam jogos de cálculo.
Ainda assim jogar com regras duríssimas
Me dá apoio e aptidão crescente.
Não jogos vencedores que zombem da derrota!
Isso é muito sério, quase morte!
A alegria nos modos recém-descobertos,
O aprendizado de novos modos de ser,
Inventando o que antes não existia
Ou palavras não ditas até aqui.

"Fritz, descanse.
O que você fez basta.
Descobriu seu zen, seu tao e sua verdade.
Para outros, também, ficou claro;
Crescimento infinito de luta franca.
O que mais você quer?
Ainda não basta?"

Sem mais ganância, mas descanso tranquilo
Que não fica quieto como cubos congelados.
Um descanso que vem de dentro para fora,
De fora para dentro, ritmadamente.
Um pêndulo que é como o tempo,
Um coração que bate, se contrai e vai.
Contato-retraimento, mundo e *self*
Em harmonia complementar.

"Venha, aconselhe aos outros o que quiser.

Frederick S. Perls

Você se refere a si e não ao mundo.
Pois espelhos estão onde você presume
Olhar através da luz e da treva na janela.
Você se vê, não nos vê.
Projete-se, livre-se deles.
Self depauperado, recupere o que é seu,
Torne-se a projeção, brinque com ela a fundo.
O papel dos outros é você.
Venha, recupere-o e cresça um pouco mais.
Assimile o que você renegou."

"Se você tem ódio de algo
É de você, embora difícil suportar.
Pois você é eu e eu sou você.
Você odeia em si o que despreza.
Você se odeia e acha que sou eu.
As projeções são execráveis.
Fodem com você e cegam.
Transformam colinas em montanhas
Para justificar seu preconceito.

Conscientize-se. Veja com clareza.
Observe o que é real, não seus pensamentos."

Mas o que é real? Alguém sabe?
Agora estou travado, tenho certeza.
Os sintomas do *impasse* aparecem todos:
Confusão, pânico e a choradeira
 "Alguém" não decide, "isso" não flui.
Prometo coisas, me defendo.
Quero me mexer, mas estou atolado na lama.
Não consigo erguer minhas botas para prosseguir.

Apaixonado demais pelo ritmo-fluxo
Para deixar o professor professar
E organizando fenômenos obscuros
Que precisam da luz da perspectiva
Para iluminar o desconhecido.

O que sabemos dos jogos?
O que é o contrário?
Rei Lear no palco, ele não tem reino
Assim que tira o figurino de Shakespeare, a coroa de papel.
Talvez seja um mendigo bêbado
Sem um centavo e sem casa.
Mas o rei no palco também é solitário
Sem reino e sem casa.
Então, o que é real? O que é peça?
Pergunte a Pirandello, pergunte a Genet.[10]

---

10. Luigi Pirandello (1867-1936) e Jean Genet (1910-1986), dramaturgos, romancistas e poetas italiano e francês, respectivamente. [N. T.]

Eles conhecem a zona sombria
Do jogo e da verdade.
Pode ser isso,
Pode ser aquilo,
Podem ser os dois juntos.

Porque o jogo tem duplo objetivo
Crescer e adorar um espetáculo.
Ou: a felicidade de crescer
Rejeita estagnação.
Isso vem da semelhança e da implosão.
Os clichês, padrões que não mudamos
São seguros e certos como a morte.
O *rigor mortis, rigor vitae*
São parecidos em vários aspectos,
como Freud percebeu.
Freud também percebeu o melhor de tudo:
O pensamento é ensaio, experimentação.

Mas ensaiamos para quê?
Peça de teatro, um ato? Qual espetáculo?
Sem ensaiar nos arriscamos.
Somos espontâneos
Impulsivos
Prontos para agir sem atentar
Para os perigos
Reais ou imaginários.

Sem ensaiar, mergulhamos,
Sem testar calor ou frio.
Danem-se as consequências!
Que nem heróis
Vendados para sobreviver.

Mas a maioria é diferente.
Temerosos dos riscos, devemos estar certos

Escarafunchando Fritz

De que nada vai perturbar
A rotina prudente das nove às quatro,
Seguro, contracheque, relacionamentos fixos.
Temos ensaiado papéis sociais
Com estudo e diplomas universitários
Comportamento correto para o sucesso.
Assim, galgando a escada até o topo,
Fazemos o maior barulho da Terra
Usando mal o poder para fins sádicos
Juntando dinheiro que não necessitamos.

Uma úlcera no estômago abre o apetite
Um sorriso arrogante desbanca a risada.
Contatos melhores que amizade
Tensionam nossa atuação, reavendo em vão
Nossa alma na missa dominical
E as promessas de ano-novo.
E não é só:
O bom menino é um mimado rancoroso.
O asseado é compulsivo.
O fraco dá um tiro oculto.
O solícito vira um chato intrometido.
Os sonhos da juventude viram pesadelo
Para azedar a própria vida.
O que fizemos? Que peça horrenda sobrou
Daquela bela promessa?

Frederick S. Perls

Acho normal que o espermatozoide
que vence a corrida contra um milhão
Não seja o escolhido.
O óvulo é que seleciona o parceiro.
(A mecânica não se aplica à vida.)
Vida é a *awareness* das necessidades,
Da noção de independência.
Cada célula escolhe,
Assimila a nutrição que o plasma dá.
Usa coisas para elaborar
A bile, os hormônios ou os pensamentos.
Ela tem mente, conhece sua função.
Tem consciência social.
Sua sobrevivência está em sintonia
Com o organismo e a ele serve.

Não como a célula cancerosa egoísta
Que rouba das outras células
O que necessitam para viver, uma criminosa
Da microvida.
As células sabem muito mais
Do que pensamos com arrogância.
A *awareness* que perdemos
Continua incólume se o deixarmos.
Portanto o óvulo não deve aceitar
O pretendente mais ambicioso.

O casamento se aperfeiçoa.
A célula única passa a se dividir, proliferar.
Ser humano potencial se autoatualiza como ser iniciante
Recebe apoio — sim, todo o apoio —
Bem no ventre da mãe.
O alimento, o calor, o oxigênio,
As pedras fundamentais estão lá
Para estruturar as plantas genéticas predeterminadas.
Ele nada, ouve, chuta para conseguir

Escarafunchando Fritz

O *Lebensraum*[11] e ativar os músculos.

Nascimento doído, tremenda mudança
Sem abrigo, calor humano e oxigênio.
Precisa respirar um pouco agora
Pois vida é fôlego.
(A razão da respiração da psique chama-se *psicológica*.)
Surge a primeira necessidade de sustento.
Se quer viver, pegue fôlego
("Bebê cianótico" se chama esse impasse,
que modela muitos mais tarde.)
Pois a morte vem a quem não arriscar
Uma respiração que o sustente.

Chore de dor, pois choro é ar
Para superar seu impasse.
E o crescimento continua.
Mais autonomia, autonomia, autonomia
Substitui a ajuda externa.
O apoio externo é suspenso.

Você aprende a andar sem colo
Brinca com sons, depois palavras
Comunica-se, explica-se.
Assalta a geladeira se tem fome
Escolhe os amigos se o amor mingua
Ganha o pão, forma suas ideias
E assume o seu lugar entre iguais.
Agora você cresceu
É sensível à vida
Sem incomodar os outros.
Não um neurótico que exige
Apoio que vem de fora.

---

11. Em alemão no original: espaço vital. [N. T.]

Frederick S. Perls

Chamo de neurótico o ser humano
Que usa seu potencial para
Manipular os outros
Em vez de crescer por si.
Ele controla, enlouquece de poder
E mobiliza amigos e parentes
No que for impotente
Para usar seus recursos.
Faz assim porque não aguenta
As tensões e frustrações
Que vêm com a vida adulta.
E: correr riscos é arriscado também
Dão medo só de imaginá-los.

Ele se acha perdido sem ajuda.
Suga os outros, usa os outros
Sem levá-los em conta.
Manipular os outros é uma arte
Que ele logo aprende.
Representa certos papéis bem escolhidos
Para dominar quem nele acredita.

Cria um personagem que, hermético,
Faz acreditar que é autêntico
No que olhos experientes, versados em artimanhas,
Descobrem que é só fingimento.

Que jogos nossos clientes jogam?
Que papéis eles imaginam adotar?

Jogos de dependência são os mais frequentes:
"Não consigo viver sem você, querida.
Você é ótima, tão inteligente, tão boa.
Resolve os meus problemas quase de graça
Ou, melhor ainda, porque gosta de mim".

Também se conhece o jogo "pobre de mim"
Por ser bastante eficaz
Para derreter um coração que parece fechado
E cruel e excludente;
Deixe correr suas lágrimas fáceis
Minha linda farsante
Até o rímel escorrer e manchar
Essa beleza fotogênica.

A chantagem é outra:
"Agora odeio você, me mato.
Serei perdoada, mas você terá
Uma péssima reputação".

Frederick S. Perls

A transferência é um belo jogo
Que se pode usar sempre.
"Vejo em você o meu pai, doutor,
E você será estimado e inteligente.
O que ele fez e não fez!
O que deveria e não deveria fazer!
De que me lembro ou esqueço —
Por que maltratei minha mãe?
Deito no seu lindo divã
Anos, décadas e séculos a fio
(Eu queria viver tudo isso!)
Evitando tocá-lo e encontrá-lo
E então nós dois brincamos tranquilos
Com símbolos, *insights* e tabu."

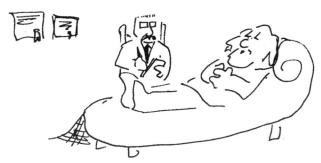

Estou começando a me divertir mesmo.
Ainda mais ao escrever esta história

Escarafunchando Fritz

Me desforrando da psicanálise.
Afinal de contas, Freud,
Eu lhe dei sete dos melhores anos da minha vida.

Estou ficando inquieto. Estou empolgado escrevendo em verso — especialmente o último parece um clímax. Existem muitos outros papéis e jogos para descrever. Everett Shostrom[12], em *Man, the manipulator* [*Homem, o manipulador*] e Eric Berne[13], em *Jogos da vida*, escreveram estudos extensos sobre aquele tema.

Quando jovem na Alemanha, escrevi, é claro, alguns poemas. Desde 1934, quando comecei a falar inglês, tenho tido muito raramente ligação com a poesia. Agora, fico empolgado de brincar com o ritmo e encontrar palavras que se encaixem nele ou não pareçam esquisitas e, ao mesmo tempo, expressem algo que seja significativo para mim — e, espero, também para você.

Não apresse o rio; ele corre sozinho.

Agora estou cansado. Em breve nos reuniremos e conversaremos sobre o impasse...

Os russos o chamam de *ponto doente*, pelo que me disseram. Dizem que nas neuroses existe um núcleo que não pode ser tratado. No entanto, as energias ao redor desse núcleo podem ser reorganizadas para desempenhar um trabalho útil para a sociedade.

A psiquiatria estadunidense não reconheceu nem aceitou explicitamente o *ponto doente*, apesar do fato de que, com todas as longevas terapias de talvez uma centena de escolas diferentes, raramente se conseguiu curar inteiramente uma neurose.

---

12. SHOSTROM, Everett. *Man, the manipulator*. Nova York: Bantam, 1980. [N. T.]
13. BERNE, Eric. *Jogos da vida*. Barueri (SP): Nobel, 1995. [N. T.]

Basicamente, o paciente melhora e melhora e melhora, mas em princípio mantém seu estado. Talvez a neurose seja um sintoma social de uma sociedade doente. Pode ser que, para a maioria dos terapeutas, fazer terapia seja mais um sintoma que uma vocação: eles externam suas dificuldades e trabalham-nas nos outros, não em si mesmos.

Na verdade, muitos de nós vemos o cisco nos olhos dos outros, em vez da viga nos próprios olhos. "Se você tem moscas nos olhos, não consegue ver as moscas nos seus olhos" (*Ardil 22*)[14].

Talvez a neurose seja considerada erroneamente um problema clínico, seja considerada uma doença em vez de se perceber que doença quase sempre é uma neurose. Fingir-se de doente é um dos muitos artifícios dos inseguros para manipular o mundo. Quase sempre isso tem sido chamado de "fuga pela doença", e a distância entre o fingimento e a doença neurótica é mesmo pequena. Como psiquiatra do Exército, tive muitas oportunidades de estudar isso, sobretudo quando a falta de segurança exigia o auxílio de uma pensão.

Considero a neurose um sintoma de maturação incompleta. Isso poderia significar uma transição do ponto de vista clínico para o educacional, acarretaria uma reorientação das ciências comportamentais.

A solicitação de uma nova disciplina feita por Lawrence Kubie[15] — não um doutorado em medicina nem em psicologia, mas uma integração de cursos essenciais de medicina, psicologia, filosofia e educação — aponta na direção correta.

Se um dia eu me tornasse uma "vaca sagrada" e me ouvissem, sem dúvida eu tanto proporia essa disciplina quanto promoveria as comunidades da Gestalt como um instrumento eficiente para gerar gente de verdade.

Pela minha experiência em *workshops*, estou convencido de que nesse lugar, com orientação conveniente, os participantes poderiam descobrir em poucos meses seu potencial para se atualizarem como pessoas responsáveis, em constante crescimento, e superar aquele impasse que impede todas as possibilidades de terem êxito.

---

14. Paráfrase da fala do personagem Orr no livro *Ardil 22*, de Joseph Heller (1961), depois adaptado para o cinema, no filme de mesmo nome dirigido por Mike Nichols (EUA, 1970). [N. T.]
15. Lawrence Kubie (1896-1973), psiquiatra e psicanalista estadunidense de pacientes famosos, como o maestro e compositor Leonard Bernstein e o escritor Tennessee Williams. [N. T.]

Escarafunchando Fritz

Os impasses se manifestam de maneiras diferentes, mas em todos os casos se fundamentam numa distorção fantástica (com base na fantasia) da realidade observável. Um neurótico é incapaz de ver o óbvio; ele perdeu o juízo. Uma pessoa saudável confia mais nos próprios sentidos do que em seus conceitos e preconceitos.

Em *A roupa nova do imperador*, de Hans Christian Andersen, todos estão hipnotizados, mas a criança não se ilude: vê que o imperador está tão nu quanto ela.

Com um chiu irritado, os adultos franzem a testa:
"Você não pode ser tão atrevida.
A roupa do imperador é linda.
Você, parva, é que não vê".

A criança fica atordoada; o mundo desaba.
"Como confiar nos meus sentidos?
Eles não me amam se consigo ver!
Preciso mais do amor deles que da verdade.
É difícil engolir, mas esta
é minha primeira aula de adequação".

Poderia ser de outro modo
(Quem conhece as leis das histórias?)
Se eu deixasse a criança gritar
"O rei, o rei está nu!"

35

E nem cenhos franzidos nem broncas
Calassem o protesto da criança
Ela desmascararia os tolos
Que toleram ser enganados.
Oh, que vergonha, meu rei deposto
Enganando-se, acabou enganado!!!

Estou descobrindo que o ritmo para cima e para baixo não é suficiente. É preciso haver um movimento temático que correlacione os versos musicalmente. De vez em quando sinto que isso já acontece.

Poema deve ser como canção
Que paira livre no verde vale
E vibra como gongo no Japão.

A linha seguinte não quer aparecer. Eu sou as minhas garatujas! Não quero me dar um tempo para juntar bem as palavras. Não quero empacar para que a forma supere o conteúdo. Não quero criar um impasse reconhecendo ambições.

Nem pressão ou tensão a intervir
Quando eu me ponho a escrever
Se um crítico resolver surgir
Para me advertir a bel-prazer
Vou me virar e mandá-lo sumir

Antes de lhe mostrar que sei bem
Arrasar os outros sem nem mentir
Até mesmo tratá-los com desdém.

Fritz (desafiante): E daí? Eu me contradisse e brinquei de rimar.

A *awareness* é o máximo.
E é universal.
Até aqui temos só duas dimensões
E ambas separadas:
O "espaço" que cobre todo o "onde"
E o "tempo" que responde ao "quando"
Minkowski-Einstein[16] fizeram delas uma só
Um processo, sempre com alguma
Extensão e duração.

Acrescentando agora a *awareness*
Temos uma terceira dimensão
Definindo a matéria e declaramos:
"Aceite uma nova extensão".
Um processo que é *awareness* "de si".

Não, como o carvão, refletindo a luz

---

16. Hermann Minkowski (1864-1909), matemático criador da geometria dos números. Demonstrou que a teoria da relatividade do seu ex-aluno Albert Einstein (1879-1955) podia ser representada geometricamente, como se fosse uma teoria de espaço-tempo de quatro dimensões. [N. T.]

Mas âmbar iridescente
Que brilha um brilho autossustentável
Que queima e morre em transformação.

Assim, a matéria vista pelos olhos meus
Obtém conotação divina.
E você e eu, e eu e vós
Somos mais que matéria mortal;
Participando, existimos
Na real natureza de Buda.

O Deus triplo é máximo
É o poder criador
De tudo que é universal.
A *prima causa*[17] do mundo.
Ele se estira na eternidade
E Ele se expande, é infinito;
É onisciente, portanto *aware*
De tudo que há por conhecer.

Logo a matéria também é infinita,
Espaço de todos os espaços.
E o tempo chama-se eternidade —
Se não cortarmos em pedaços
Um tanto restrito pelo relógio
Para medir sua duração.

Quando Berkeley e Whitehead[18] presumiram
Que a matéria tem consciência
Sabemos sem dúvida que é verdade
E até começamos a prová-lo.

17. Em italiano no original: causa primeira, razão principal. [N. T.]
18. George Berkeley (1685-1753), filósofo irlandês que teorizou a respeito do imaterialismo, ou materialismo subjetivo.
Alfred North Whitehead (1861-1947), matemático e filósofo inglês, principal figura da filosofia do processo e propositor da metafísica da natureza, em que sofreu grande influência de Berkeley. [N. T.]

Pode-se condicionar qualquer rato
A se orientar num labirinto.
Agora ele pode mostrar ao seu fedelho
Uma destreza útil para um roedor —
Fato que simplesmente encantará
O jovem estudante do comportamento.

Então lhe triture o cérebro e o dê
A qualquer um dos amigos ratos
O que o fará conhecer a matéria.
Ele não precisa passar pela chatice
Da tentativa e erro.
O condicionamento é enfadonho
(As recompensas e o terror de sempre.)

Uma árvore crescerá
E espalhará suas raízes
Até um fertilizante suculento.
Desenterre esse alimento tentador
E enterre-o noutro lugar.
Então observe as raízes volteando.
Correção de rumo!

Não conseguimos explicá-lo
Chamando-o de "mecânica".
Tropismo sensível
Awareness viva das próprias necessidades
Esse parece ser o nome certo.

Assim herdamos muitas aptidões
De ancestrais que não localizamos.
E a unidade mente-matéria
É organísmica de verdade.

É provável que uma molécula tenha
Um *quantum* minúsculo, minúsculo

Frederick S. Perls

Bilionésimo de bilionésimo.
Awareness assim ainda é
Impossível de medir.

Os mamíferos têm um lugar especial
Em que se condensa a *awareness*:
O cérebro, onde nervos de tipos diversos
Comunicam a *awareness*.
Awareness é experiência —
Experiência é *awareness*.

Sem *awareness* nada existe
Nem mesmo o conhecimento do nada.
Não existe encontro aleatório
De coisa com coisa
E os sentidos sensoriais não têm onde
Buscar conteúdo.
O tema e o objetivo
Não podem se fundir.

Awareness é o subjetivo.
O "quê" é o objeto.
E todos os meios do mundo
A visão, o som, e os pensamentos e o tato
Baseiam-se em terreno comum
Que, denominando, eu declaro:

O meio de todos os meios
Não é nada mais que a *awareness*
Que se diferencia — como olhos e ouvidos
Como cinestesia e como tato
E olfato-fedor-olfato.

A onipresença de Deus
Espelha a *awareness*.
Experiência como fenômeno
Aparecendo sempre no *agora*
É lei para mim.
Um presente que representa a presença
Uma certeza que se traduz em realidade.

A realidade não é senão
A soma de toda a *awareness*
Como você a vive aqui e agora.
O suprassumo da ciência, portanto, aparece
Na unidade de fenômeno de Husserl
E na descoberta de Ehrenfels[19]:
O fenômeno irredutível de toda
a *awareness*, a que ele chamou
E nós ainda chamamos
GESTALT.

Filosofar é uma chatice
E não se atreva a negar.
Se você pudesse atravessar tudo isso
Que na seção anterior
Eu exibi pontificando
Então você merece o esclarecimento
Do que é obscuro; o que não se encaixa

---

19. Christian von Ehrenfels (1859-1932), filósofo e psicólogo austríaco que lançou a ideia das qualidades gestálticas, desenvolveu uma nova teoria de valor e elaborou ideias de ética sexual e cosmologia. Na edição em inglês deste livro de Perls há um erro gráfico no sobrenome desse filósofo: Ehrenfeld. [N. T.]

Frederick S. Perls

Onde aparecem buracos e a conceituação
Incompleta precisa de reparos.

Pois sou tendencioso e, como você,
Tenho uma perspectiva incompleta.
Só espero vagamente conseguir
Criar o centro de um enfoque
Que abranja com coerência
Os âmbitos e as coisas, as disciplinas
A mente, o corpo, a medicina
E o crescer.
Filosofia
Que oxalá envolverá
Os seres humanos
E o todo.

Já como se apresenta
A teoria de nada
Senão a *awareness*
Comprovou-se eficaz.
Eu não diria que se abriram
"todas as portas do inferno"
Quando publiquei esse conceito
Em mil novecentos e quarenta e dois.

Mas mais e muitos grupos se formaram
Com muitos nomes curiosos
Os grupos-T e os grupos de encontro
E a *awareness* sensorial.
Os microlaboratórios e outros rótulos
Para treinamento em
Tralaritatá, sensibilidade, sensibilidade.
(Isso soa como motor —
O ruído parece impedir
Uma discussão séria.)

Escarafunchando Fritz

Não são impostores; têm boa intenção
Nem sempre imitadores, mas tendem
À segmentação.
Impossível repreendê-los
Por usar coisas díspares
Para crescer e ser plenos
Ignorando passos importantes
Para atingir o objetivo terapêutico:
Centrar a vida de alguém.

Sem um centro vai-se a esperança
De um dia ser real.
O ser humano vazio destes tempos
O robô de plástico, cadáver vivo
Vai inventar mil maneiras
De ser autodestrutivo.

Sem um centro nos perdemos,
Cambaleamos sem tomar posição.
Sim: dispersivos, sem leveza estável
Sim: gelatina e rigidez
E clichês e fraude
Caracterizam o homem moderno
Em mil novecentos e sessenta.

Ele não tem um centro; tem morte,
Um estupor catatônico.
Ele precisa de empolgação, objetos
Não importa em que classe
Da alta ou da baixa sociedade
Ele desperdiça a vida.
O banqueiro precisa do álcool
O *hippie*, da maconha
Para se doparem e esquecerem
Que com um centro saudável
Existe empolgação intensa
Para estar vivo
(Para estar vivo)
E criativo
(E criativo)
E autêntico
(E autêntico)
E atento
(E atento)
E pleno
E plenamente *aware*.

Foi suado escrever as duas últimas partes. O rio parou de correr. Até tive de voltar e "mexer" nelas com vontade; embora eu tenha afinal me divertido um pouco com os dois exemplos de *awareness* da matéria. Ataque aos behavioristas. Eu também sou behaviorista, mas num sentido diferente.

Acredito mais em *re*condicionamento do que em condicionamento, na aprendizagem por descoberta do que por treinamento e repetição. Durante toda a minha vida odiei exercícios, disciplina rígida e decoreba. Sempre confiei no "eureca!", o choque do reconhecimento.

Mesmo agora, em prosa, o rio não corre. Estou sentado à minha escrivaninha e, em vez de um fluxo livre e espontâneo das frases que vou ensaiando, elas estão vagueando fora de alcance. "O que dizer?" "Como dizer?" Ou seja, estou travado de novo — não sei a quem me dirigir; perdi contato; ideias demais — tijolos — se avolumam, todas necessárias para completar a estrutura, a abordagem que estou apresentando.

Tenho muitos originais inacabados. Cada vez que travava diante de uma incoerência, uma brecha que aparecia na minha teoria, eu abandonava aquele projeto de livro.

Contudo, agora acredito que está o mais completo que consigo. Creio que seja uma teoria viável para os nossos tempos.

Acho que Freud é o Edison da psiquiatria, ao transformar uma abordagem descritiva em dinâmica e causal, e também Prometeu e Lúcifer, os portadores da luz.

Na época de Freud, os Deuses, manipuladores do mundo, entregaram seu poder mágico às forças da natureza: calor, gravitação, eletricidade. O próprio Freud se fascinou com essa transição: Eros, o poder do amor, e Tânatos, o poder da destruição invertida. O interesse pelo aspecto físico do mundo passou a suplantar o espiritual, assim como, na filosofia, a dialética materialista de Marx substituiu a dialética idealista de Hegel.

Em nosso tempo, aconteceu algo extraordinário, comparável e semelhante à unificação dos Deuses por intermédio de Moisés: o aparecimento da eletrônica. O átomo, pedra angular da química, torna-se a fonte de toda a energia. O conceito de causalidade — do "por quê?" — desmorona e abre espaço para a investigação do processo e da estrutura, o "como".

O interesse científico passa da história para o comportamento da matéria ou, em nosso caso, para "o processo e a estrutura do comportamento humano". Não as descobertas de Freud, mas sua filosofia e sua técnica tornam-se obsoletas e precisam ser desmascaradas por se concentrarem no lado errado, o lado do pensamento histórico. Mesmo que mil analistas fizessem isso com ainda mais intensidade, o lado errado não se tornaria o lado certo.

Ao compreender a natureza processual do organismo e sua dependência das leis da dinâmica da Gestalt, dei o passo seguinte após Freud na história da psiquiatria, e esse passo significa eficiência.

Não conseguimos dizer qual será o terceiro passo, mas fiz algumas especulações a esse respeito. Vou revelar minhas fantasias a você. Todas as teorias e hipóteses são fantasias a respeito de modelos do funcionamento do mundo. Depois de confirmadas, e sendo aplicáveis à realidade concreta, elas próprias assumem um caráter de realidade. Assim, o "inconsciente" e a "libido" são tão realidade para o freudiano quanto "arco reflexo" e "estímulo-resposta" para os behavioristas. Esses termos tornam-se artigos de fé: duvidar da realidade deles é como blasfemar. O mesmo se aplica à minha atitude em relação ao termo "Gestalt".

Agora, minha fantasia sobre o terceiro passo encaminha-se para a análise mental e a lavagem cerebral. Chocante, não é? Estamos acostumados com a equação: lavagem cerebral equivale a doutrinação de propaganda, de modo que isso parece entrar em conflito atroz com as minhas ideias sobre autenticidade e espontaneidade. Mas espere um minuto, poupe o fôlego. Lavar é limpar — tirar do cérebro toda a sujeira mental que carregamos. Para o propagandista, significa apenas apagar a lousa para escrever nela outras convicções. Para ele, significa expulsar o diabo a fim de abrir espaço para o Belzebu. Não são assim as minhas contenções e as de Freud.

De novo, Freud deu o primeiro passo. Percebendo que o paciente não tinha contato com a realidade, tendo perdido o imediatismo da relação isenta com o mundo, percebendo que algo intermediário perturbava essa relação com o mundo, ele chamou o agente perturbador de "complexo". Por exemplo, um homem pode não dormir com sua companheira porque a fantasia inconsciente com sua mãe interfere.

Freud sonhava com lavagem cerebral tornando consciente a situação edipiana e "analisando-a", o que para ele significava principalmente tornar conscientes as memórias "esquecidas" relacionadas com a fixação do paciente.

Por incrível que pareça, o desconfiado Freud confiava em memórias volúveis. Pela minha experiência, todas as "neuroses traumáticas" revelaram-se invenções *ad hoc* dos pacientes para justificar sua situação existencial. O que Freud chamou de "complexo", eu chamo de intensa Gestalt patológica.

Onde quer que alguém perca o contato com o mundo, existe uma espécie de terra de ninguém, uma "zona desmilitarizada" ocupada por forças potentes que tentam manter separados o *self* e o *diverso* dele. Ambos os lados, tanto o *self* quanto o diverso dele, têm contato apenas com uma parte intermediária, não entre si.

Não há lugar para o encontro criativo. Quando usa uma máscara, o sujeito está em contato com a parte interna dela. Qualquer pessoa que tentar tocá-lo com os olhos ou as mãos só terá contato com a máscara. A comunicação, base das relações humanas, é impossível.

Essa zona intermediária é densamente povoada por preconceitos, complexos, expectativas catastróficas, cálculos, perfeccionismo, compulsões e pensar, pensar, tagarelar, tagarelar, tagarelar, pensar, pensar, tagarelar, tagarelar, pensar; palavras, palavras, palavras, vinte e quatro horas por dia.

Você ainda se opõe à lavagem cerebral?

Frederick S. Perls

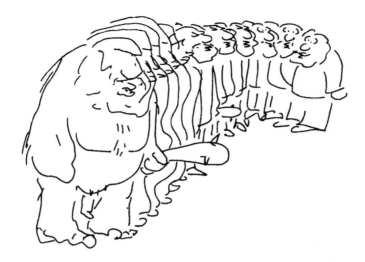

Estou bem desesperado com estes originais. Tenho um vislumbre ao olhar para uma tapeçaria quase toda tecida, mas não sou capaz de ver a imagem completa, a Gestalt completa. As explicações não ajudam muito a compreender. Eu não posso dá-las a você. Você pode aceitar o que eu ofereço, mas será que eu conheço seus gostos?

Quando consegui escrever em verso, eu sabia que você gostaria de nadar com a correnteza; eu sabia que comunicaria algo, um estado de espírito, um empurrão, até mesmo certa dança de palavras.

Continuo travado e determinado a superar esse impasse. Tenho grande propensão a desistir e largar mão. Mas também não adianta me forçar a fazer algo contra a minha tendência. Assim, suspenso entre a Cila da fobia, da evitação, da fuga e a Caríbdis[20] do trabalho árduo, do esforço e do empenho, o que se deve fazer?

Eu não seria fenomenologista se não conseguisse ver o óbvio, ou seja, a experiência de estar atolado. Eu não seria gestaltista se não conseguisse enfrentar o atolamento com a segurança de que alguma figura emergirá dessa situação caótica.

20. Cila e Caríbdis são monstros marinhos da mitologia grega que habitavam o estreito de Messina, na atual Itália. Desafiavam heróis como Odisseu (ou Ulisses), que, ao tentar navegar pelo estreito distanciando-se de Caríbdis, na costa leste da Sicília, foi atacado por Cila na costa oeste da Calábria. Portanto, ver-se entre os dois monstros significa estar entre perigos opostos. [N. T.]

Escarafunchando Fritz

E veja! Surge o tema. Autocontrole organísmico contra controle ditatorial; controle autêntico contra controle autoritário. A dinâmica da formação da Gestalt contra a sobreposição de metas inventadas. Predomínio da vida contra o chicote dos preconceitos morais; forte fluxo conjunto de envolvimento organísmico contra a chatice do deveriísmo. Estou voltando à divisão humana: animal contra social, espontâneo contra deliberado.

Que tipo de autocontrole inerente o organismo possui? Que tipo de autorregulação permite ao organismo — aqueles vários milhões de células — cooperar harmoniosamente? Até a era mecânica, a dicotomia do organismo estava perfeita. O homem era dividido em corpo e alma. A alma tinha existência separada, quase sempre imortal, quase sempre entrando em outros corpos e dominando-os por meio do renascimento. Ocorreram algumas mudanças teóricas a partir do entendimento da biologia de que o que chamamos de vida é função específica de qualquer organismo e o que classificamos como morto, como coisa, é qualquer objeto sem aquela função. Assim, a dicotomia não foi eliminada, mas deslocada para outra um tanto diferente, muito em voga entre cientistas e leigos: a dicotomia entre mente e corpo.

A função do corpo tem sido explicada por uma série de teorias parcialmente contraditórias: do arco reflexo mecânico semelhante à máquina caça-níqueis (a parte do estímulo reflexo) a uma multitude de reações bioquímicas, alguns elementos misteriosos que orientam a regulação, a manutenção e o propósito da vida. O caráter absoluto da teoria do estímulo-resposta foi desmascarado por Kurt Goldstein. O aspecto químico é uma de diversas abstrações possíveis, muito interessantes e importantes, mas até agora incapazes de explicar a teoria do instinto.

Há algo errado com a teoria do instinto, pois do contrário não teríamos tantos autores divergindo sobre a quantidade e a importância dos vários "instintos".

Estou derrapando de novo. Em vez de escrever meus pensamentos e experiências, eu me comportei como se quisesse escrever outro manual e preparar, reformular, esclarecer uma questão. Na verdade, escrevi sobre a questão do instinto em 1942. Minha confusão atual vem da hesitação em poder ou não reivindicar a originalidade da minha teoria do "não instinto", como se isso importasse demais.

Frederick S. Perls

Chamei o livro que escrevi em 1942 de *Ego, fome e agressão*[21], título bem desastrado. Naquela época, eu queria aprender datilografia. Depois de alguns dias de treino, me entediei. Então decidi, mais ou menos como neste livro, escrever o que viesse para escrever. Em cerca de dois meses terminei o livro inteiro e, sem grandes modificações, publiquei-o em Durban, África do Sul.

Fui para a África do Sul em 1934. A chegada de Hitler e meu voo para a Holanda em 1933 interromperam minha formação de psicanalista. Meu analista na época era Wilhelm Reich, e meus supervisores, Otto Fenichel e Karen Horney[22]. De Fenichel recebi desorientação; de Reich, atrevimento; de Horney, envolvimento humano sem terminologia. Em Amsterdã, Holanda, tive ainda a supervisão de Karl Landauer[23], outro refugiado que fora psicanalista da minha mulher em Frankfurt, Alemanha. Era um homem de considerável cordialidade que fez o possível para tornar o sistema freudiano mais compreensível. Pelo menos ele não fez o que eu vira Fenichel e outros fazerem: uma exibição de malabarismo intelectual com "contratransferência negativa latente", "sublimação libidinal infantil" etc. — exibição que geralmente me deixava tonto e eu nunca conseguiria repetir. Não admira que Fenichel ficasse sempre impaciente comigo.

Não se poderia imaginar um contraste maior de sorte entre nossa vida em Amsterdã e um ano depois em Joanesburgo, África do Sul.

Em abril de 1933, atravessei a fronteira germano-holandesa com 100 marcos (25 dólares) escondidos no meu isqueiro. Em Amsterdã, morei com vários outros refugiados em uma casa cedida pela comunidade judaica.

Vivíamos bem apertado. A atmosfera, claro, era contida. Muitos haviam deixado parentes próximos na Alemanha. Embora as deportações ainda não estivessem no auge, sentíamos intensamente o perigo. Assim como a

21. Perls, Frederick S. *Ego, fome e agressão – Uma revisão da teoria e do método de Freud*. São Paulo: Summus, 2002.
22. Wilhelm Reich (1897-1957), psicanalista austríaco formado em medicina, integrante da chamada segunda geração de freudianos, criador da teoria da couraça muscular.
Otto Fenichel (1897-1946), psicanalista austríaco também da segunda geração, ligado ao grupo marxista.
Karen Horney (1885-1952), psicanalista alemã, cofundadora do Instituto Psicanalítico de Berlim. Emigrou para os Estados Unidos em 1932 e publicou teorias discordantes de Freud. É tida como fundadora da psicanálise feminista, termo criado por ela. [N. T.]
23. Karl Landauer (1887-1945), psicanalista alemão, cofundador do primeiro Instituto Psicanalítico de Frankfurt, fez contribuições fundamentais para a teoria da formação do afeto; morreu no campo de concentração nazista de Bergen-Belsen, na Alemanha. No original deste livro em inglês, o sobrenome dele está equivocado: Landanner. [N. T.]

Escarafunchando Fritz

maioria dos refugiados que saíram da Alemanha tão cedo, pressentíamos a guerra e os preparativos dos campos de concentração.

Embora Lore e o nosso primeiro filho se sentissem à vontade na casa dos pais dela, a segurança deles não era certa, pois eu estava na mira nazista. Eles foram para a Holanda poucos meses depois. Encontramos um pequeno apartamento no sótão, onde vivemos mais alguns meses em absoluta miséria.

Nesse ínterim, tentei tirar o melhor proveito da nossa vida na caridade, com duas pessoas que ainda guardo na memória.

Uma delas era ator, canastrão como ele só. Nada de extraordinário nele, afora uma verdadeira habilidade: tocava uma melodia inteira com peidos. Admirei essa capacidade e uma vez pedi a ele que a repetisse. Então, ele confessou que no dia anterior se abastecera de feijão ou repolho.

A outra pessoa era uma jovem casada, muito instável e histérica. Eu fui um dos dois amantes dela por um tempo. Não a mencionaria se essa vez não tivesse sido a única na minha vida em que me tornei supersticioso e acreditei em fenômenos sobrenaturais — sob o poder de um "fei-ti-ço".

Meu fetiche era uma estatueta japonesa de bronze com cerca de 25 centímetros de comprimento, algo entre um lagarto e um dragão. Ganhei-a de presente em Berlim não muito antes de Hitler chegar ao poder. Recebi-a de um famoso diretor de cinema em sinal de agradecimento e com a garantia de que era um símbolo da sorte.

Eu estava cético. A estatueta não dera sorte a ele.

Sem dúvida não me deu sorte. Logo depois precisei fugir da Alemanha. A vida na Holanda era difícil, especialmente depois da chegada da minha família e de passarmos a morar naquele apartamento gélido, com temperatura abaixo de zero. Não tínhamos licença para trabalhar. A valiosa mobília, que enfim conseguimos reaver, chegou num vagão de trem aberto muito danificada pela chuva. O dinheiro que consegui com a venda dos móveis e da minha biblioteca não durou muito. Lore teve um aborto e depressão a seguir. Além de tudo isso, a jovem que mencionei antes começou a criar problema.

Então decidi provocar os deuses. Eu estava convencido de que o fetiche era o causador da má sorte. Dei-o à encrenqueira e, coincidência ou não, seu marido rico a expulsou e ela teve vários outros problemas.

Ao mesmo tempo, nossa situação mudou inteiramente. Foi como se uma maldição tivesse sido desfeita.

Ernest Jones, amigo e biógrafo de Freud, prestou uma ajuda magnífica aos psicanalistas judeus perseguidos. Pediram a ele que encontrasse um analista residente para uma vaga em Joanesburgo. Ganhei o cargo. Não pedi garantia alguma. Eu não só quis fugir da situação desesperadora em Amsterdã como também previ o futuro. Eu disse aos meus amigos: "A maior guerra de todos os tempos está chegando. O que vocês podem fazer é ficar o mais distantes possível da Europa".

Naquela época, eles pensaram que eu estivesse louco, mas anos depois me elogiaram pela previsão.

Outro obstáculo, a garantia de 200 libras esterlinas para a imigração, foi vencido rápida e milagrosamente. Logo conseguimos um empréstimo que cobriu tanto isso quanto o custo da viagem.

O último obstáculo foi a barreira do idioma. Além de latim, grego e francês, estudei um pouco de inglês na escola. Eu adorava francês e era bastante competente nessa língua, mas nunca me dedicara ao inglês. Agora eu tinha de aprendê-lo, e rápido. Ataquei em quatro frentes: durante a viagem de três semanas no navio Balmoral Castle, li todos os livros fáceis e emocionantes que consegui encontrar, como os de mistério. Continuei lendo, sem me preocupar com detalhes, adivinhando pelo contexto o que se passava. Também estudei gramática e vocabulário com o método de autoaprendizado Langenscheidt. Também superei meu constrangimento e conversei com a tripulação e os passageiros. Mais adiante, fui ao cinema e assisti ao mesmo filme várias vezes. Nunca perdi o sotaque alemão, o que me envergonhou por bastante tempo, mas nunca procurei aulas de dicção. Anos depois, nos Estados Unidos, quase sempre me confundi com a diferença entre a dicção estadunidense e a inglesa. Era como se anunciava nas lojas de Paris: "Fala-se inglês, entende-se americano".

Fomos muito bem recebidos. Abri um consultório e fundei o Instituto de Psicanálise da África do Sul. Em um ano, construímos a primeira casa própria em estilo Bauhaus num bairro chique, com quadra de tênis e piscina, uma babá (tivemos outro filho), uma governanta e dois criados nativos.

Nos anos seguintes, dei-me ao luxo de ter vários passatempos — tênis e tênis de mesa. Tirei meu brevê de piloto. Meus amigos gostavam de voar comigo, ainda que Lore nunca tenha confiado em mim como piloto. Minha maior alegria era estar sozinho no avião, desligar o motor e descer planando em silêncio e solidão magníficos.

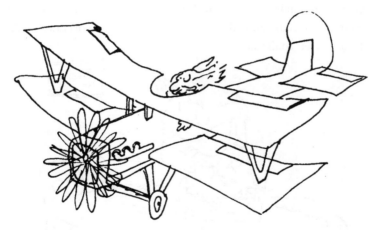

Tínhamos também um enorme rinque de patinação no gelo. Como eu adorava dançar no gelo... Os movimentos amplos, a leveza e o equilíbrio não se comparam com nada. Até ganhei uma medalha numa competição.

Fazer excursões marítimas, nadar nas ondas quentes do Oceano Índico, admirar a abundância de animais silvestres, produzir filmes em escala modesta, dirigir peças (eu havia estudado com Max Reinhardt[24]) e tirar o

---

24. Nome artístico do austro-húngaro Maximilian Goldmann (1873-1943), considerado um dos maiores diretores e produtores teatrais de língua alemã no século 20. [N. T.]

máximo proveito de amadores, consultar curandeiros, fazer algumas invenções, aprender a tocar viola, montar uma valiosa coleção de selos, ter alguns casos de amor muito bons e outros nem tanto, formar amizades afetuosas e duradouras.

Que diferença da nossa vida anterior! Sempre ganhei dinheiro suficiente para sobreviver e me virei de várias maneiras, mas nunca assim. Foi uma explosão de atividades, com as quais ganhei e gastei dinheiro. Lore costumava me chamar de mistura de profeta e vagabundo. Sem dúvida agora eu corria o risco de perder os dois.

Fui pego pela rigidez dos tabus psicanalíticos: a sessão de exatos 50 minutos, sem contato visual e social, sem envolvimento pessoal (contratransferência!). Fui pego por todo o aparato de um cidadão quadrado e respeitável: família, casa, empregados, ganhar mais dinheiro do que precisava. Fui pego pela dicotomia de trabalho e lazer: segunda a sexta *versus* fim de semana. Eu simplesmente me livrei disso tudo com o meu rancor e rebeldia contra me tornar um cadáver calculista como a maioria dos analistas ortodoxos que eu conhecia.

A primeira mudança ocorreu em 1936, ano de grandes expectativas e grandes decepções. Estava programado que eu leria um artigo no Congresso Psicanalítico Internacional na Tchecoslováquia. Eu queria causar boa impressão pilotando e apresentando um artigo que transcendia Freud. Pretendia voar sozinho os 6.400 quilômetros cruzando a África em meu avião — o primeiro analista voador. Encontrei um Gypsy Moth de segunda mão que fazia 160 quilômetros por hora. O preço era de 200 libras esterlinas, mas alguém se adiantou e pagou mais. Então, meus planos foram cancelados e eu precisei ir de navio.

O artigo que apresentei era sobre "resistências orais", ainda escrito com a terminologia freudiana. Foi recebido com profunda desaprovação. O veredito — "todas as resistências são anais" — me deixou pasmo. Eu queria contribuir para a teoria psicanalítica, mas não percebia, na época, que aquele artigo fosse tão revolucionário e pudesse abalar e até invalidar alguns fundamentos básicos da teoria do Mestre.

Muitos amigos me criticam por minha relação polêmica com Freud. "Você tem muito para dizer; sua posição está firmemente alicerçada na realidade. Por que essa agressividade constante contra Freud? Deixe-o em paz e cuide das suas coisas."

Não posso fazer isso. Freud, suas teorias e sua influência são importantes demais para mim. Minha admiração, perplexidade e vingatividade são muito fortes. Estou profundamente comovido com seu sofrimento e coragem. Estou profundamente impressionado com quanto ele, praticamente sozinho, conquistou com os recursos mentais inapropriados da psicologia associacionista e da filosofia mecanicista. Sou profundamente grato pelo tanto que desenvolvi ao me opor a ele.

Frederick S. Perls

Às vezes deparamos com uma afirmação que, com o choque do reconhecimento, ilumina a escuridão da ignorância com um clarão fulgurante. Tive uma experiência de "pico" quando adolescente. Schiller, o muito subestimado amigo e contemporâneo de Goethe, escreveu:

Und so lange nicht Philosophy
Die Welt zusammen hält,
Erhalt Sie das Getriebe
Durch Hunger und durch Liebe.
(E enquanto a filosofia/ não governar o mundo,/ ele será regido/ pela fome e pelo amor.)

Freud escreveu anos depois com a mesma intenção: "Somos movidos por nossas forças internas". Mas então ele cometeu um erro imperdoável a fim de salvar seu sistema centrado na libido. Para ele, a boca do recém-nascido tinha uma energia ainda não diferenciada em zona libidinal e na função de ingestão de alimentos. De fato, ele abandonou a segunda função e assumiu uma posição contrária a Marx. Este considerava o sustento o principal impulso do ser humano; Freud pôs a libido em primeiro plano. Não é uma questão de um ou outro, mas de ambos. Para a sobrevivência do indivíduo, o sustento é a função importante; para a sobrevivência da espécie é o sexo. Mas não é artificial preferir um ao outro? Será que a espécie pode sobreviver sem o sustento do indivíduo e o indivíduo existir sem o sexo dos seus pais?

Tudo isso é muito óbvio. Fico constrangido de mencionar isso. E não tocaria no assunto não fossem suas implicações tanto para a filosofia marxista quanto para a freudiana.

Escarafunchando Fritz

Wilhelm Reich tentou associar as duas. Ele cometeu o equívoco de relacionar as duas *Weltanschauungen*[25] num alto grau de abstração, em vez de no plano intuitivo. O resultado foi rejeição e xingamento. Os comunistas o rejeitaram porque ele era analista, e os analistas o rejeitaram porque ele era comunista. Em vez de uma cadeira com base mais larga, ele se viu caindo entre duas cadeiras. Meteu-se em apuros ao relacionar dois sistemas antes de relacionar a própria subsistência e o próprio sexo. Por assim dizer, foi punido por violar algumas leis básicas da semântica geral, justificou Korzybski.

Dominador — Pare de falar de Reich. Siga seus propósitos e atenha-se ao seu tema, as resistências orais.

Dominado — Cale-se. Já lhe disse algumas vezes: este é o meu livro, são as minhas confissões, ruminações, necessidade de esclarecer o que é obscuro para mim.

Dominador — Veja! Seus leitores vão considerá-lo um andarilho senil e tagarela.

Dominado — Então voltamos ao meu *self versus* a minha imagem. Se um leitor ficar ressabiado, será bem recebido e até convidado a dar uma olhada. Fora isso, mais de uma vez me estimularam a escrever minhas memórias.

Dominador — Fritz, você está na defensiva.

Dominado — E você está desperdiçando muito do tempo meu e do leitor. Então fique quieto, aguarde o seu momento, que vou deixá-lo esperando. Deixe-me ser como sou, e pare com essa mania de dar ordens.

---

25. Em alemão no original: visões de mundo. [N. T.]

Dominador — Está bem, mas eu voltarei quando você menos esperar e *precisar* da orientação do seu cérebro: "Computador, por favor, me oriente".

No momento não quero pensar,
Quero ser tolerante,
Lembrança em que eu veja
Uma figura pomposa sobressair.
Voltarei ao sexo e à comida
Para enriquecer o seu conhecimento
Neste instante sinto surgir uma sensação
De tristeza por um professor.

Para compreender melhor o meu apreço por Reich, temos de voltar ao meu analista anterior, um húngaro chamado Harnik[26]. Gostaria de conseguir descrever de alguma maneira o estado de ignorância e covardia moral a que o seu chamado "tratamento" me reduziu. Talvez a intenção fosse não ser um tratamento. Provavelmente se tratava de uma análise didática para me preparar para o *status* de psicanalista credenciado. Mas isso nunca ficou claro. Tudo que se disse foi: "O terapeuta precisa livrar-se de complexos, ansiedade e culpa". Mais adiante ouvi um boato de que ele morrera em uma clínica psiquiátrica. Não sei dizer quanto a psicanálise me ajudou.

Ele acreditava na análise passiva. Esse termo contraditório significa que eu fui durante dezoito meses, cinco vezes por semana, me deitar no divã

---

26. Eugen Harnik (1893-1931), psicanalista ortodoxo húngaro. [N. T.]

Escarafunchando Fritz

dele sem ser analisado. Na Alemanha sempre se esperava um aperto de mão; ele não apertou a minha mão nem na chegada nem na partida. Cinco minutos antes do final da sessão, ele raspava o chão com o pé para indicar que o meu tempo estava para acabar.

O máximo que ele dizia era uma frase por semana. Uma de suas declarações no início foi de que eu parecia ser mulherengo. A partir daí, o caminho estava traçado. Preenchi o vazio da minha vida no divã com histórias apaixonadas para compor a imagem de Casanova que ele tinha de mim. Para manter a fama, tive de me envolver em cada vez mais aventuras, em geral falsas. Depois de mais ou menos um ano, quis me afastar dele. Eu era covarde demais moralmente para dar o fora. Depois de fracassar na minha análise com Clara Happel[27], quais seriam as chances de me tornar analista?

Naquela época, Lore me pressionava para casarmos. Eu sabia que não era de casar. Não estava loucamente apaixonado por ela, mas tínhamos muitos interesses em comum e nos divertíamos bastante. Quando conversei com Harnick sobre isso, ele usou o típico truque psicanalítico: "Você não tem permissão para tomar uma decisão importante durante sua análise. Se você se casar, interromperei sua análise". Sendo covarde demais para assumir a responsabilidade de interromper minha vida no divã, joguei a responsabilidade para ele e troquei a psicanálise pelo casamento.

Porém, eu não estava pronto para desistir da psicanálise. Sempre perseguido pela ideia fixa de ser ignorante ou perturbado demais, eu estava determinado a resolver o problema. Em desespero, consultei Karen Horney, uma das poucas pessoas em quem eu realmente confiava. Seu veredito foi: "O único analista que acho que poderia entender você é Wilhelm Reich". Assim começou a peregrinação ao divã de Wilhelm Reich.

Bem, o ano seguinte foi uma história completamente diferente. Reich era vital, vivo, rebelde. Ele tinha disposição para discutir quaisquer questões, sobretudo as políticas e as sexuais. Ainda assim, é claro que fazia análise e jogava os jogos habituais de rastreamento genético. Todavia, com

---

27. Clara Happel (1889-1945), renomada psicanalista alemã que presidiu a filial de Frankfurt da Sociedade Psicanalítica Alemã. Quando Adolf Hitler subiu ao poder, Clara emigrou em 1936 para a Palestina e depois para os Estados Unidos, onde clinicou. Suicidou-se em 1945, por depressão agravada pelo Holocausto judeu e pelas bombas atômicas dos Estados Unidos contra o Japão. [N. T.]

ele a importância dos fatos começa a desvanecer. O interesse pelas atitudes veio mais para o primeiro plano. Seu livro *Análise do caráter*[28] foi uma contribuição importante.

Nos seminários dele, conheci pessoas amáveis que mais tarde se revelaram bons terapeutas, como Hellmuth Kaiser[29]. Então Hitler atacou. Reich também teve de emigrar depressa. Foi para a Noruega. Daí em diante, ele parece ter-se tornado bastante peculiar. Exceto uma vez em que seu livro foi traduzido por uma de minhas alunas da África do Sul, Sylvia Beerman, perdi contato com Reich. Eu o vi novamente durante o Congresso Psicanalítico de 1936. Ele foi a minha terceira decepção. Sentou-se longe de nós e mal me reconheceu. Ficou sentado por muito tempo, com olhar perdido, pensativo.

Perdi de novo o contato com ele durante mais dez anos, quando o visitei logo depois de ter chegado aos Estados Unidos. Então fiquei realmente assustado. Ele estava inchado como um sapo-boi enorme; seu eczema no rosto se intensificara. A voz dele retumbou pomposamente, perguntando-me com incredulidade: "Você não ouviu falar da minha descoberta, o orgônio?" Então perguntei. Foi isto que eu descobri.

Sua primeira descoberta, a couraça muscular, foi um passo importante além de Freud. Trouxe para terra firme a noção abstrata de resistência. As resistências tornaram-se funções totalmente orgânicas, e a resistência anal, o ânus apertado, teve de desistir de monopolizar as resistências.

---

28. REICH, Wilhelm. *Análise do caráter*. São Paulo: Martins, 2020. [N. T.]
29. Hellmuth Kaiser (1893-1961), psicanalista formado no Instituto Psicanalítico de Berlim, trabalhou na primeira clínica psicanalítica do mundo, o Sanatório do Schloss Tegelhe; abandonou a teoria e a prática da psicanálise e se concentrou no processo de tratamento. [N. T.]

Outro passo adiante da vida no divã foi o fato de o terapeuta agora realmente ter contato com o paciente. O "corpo" fez valer seus direitos.

Tempos depois, quando trabalhei com pacientes que haviam sido tratados por reichianos, em geral eu encontrava sintomas paranoicos, embora não graves e fáceis de tratar. Então, dei outra olhada na teoria da couraça e percebi que a ideia da própria couraça era paranoica, pois supõe ataque e defesa na inter-relação com o meio ambiente. Na realidade, a couraça muscular funciona como uma camisa de força, uma proteção contra explosões vindas de *dentro*. Os músculos assumem uma função *implosiva*.

Minha segunda objeção à teoria da couraça é que ela corrobora a teoria aristotélico-freudiana da defecação: "As emoções são um estorvo. É necessário fazer uma catarse para tirar do organismo esses perturbadores da paz".

A natureza não é ineficiente a ponto de criar emoções que estorvam. Sem emoções somos máquinas mortas, entediadas e descompromissadas.

A terceira objeção é que essas erupções externam, rejeitam e projetam um material que poderia ser assimilado e integrar-se ao *self*. Elas promovem a formação de traços paranoicos. Em outras palavras, os materiais que saem nessas erupções continuam sendo percebidos como corpos estranhos. A única coisa que se alterou foi o local. Desapareceu a possibilidade de crescer e tornar-se mais completo.

Porém, diante da importância de se dar um tremendo passo na direção de uma abordagem holística, essas minhas objeções não são grande coisa.

O mesmo não aconteceu com o orgônio, invenção da fantasia de Reich que àquela altura já estava desvirtuada. Entendo o que ocorreu. Depois de tornar a ideia da resistência uma realidade comprovável, ele teve de fazer o mesmo com o principal termo de Freud, libido.

Bem, as resistências existem, não há dúvida, mas a libido era e é uma energia hipotética, inventada por Freud para explicar seu modelo de ser humano. Reich hipnotizou a si e aos seus pacientes para acreditar na existência do orgônio como equivalente físico e visível da libido.

Investiguei a função da caixa orgônica com várias pessoas que a adquiriram e invariavelmente encontrei uma falácia: uma sugestionabilidade que poderia ser dirigida do modo que eu quisesse. Reich morreu na prisão em vez de desistir de suas ideias fixas. O *enfant terrible* do Instituto de Viena revelou-se um gênio, mas se desvalorizou como "cientista louco".

Frederick S. Perls

É mais difícil escrever sobre a quarta decepção, meu encontro com Freud. Não, não é verdade. Imaginei que seria mais difícil porque no meu período exibicionista muitas vezes fui vago a respeito e fingi saber mais de Freud do que realmente sabia. O fato é que, excetuando S. Friedlander[30] e K. Goldstein, foram informais os meus encontros com gente famosa, como Einstein, Jung, Adler, Jan Smuts, Marlene Dietrich[31] e Freud. Além de informais, a maioria não resultou em nada, mas me deu algum material para me vangloriar e impressionar indiretamente meu público com a minha importância — o *glamour* quase sempre ofusca a visão e o julgamento.

Passei uma tarde com Albert Einstein: despretensão, cordialidade, algumas previsões políticas falsas. Logo perdi minha timidez, o que era raro naquela época. Ainda adoro citar uma declaração dele: "Duas coisas são infinitas: o universo e a estupidez humana — e ainda não tenho tanta certeza sobre o universo".

Em contraposição, meu encontro com Sigmund Freud acabou sendo a decepção número quatro de 1936.

Eu já estivera em Viena. Fui lá em 1927 por sugestão de Clara Happel. Fiz análise com ela em Frankfurt durante cerca de um ano. Um dia, para minha surpresa, ela declarou que minha análise terminara. Eu deveria ir a Viena para fazer o trabalho de controle.

Fiquei contente mas cético. Não senti que a terapia tivesse acabado, e o fato de o veredito ter coincidido com a época em que meu dinheiro acabara não contribuiu para convicção alguma.

Conheci Lore naquele ano. Aparentemente, na universidade, eu parecia ser para ela e outras garotas um solteiro casadouro. Era hora de escapar dos tentáculos do ameaçador polvo casamenteiro. Nunca me ocorreu que Lore me seguiria aonde quer que eu fosse.

---

30. Salomon Friedlander ou Salomo Friedlaender (1871-1946), filósofo, poeta e escritor de literatura fantástica, também mencionado mais adiante por Perls. [N. T.]

31. Carl Gustav Jung (1875-1961), psiquiatra e psicanalista suíço, fundador da psicologia analítica e tido por Freud como seu herdeiro; anos depois, Jung afastou-se da teoria freudiana. Alfred Adler (1870-1937), médico e psicoterapeuta austríaco, fundador da escola de psicologia individual, com ênfase no complexo de inferioridade.
Jan Christian Smuts (1870-1950), marechal de campo e estadista sul-africano, foi primeiro-ministro da África do Sul em dois períodos: 1919-1924 e 1939-1948.
Marlene Dietrich, nome artístico de Marie Magdalene Dietrich (1901-1992), atriz e cantora germano-estadunidense, mudou-se para os Estados Unidos ainda em 1930; seu filme mais famoso é *O anjo azul*. [N. T.]

Viena, cidade dos meus sonhos — ou podemos dizer cidade dos meus pesadelos?

Fui para Viena sem dinheiro; não tinha recursos e não ganhava muito. Quando eu tinha dinheiro, gostava de gastá-lo e, quando não tinha nenhum, conseguia sobreviver com quase nada. Clara Happel, sou grato por dizer, não me curou da minha inquieta natureza cigana. Peguei um quarto mobiliado barato na rua Eisengasse, mas saí dele rapidamente por dois motivos. Primeiro, havia uma barata morta na minha cama, fato que não me teria incomodado por si só. Mas as dezenas de parentes que vieram manifestar sua tristeza…! Não, não, não. E, depois, o veredito da minha senhoria, que disse:

— Nada de visitas femininas depois das dez horas.

— Por que só depois das dez?

— Bem, antes das dez pode acontecer alguma coisa. Depois das dez algo está para acontecer!

Não havia nenhum argumento contra esse tipo de raciocínio. Freud tinha um nome para isso: a lógica das sopas de *Knödel-Matzohball*[32].

Achei Viena bastante deprimente.

Em Berlim eu tinha muitos amigos e muita empolgação. Tolos, acreditávamos ser possível construir um mundo novo sem guerra. Em Frankfurt, senti que pertencia — não por completo, mas perifericamente — ao grupo existencial de Gestalt, que tinha um centro lá. A psicanálise com Happel era mais uma "obrigação", uma ideia fixa, uma regularidade compulsiva, com algumas experiências, mas não muitas.

Em Viena, a psicanálise era fundamental para mim. Apaixonei-me superficialmente por uma bela e jovem médica residente. Ela se parecia com toda a patota freudiana, assolada por tabus. Era como se todos os católicos vienenses hipócritas tivessem tomado de assalto os praticantes da "ciência judaica".

É difícil para mim escrever sobre aquele ano em Viena. Antes disso, escrevi as últimas quinze páginas sem esforço, entre uma parte e outra do seminário. Afinal, fiquei tão empolgado em escrever que "isso" parecia ter-se apossado de mim. Sei que falei várias vezes de centro.[33] Até agora, a última semana de escrita parece formar o meu centro, com a empolgação indo da produção de filmes e gravação à autoexpressão.

A escrita em verso sumiu. Ah! Não é verdade, não inteiramente. Eis uma contradição interessante: meu desprezo pela poesia está desaparecendo. Vivencio poeticamente Esalen, este lindo lugar nosso e dos meus alunos (tenho um *workshop* de quatro semanas em andamento). Não tenho essa sensação quanto ao meu arrebatamento biográfico atual. Na semana passada, escrevi um poema para as moças da recepção e não o considero poético. De vez em quando tenho a fantasia de que um poema sobre morte *versus* morrer está se formando. Esse seria um tema digno de poesia. Porém, foi divertido escrever aqueles versos para as moças, que são sempre avassaladas com as perguntas intermináveis dos hóspedes. Nós até usamos esses versos

---

32. Expressão jocosa, às vezes atribuída a Freud, usando o nome de dois pratos muito comuns nos países de língua alemã, *Knödel* e *Matzoball*, respectivamente, bolinho de batata e bolinho de pão ázimo (*matzá*), ligados à culinária judaica. [N. T.]

33. Nesse ponto, não foi traduzida uma observação de Perls porque faz sentido apenas em inglês: "Não sei se devo escrever *center* ou *centre*. Ambos parecem servir". Ele se refere à grafia diferente da palavra "centro" em inglês dos Estados Unidos (*center*) e em inglês do Reino Unido (*centre*). [N. T.]

no filme *Fritz*, que Larry Booth[34] está fazendo. Além do mais, fiquei satisfeito quando os ouvi de novo: boa pronúncia e boa sensação, com bem pouco do meu forte sotaque berlinense.
Quer ouvir esse poema?
— Claro!
Bem, já que insiste, terei o prazer de obedecer.

O jogo do diabo

Há como o Éden um lugar
Onde só existe prazer
Donzela, sol, sábios, se banhar,
É Esalen que se vai conhecer.

Um diabo aparece e declara:
"Também almejo uma posição.
Criei peças de tortura rara
Para aumentar minha diversão.

"As perguntas bobas que trago
São só pra lhe dar um friozinho
Mas se as quiser responder
Faça isso direitinho
Um anjo toca um sino de prata:
"Oh, Deus, não fiqueis tão furioso,

---

34. Larry Booth (1920-2003), fotógrafo e diretor de cinema, trabalhou sobretudo na preservação de fotografias da região de San Diego, Califórnia (EUA). [N. T.]

Frederick S. Perls

O diabo não é burocrata!

Só está por demais curioso".

Espero que tenha gostado dele tanto quanto eu. Bem, essa exibição não ajudou. Ainda reluto em voltar à Viena de 1927. O que me dá tanta aversão em Viena? Algo especial de que me envergonhe? Fui a Viena algumas vezes nos últimos dez anos. Gosto de ópera, de teatro, dos cafés, da comida.

A névoa começa a se dissipar. Apesar da sua reputação, *die Wiener Mäderln* — as donzelas vienenses — não me atraíam especialmente. Nunca tive um caso em Viena. Lá havia muito pouco entre os extremos do puritanismo burguês e da prostituição. Faltavam liberdade e tranquilidade para iniciar um relacionamento sexual como eu o conhecia tão bem em Berlim e Frankfurt.

Assumi um cargo de assistente no hospital psiquiátrico onde Wagner--Jauregg, famoso por seu tratamento com malária para sífilis cerebral, e Paul Schilder[35] eram meus chefes. Schilder era brilhante e compreendia muito bem a constituição, a função e as relações do organismo. Eu não me sentia à vontade quando via as palestras dele. Sua voz de falsete e seus gestos transtornados me faziam estremecer. No entanto, ele tinha algo de adorável e sincero.

Outro psicanalista que me impressionou foi Paul Federn[36], sobretudo uma frase dele numa palestra — imagine uma figura patriarcal muito digna dizendo: *"Man kann gar nicht genug vögeln"* ("O número de fodas nunca é suficiente"). Isso foi dito num contexto em que em geral só importava foder a mente.

Quando o encontrei anos depois em Nova York, tivemos muitas discussões sobre a natureza do ego. Ele entendia o ego como coisa real; para mim, o "eu" é apenas um símbolo de identificação. Não estou disposto a discutir agora o que isso significa.

35. Julius Wagner-Jauregg (1857-1940), médico austríaco cuja descoberta do tratamento de demência paralítica pela inoculação de parasitas da malária no paciente rendeu-lhe o Prêmio Nobel de Fisiologia de 1927.
Paul Ferdinand Schilder (1886-1940), psiquiatra, psicanalista e pesquisador, membro da Sociedade Psicanalítica de Viena, fundada por Freud, e coproponente da psicoterapia de grupo. [N. T.]

36. Paul Federn (1871-1950), psicólogo austro-estadunidense, atuante na área de psicanálise, pesquisou e escreveu sobre a psicologia do ego e o tratamento terapêutico da psicose. [N. T.]

Meus supervisores eram Helene Deutsch e Hitschmann[37], homem caloroso e sociável. Quando lhe perguntei uma vez o que achava das diferentes escolas parafreudianas que estavam surgindo, sua resposta foi: "Todas ganham dinheiro".

Helene Deutsch, por outro lado, me parecia muito bonita e fria. Certa vez, dei a ela um presente e, em vez de um "obrigada", ganhei em troca uma análise.

O Mestre estava lá, em algum lugar, no fundo da cena. Teria sido muito presunçoso conhecê-lo. Eu ainda não fazia jus a esse privilégio.

Achei que já o fizesse em 1936. Não teria sido eu a mola propulsora para a criação de um dos institutos dele? E não percorri mais de 6 mil quilômetros para participar do congresso dele? (Tive uma comichão de escrever "congresso d'*Ele*".)

Marquei consulta, fui recebido por uma mulher mais velha (creio que a irmã dele) e esperei. Então uma porta se abriu cerca de 60 centímetros e lá estava ele, diante dos meus olhos. Pareceu estranho que ele não se afastasse do batente da porta, mas naquele momento eu não sabia nada das fobias dele.

— Vim da África do Sul para fazer uma palestra e conhecer o senhor.
— Bem, e quando você vai voltar? — disse ele.

---

37. Helene Deutsch (1884-1982), psicanalista polonesa, colega de Sigmund Freud, fundadora do Instituto Psicanalítico de Viena, foi uma entre os primeiros psicanalistas dedicados à terapia de mulheres. Emigrou para os Estados Unidos em 1935.
Eduard Hitschmann (1871-1957), médico e psicanalista austríaco muito próximo de Freud, tendo participado da Sociedade Psicológica das Quartas-Feiras (a seguir rebatizada de Associação Psicanalítica de Viena). Emigrou para Londres com Freud e depois para Cambridge, nos Estados Unidos. [N. T.]

Não me lembro do resto da conversa (talvez de quatro minutos). Fiquei chocado e decepcionado.

Um dos filhos dele foi encarregado de me levar para jantar. Comemos meu prato favorito, ganso assado.

Eu esperava uma rápida reação de "mágoa", mas estava apenas anestesiado. Então, devagar, devagar, apareceram as frases: "Você vai ver — não pode fazer isso comigo. É isso que eu ganho pela minha lealdade nas discussões com Kurt Goldstein".

Mesmo nos últimos anos, com a cabeça bem mais equilibrada, essa continua a ser uma das quatro principais situações inconclusas da minha vida. Não consigo ser afinado, embora esteja melhorando. Nunca saltei de paraquedas. Nunca mergulhei (mas descobri uma escola em Monterey e ainda posso aprender). E, por último, mas também importante, ter um encontro cara a cara com Freud e mostrar-lhe os erros que cometeu.

Essa grande necessidade veio como surpresa durante uma espécie de sessão de palhaçadas com um estagiário. Essa sessão, como outras centenas, foi gravada em vídeo e, como algumas delas, transposta para um filme de 16 mm.

Minha ruptura com os freudianos ocorreu alguns anos depois, mas o fantasma nunca foi completamente enterrado.

Descanse em paz, Freud, seu teimoso santo-demônio-gênio.

Essa é a história das minhas quatro decepções no ano do Nosso Senhor de 1936.

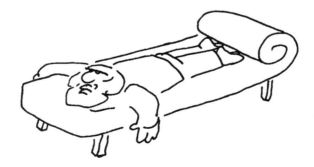

A viagem de 1936 à Europa não foi de jeito algum decepcionante, e nem todos se voltaram contra mim, mas poucos ficaram do meu lado. Senti a aprovação, por exemplo, de Ernest Jones, meu patrocinador na ida para a África do Sul. Ele até pareceu entusiasmado com algumas contribuições minhas para um debate sobre ansiedade.

Após o congresso, passamos alguns dias nas montanhas húngaras. Durante um jogo de xadrez, ele comentou: "Como alguém consegue ser tão paciente?" Abracei o elogio contra o meu peito ligeiramente escavado[38].

Não me lembro de como voltei para Joanesburgo. Provavelmente de navio, porque as companhias aéreas ainda não tinham chegado àquele canto do mundo. Minha autoestima estava abalada e, ao mesmo tempo, eu me sentia livre. Entre meus polos de inutilidade e arrogância, algo como um centro de confiança parecia crescer. Não, não é verdade. Essa confiança sempre esteve presente, mas não era reconhecida. Em geral, eu achava que soubesse o que queria. Fiquei comovido quando fui pego de surpresa por algo impressionante e divinal que me fez humilde e pequeno. Poderia ser o imperador ou um Freud (uma grande atriz me provocou isso), ou um pensamento inspirador; um ato heroico, um crime ousado ou um idioma que não entendo me fazem rezar de admiração.

Na minha viagem de ida, os passageiros — todos desconhecidos e igualmente desconhecidos por três semanas — me elegeram para tesoureiro de esportes. No último dia da viagem, me homenagearam com a *Auld Lang Syne*[39]. Eu não tinha feito nada para merecer isso. Fiquei profundamente comovido, corri para o meu chalé e chorei de soluçar. Um cigano solitário lamentando sua falta de raízes?

É lindo perceber que escrever ajuda. Tentei fazer da psicanálise meu lar espiritual, minha religião. Portanto, minha relutância de seguir a abordagem de Goldstein não era por lealdade a Freud, mas pelo medo de mais uma vez ficar sem apoio espiritual.

---

38. Perls refere-se à deformidade que ele tinha no peito, a qual, no meio médico, se chama "peito escavado" (do latim *pectus excavatum*) ou "peito de sapateiro". [N. T.]

39. *Auld Lang Syne* (*Velhos tempos*) é uma antiga canção folclórica escocesa que recebeu letra do poeta Robert Burns (1759-1796). Por tradição, a canção é entoada no mundo de língua inglesa sobretudo no ano-novo, mas também em qualquer grande despedida, seja na partida de um amigo, seja em funerais. [N. T.]

Frederick S. Perls

Nos Estados Unidos, estamos presenciando a desintegração das religiões organizadas. A igreja como centro comunitário, o sacerdote como líder espiritual e o *Seelsorger* (o pastor que cuida de almas) estão perdendo o significado. Uma tentativa desesperada para resgatar Deus está em andamento. Muitas denominações, suavizando diferenças que antes eram combustível para um ódio intenso, estão pedindo compreensão interdenominacional. "Ministros do mundo, uni-vos!" "Unam-se para negar o veredito de Nietzsche de que Deus está morto!" Muitos ministros começam a confiar mais na psicoterapia do que nas orações.

Quando criança, testemunhei uma desintegração semelhante da religião judaica. Os pais da minha mãe obedeciam aos costumes ortodoxos. Lá estava uma família com acontecimentos estranhos quase sempre calorosos e belos. Meus pais, especialmente meu pai, eram judeus "assimilados". Ou seja, ele achou um meio-termo entre ter vergonha da sua origem e se apegar a alguns dos costumes — ir ao templo nos grandes feriados, para o caso de haver um Deus por perto. Não consegui dar continuidade a essa hipocrisia e, ainda bem novo, me declarei ateu. Nem a ciência nem a natureza, nem a filosofia nem o marxismo poderiam preencher o vazio de um lar espiritual. Hoje sei que esperava que a psicanálise fizesse isso por mim.

Depois de 1936, tentei me reorientar. As dúvidas malditas e veladas sobre o sistema freudiano se disseminaram e me envolveram. Tornei-me cético, quase niilista — um negador de tudo. Zen-budismo, uma religião sem Deus? É verdade que na época, de forma fria e intelectual, aceitei muito do zen.

Escarafunchando Fritz

Então se fez a luz: chega de apoio espiritual, moral e financeiro de qualquer fonte! Todas as religiões eram rudezas criadas pelo homem; todas as filosofias eram jogos intelectuais de adaptação criados pelo homem. Tive de assumir total responsabilidade pela minha vida.

Eu estava enredado. Por causa da preocupação com a psicanálise em Frankfurt, não me envolvi com os existencialistas de lá: Buber, Tillich, Scheler[40]. Este tanto eu assimilara: a filosofia existencial exige que o indivíduo se responsabilize pela própria vida. Mas qual das escolas existencialistas contém a verdade com V maiúsculo?

Procurei mais ceticamente, e aqui estou agora. Apesar de todo o preconceito anticonceitual e a tendência pró-fenomenológica, nenhuma filosofia existencial se sustenta nas próprias pernas. Não estou nem falando do típico existencialista estadunidense que prega e fala asneiras sobre a existência, mas caminha pela Terra como um computador conceitual morto. Não; estou falando dos existencialistas na essência. Existe alguém que não precise de apoio externo, sobretudo conceitual?

O que seria de Tillich sem seu protestantismo, de Buber sem seu chassidismo, de Marcel sem o catolicismo? Você consegue imaginar Sartre sem o amparo de suas ideias comunistas, Heidegger sem o amparo do idioma ou Binswanger[41] sem a psicanálise?

Será que, então, não existiria a possibilidade de uma orientação ôntica em que o *Dasein* — o fato e os meios da nossa existência — se manifestasse compreensivelmente, mas sem explicações? Um modo de entender o mundo não pelo viés de um conceito, mas pelo da conceituação? Uma perspectiva da qual não nos demos por satisfeitos ao confundir uma abstra-

---

40. Martin Buber (1878-1965), filósofo judeu-austríaco, criou a filosofia do diálogo e foi editor do jornal porta-voz do sionismo, *Die Welt (O Mundo)*, movimento de que se afastaria anos depois.
Paul Tillich (1886-1965), filósofo existencialista germano-estadunidense, pastor luterano, tido como um dos mais influentes teólogos do século 20.
Max Scheler (1874-1928), filósofo alemão fenomenologista dedicado à antropologia filosófica, à ética e à teoria de valores. [N. T.]

41. Gabriel Honoré Marcel (1889-1973), filósofo, dramaturgo e existencialista cristão francês que rejeitava o termo existencialismo, preferindo filosofia da existência.
Jean-Paul Sartre (1905-1980), filósofo, dramaturgo, escritor e ativista político francês, figura fundamental do existencialismo e do marxismo na França.
Martin Heidegger (1889-1976), filósofo alemão dos mais influentes do século 20.
Ludwig Binswanger (1881-1966), psiquiatra e psicólogo suíço, pioneiro da psicologia existencial e consagrado fenomenologista. [N. T.]

Frederick S. Perls

ção com o todo — por exemplo, perceber o aspecto físico como se fosse tudo que existe?

Existe sim! Surpreendentemente, vem de um lugar que nunca reivindicou o *status* de filosofia. Vem de uma ciência escondida com perfeição nas nossas faculdades; vem de uma abordagem chamada... psicologia da Gestalt.

Gestalt! Como eu conseguiria mostrar que a Gestalt não é apenas mais um conceito criado pelo homem? Como posso dizer que a Gestalt é inerente não apenas à psicologia, mas à natureza?

Se, no tempo dos deuses ou de diferentes formas de energia, alguém afirmasse que todas as energias estão investidas na menor partícula indivisível — chamada de átomo —, teria sido motivo de chacota no mundo. Hoje se reconhece que a energia atômica é a energia das energias. A bomba atômica é mesmo uma realidade.

Compreendo muito bem que você não consiga me acompanhar na ideia de que tudo é *awareness*, mas não posso entender a relutância em aceitar a ideia da Gestalt, de modo que descreverei pacientemente alguns aspectos do seu significado.

Entretanto, primeiro identifiquemos onde estamos: 1926, Frankfurt — Kurt Goldstein, Clara Happel, Lore e agora o professor Gelb, conferencista versado na psicologia da Gestalt, aluno de Wertheimer e Köhler[42].

Estou brincando com o número 6:

1896 Meus pais se mudam de um bairro judeu para o centro de Berlim, num local mais elegante. Não tenho lembranças anteriores a isso.

1906 *Bar mitzvá*, crise da puberdade. Sou um menino muito malvado e causo uma série de problemas para os meus pais.

1916 Entro no Exército alemão.

1926 Frankfurt.

---

42. Adhémar Gelb (1887-1936), russo, doutor em filosofia pela Universidade de Berlim, codirigiu o Instituto de Psicologia de Frankfurt, orientou o doutorado de Laura Perls, mulher de Fritz Perls, cujo prenome de batismo era Lore.
Max Wertheimer (1880-1943), psicólogo tcheco-alemão diplomado pela Universidade de Berlim, fundador da psicologia da Gestalt, emigrou para os Estados Unidos pouco antes de Hitler subir ao poder e naturalizou-se estadunidense.
Wolfgang Köhler (1887-1967), psicólogo estoniano formado na Alemanha, colaborador nos experimentos de Wertheimer sobre a percepção do movimento e um dos principais teóricos da Escola da Gestalt. [N. T.]

1936 Congresso de Psicanálise.

1946 Imigração para os Estados Unidos.

1956 Miami, Flórida. Envolvimento com Marty, a mulher mais significativa da minha vida.

1966 A Gestalt-terapia está no mapa. Finalmente encontro uma comunidade, um lugar de existência: Esalen.

Acrescentei mais um nome à lista de pessoas importantes em Frankfurt. Professor Gelb — esqueci seu nome de batismo. Claro, eu poderia pegar o telefone e perguntar a Lore, que esteve comprometida com a tese de doutorado sobre a constância das cores. Não, nada disso — não posso falar com ela agora, porque está em Tampa dando um *workshop*, provavelmente para a Academia Americana de Psicoterapeutas.

Gelb era uma pessoa bastante sem graça, mas bom professor. É conhecido por seu trabalho com lesões cerebrais junto com Goldstein, sobretudo no caso Schneider[43]. A descoberta deles foi que uma lesão cerebral não significa apenas a perda de certas faculdades, mas uma mudança na personalidade *como um todo*. Ocorre uma regressão, uma desdiferenciação. Mais significativo ainda, o paciente perde a capacidade de pensar e compreender termos abstratos e o que lhe era dito. O paciente passa a ter a inocência de uma criança pequena. Por exemplo, não consegue mentir. Pedia-se a ele que repetisse a frase "a neve é preta", mas ele não conseguia, e nada no mundo o obrigaria a repeti-la. Ele se apegava obstinadamente à resposta "a neve é branca".

Minha relação com os psicólogos da Gestalt era peculiar. Admirei boa parte do trabalho deles, especialmente o trabalho inicial de Kurt Lewin[44]. Deixei de segui-los quando se tornaram positivistas lógicos. Não li nenhum dos seus livros, apenas alguns artigos de Lewin, Wertheimer e Köhler. Para mim, o mais importante era a ideia da situação inacabada, a Gestalt incompleta. Os gestaltistas acadêmicos, é claro, nunca me aceitaram. Sem dúvida, eu não era um gestaltista puro.

---

43. Johann Schneider era um jovem de vinte e três anos que servia o Exército alemão na Primeira Guerra Mundial. Em junho de 1915, ele foi atingido por estilhaços de uma mina e, depois de curado dos ferimentos, apresentou uma série de problemas auditivos, visuais, motores e psicológicos. [N. T.]

44. Kurt Lewin (1890-1947), psicólogo germano-estadunidense considerado pioneiro da psicologia social, industrial e aplicada nos Estados Unidos. [N. T.]

Minha maior fantasia era que todos eles eram alquimistas em busca de ouro, para fazer uma investigação completa, e eu estava satisfeito com o uso de produtos menos impressionantes porém mais úteis que foram rejeitados.

Uma Gestalt é um fenômeno irredutível. É uma essência que existe e desaparece se o todo for decomposto nos seus componentes.

Agora mesmo aconteceu uma coisa muito interessante. Eu estava ensaiando a explicação desse princípio da Gestalt com o exemplo da molécula de água — H_2O e seus componentes, átomos de hidrogênio e oxigênio — quando percebi que a formulação dos gestaltistas não podia estar certa. Eles dizem que o todo é mais do que as partes. Em outras palavras, algo é adicionado ao mundo simplesmente em decorrência de uma configuração. Isso arruinaria a nossa imagem do equilíbrio de energia do universo. *Algo* seria criado do nada, ideia que transcenderia até o poder criador de Deus. Pois está escrito que Deus criou o mundo de *tohu va-vohu*[45], do caos. Deveríamos então deixar que os gestaltistas atribuam à formação da Gestalt mais poder do que nossos devotos ancestrais deram a Deus?

---

45. Expressão em hebraico usada duas vezes no Antigo Testamento da Bíblia: Gênesis 1,2 e Jeremias 4,23. Nos dois primeiros versículos, essa expressão, em referência à Terra, foi traduzida para o português por "sem forma e vazia". Em Isaías 34,11, a menção ao caos é indireta. [N. T.]

Antes de permitirmos que isso aconteça, daremos mais uma olhada e, mesmo que seja apenas fantasia minha, tentemos outra explicação. Não sou químico nem físico, então posso estar bem enganado. $2H + O = H_2O$, como fórmula, está correto; como realidade, está errado. Ao se tentar misturar os dois gases, oxigênio e hidrogênio, nada acontecerá. Ao se aumentar a temperatura, eles explodem, perdem a condição de átomos e formam a Gestalt molecular H_2O, ou água. Nesse caso, a Gestalt representa dinamicamente menos do que as partes, ou seja, menos o calor produzido. Da mesma forma, para separar os átomos, dividir a Gestalt, é preciso adicionar eletricidade, de modo que os átomos existam separados. Pode-se tirar várias conclusões disso. Sem o auxílio da eletricidade e depois de descartarem sua energia térmica inata, esses átomos perdem a independência e precisam criar uma aliança. Essa integração, aliança, pode não ser um sinal de força, mas de fraqueza.

O gestaltista pode discordar: "Veja este motor. O todo é mais do que as peças. Mesmo que haja peças a mais — velas, pistons etc. —, elas não são nada em comparação com o motor". Discordo. Admito que o motor em funcionamento é uma Gestalt e as peças separadas são outra Gestalt — talvez mercadoria ou lixo ou motor potencial —, de acordo com o contexto, o plano de fundo em que aparecem. Certamente não se trata de uma Gestalt forte, a não ser, talvez, que as peças fossem amontoadas no meio de uma sala.

Existe uma contribuição muito interessante dos gestaltistas para que compreendamos a diferenciação da Gestalt em figura e fundo. Essa contribuição está relacionada com a semântica, ou o significado do significado.

Geralmente, ao pensarmos em significado, temos duas opiniões opostas: a objetiva e a subjetiva. A objetiva diz que uma coisa ou palavra *tem* um ou vários significados que podem ser determinados por definição — não fosse assim, os dicionários não sobreviveriam.

A outra, a opinião subjetiva, é a de *Alice no País das Maravilhas*, que diz: "Uma palavra significa exatamente o que eu quero que ela signifique". Nenhuma das duas opiniões se sustenta. O significado não existe. Significado é um processo criativo, uma representação no aqui e agora. Esse ato de criação pode ser habitual e tão rápido que não consigamos apreendê-lo, ou talvez exija horas de discussão. Em todo caso, cria-se um significado relacionando uma figura — o primeiro plano — ao fundo à frente do qual ela

Frederick S. Perls

aparece. O plano de fundo costuma ser chamado de contexto, conexão ou situação. Arrancar uma declaração do contexto leva facilmente a falsidade. Em *Ego, fome e agressão*, escrevi muito sobre essa questão. Não é possível existir uma comunicação clara sem um entendimento claro dessa relação figura-fundo. É como esperar ouvir uma estação de rádio quando o sinal (por exemplo, palavras) é encoberto por um forte ruído de fundo (estática).

Talvez a propriedade mais interessante e mais importante da Gestalt seja sua dinâmica — a necessidade de uma Gestalt forte chegar ao fim. Vivenciamos essa dinâmica muitas vezes por dia. A melhor expressão que define a Gestalt incompleta é situação inacabada.

Quero deixar bem clara uma falácia de Freud e compará-la com a abordagem gestáltica acadêmica e a minha, pessoal, abordando algumas semelhanças superficiais. Nesse contexto, quero demonstrar a insuficiência terapêutica da teoria freudiana dos instintos (e de todas elas).

Freud observou que alguns de seus pacientes sentiam a necessidade de repetir um tipo de experiência muitas vezes. Alguns, por exemplo, sabotavam-se no momento do êxito. Ele denominou essa atitude de "repetição compulsiva". Sem dúvida, é uma observação válida e um termo adequado. É fácil identificar pesadelos repetitivos e Gestalt*en* semelhantes em várias neuroses. É duvidoso incluir nessa categoria a necessidade de ir cinco dias por semana ao mesmo analista, na mesma hora, no mesmo lugar e no mesmo divã, faça chuva, faça sol, esteja-se triste ou alegre, perturbado ou tranquilo.

Freud ficou afinal com sua teoria de que a vida é um conflito entre Eros e Tânatos. Como cada um de nós participa da vida, participamos, segundo essa teoria, de Tânatos, o instinto de morte. Isso significa que cada um de nós sofre de repetição compulsiva.

Essa suposição parece ser um tanto exagerada.

Como se vai de uma repetição compulsiva a um instinto de morte? (Como a alfafa vai parar no telhado? As vacas não voam!) Truque simples, senhores! Veja, eis a repetição — agora ela é um hábito. Um hábito priva o indivíduo da liberdade de escolha. Petrifica a vida. Petrificação é morte. *Voilà*! Simples, não é? Agora observe: essa morte também pode ser vida. Caso se volte a petrificação para fora, ela passa a ser agressão, coisa muito viva. Eu me sinto um f.d.p., mas alguém precisa ver a nudez do imperador.

Escarafunchando Fritz

Onde está a falácia? No pressuposto de que todos os hábitos são petrificações. Os hábitos são Gestalt*en* integradas e como tais, em princípio, são recursos econômicos da natureza. Como Lore me disse certa vez, "bons" hábitos sustentam a vida.

Se você aprender a datilografar[46], precisará se orientar, no início, quanto à localização de cada letra, mover o dedo até aquela tecla e pressioná-la com certa força. Seu senso de orientação, bem como a escrita por meio das teclas, mudará de estranheza para familiaridade, de uma longa sucessão de descobertas e redescobertas para a certeza — isto é, para o conhecimento.

Cada vez menos tempo e concentração serão necessários, até que essa habilidade se torne automática, torne-se uma parte do *self*, esvaziando o primeiro plano e dando espaço para "raciocinar", sem se incomodar com a procura das teclas. Em outras palavras, "bons" hábitos fazem parte de um crescimento, da renovação de uma aptidão potencial.

Agora, é verdade que, quando um hábito se forma — quando se estabelece uma Gestalt—, ele existe e se torna parte do organismo. Mudar um hábito implica tirá-lo do fundo novamente e investir energia (como vimos com H_2O) para decompô-lo ou reorganizá-lo.

Freud escorregou ao não reconhecer a diferença entre a repetição compulsiva patológica e a formação organísmica dos hábitos.

A repetição compulsiva não consegue esvaziar o primeiro plano e ser assimilada. Ao contrário, continua sendo uma fonte constante de atenção e tensão só porque a Gestalt não se conclui, só porque a situação fica inacabada, só porque a ferida não se cicatriza.

A repetição compulsiva não se volta para a morte, mas para a vida. É uma tentativa repetida de enfrentar uma situação difícil. As repetições são investimentos para concluir uma Gestalt a fim de liberar as próprias energias para crescer e se desenvolver. As situações inacabadas suspendem as obras; são pedras no caminho da maturação.

---

46. O termo *datilografar* justifica-se pela época em que Perls escreveu este livro, o final da década de 1960, quando existiam máquinas de escrever e não havia computadores pessoais nem o verbo *digitar* em português; em inglês o termo continua o mesmo: *type*. [N. T.]

Um dos exemplos mais simples de situação inacabada é a doença. Uma doença pode ser eliminada pela cura, pela morte ou pela transformação organísmica.

É óbvio o fato de que a doença — forma distorcida de vida — desaparecerá com a cura ou a morte. E também é óbvio que uma doença, sobretudo se acompanhada de dor, assumirá a importância de um dado crônico, resistente ao retrocesso para o segundo plano e ainda mais para sua assimilação e sua desaparição definitiva do primeiro plano. Isso costuma mudar por meio de *transformação organísmica*.

Se uma pessoa está quase cega, ela se empenhará muito para manter ou melhorar o que lhe resta de visão. Continua sendo uma situação persistentemente inacabada. Ela fica ocupada e preocupada.

Quando ela estiver completamente cega, grande parte da situação mudará de modo espantoso. Ela terá superado a falácia da esperança. É deficiente aos olhos de seus semelhantes, mas ela própria se torna um organismo diferente, vivendo num *Umwelt* (meio ambiente) diferente, contando com uma forma diferente de orientação. Nesse estágio, ela será um organismo sem olhos, assim como somos organismos com duas pernas e não dez. Suas chances de vir a ser feliz melhorarão muito, lembremo-nos de Helen Keller, que tinha várias deficiências.

Se não dominamos a situação, se o organismo não é controlado por ordens, como podemos funcionar? Como se realiza a cooperação desses milhões de células? Como elas conseguem lidar com seu sustento e com as outras exigências da vida? Se rejeitamos até mesmo a dicotomia mente--corpo, que poder milagroso nos faz funcionar?

Será que temos em nós um ditador que toma as decisões, um conselho consensual, um governo com poder executivo? Existe um inconsciente ou emoções ou um cérebro calculador que dê conta do recado? Existe um Deus, uma alma que permeia o corpo e se encarrega de todas as suas exigências e objetivos com infinita sabedoria?

Não sabemos! Só conseguimos engendrar fantasias, mapas, modelos, hipóteses de trabalho e verificar a cada segundo sua precisão e confiabilidade. E se soubermos, de que adiantará?

Nenhuma teoria é válida se existe uma exceção a ela. Se enganarmos, ocultarmos evidências, não seremos cientistas, mas manipuladores, hipnotizadores, charlatães ou ao menos propagandistas para a exaltação da nossa arrogância.

Fora da neblina da ignorância, estariam surgindo tijolos para construir uma teoria confiável, completa, aplicável e unificada do ser humano e suas funções?

Alguns, não muitos ainda. Mas o suficiente para nos dar uma orientação fiável para os nossos propósitos específicos.

Fiz da *awareness* o cerne da minha abordagem, reconhecendo que a fenomenologia é o passo primeiro e indispensável para saber tudo que existe para saber.

Sem *awareness* não há nada.

Sem *awareness* há vazio.

A pessoa comum desconfia do nada. Sente que há algo assombroso nisso. Para ela, parece absurdo recorrer ao nada e usá-lo filosoficamente.

Há muitas existências: coisas, seres, produtos químicos, o universo, jornais e assim por diante, indefinidamente. Sem dúvida não os consideramos pertencentes à mesma categoria.

Não identifico muitas categorias do nada e creio que valha a pena e seja mesmo necessário para o nosso objetivo falar de algumas delas. Por exemplo, peguemos a história da criação.

Pelo que sabemos, o tempo é infinito, sem começo nem fim. Já estamos aprendendo a contar bilhões de anos. O ser humano achou impossível tolerar a ideia de que não havia "nada" no início. Então, inventou histórias sobre a criação do mundo, histórias que diferem de acordo com a cultura e convenientemente deixam de lado a resposta de como o criador foi criado. Essas histórias preenchem um nada que poderíamos chamar de vazio insólito ou vácuo.

Às vezes, o nada assume um aspecto desejável, como quando é vivenciado numa situação de dor, angústia ou desespero. *Shalom*, a saudação em hebraico, é paz, ausência de conflito. Nirvana é a cessação da dificuldade de viver. Lete é esquecimento, o bloqueio do intolerável.

Às vezes, o nada resulta da destruição e, na psicanálise, da repressão: a aniquilação de coisas, pessoas e memórias indesejadas.

O nada, no sentido ocidental, também pode ser comparado com a ideia oriental de não existência. As coisas não existem; todo acontecimento é um processo; a coisa não passa de forma transitória de um processo eterno. Entre os filósofos pré-socráticos, foi Heráclito quem sustentou essas mesmas ideias: *panta rei* — tudo flui; nunca pomos o pé no mesmo rio duas vezes.

Para nós, chamar alguém de cabeça oca é um insulto. Para um oriental, pode ser um grande elogio; a cabeça dele não está congestionada, mas sim aberta.

Meu primeiro encontro filosófico com o nada foi na forma do zero. Eu o encontrei com o nome de *indiferença criativa* por meio de Salomon Friedlander[47].

---

47. Na edição em inglês, Perls troca o prenome de Friedlander, Salomon, por Sigmund, talvez por alguma associação inconsciente com Sigmund Freud. [N. T.]

Reconheço três gurus na minha vida. O primeiro foi Friedlander, que se autodenominava neokantiano. Aprendi com ele o significado de equilíbrio, o centro zero dos opostos. O segundo é Selig[48], nosso escultor e arquiteto do Instituto Esalen. Sei que ele ficaria muito bravo se soubesse que estou escrevendo sobre ele. É realmente uma intromissão em sua privacidade. *Ecce homo!*[49] Esse é um verdadeiro *Mensch*, ser humano de total despretensão, humildade, sabedoria e conhecimento prático. Morador da cidade, eu não tinha muito contato com a natureza. Observá-lo e perceber sua compreensão e seu engajamento com gente, animais e plantas, comparar sua discrição e segurança com minha irritabilidade e meu jeito de prima-dona, enfim, sentir a presença de um homem a quem me sinto inferior e, em suma, o sentimento de respeito mútuo e amizade que surgiu — tudo isso me ajudou a superar a maior parte da minha pompa e falsidade.

Meu último guru foi Mitzie, uma linda gata branca. Ela me ensinou a sabedoria do animal.

Duas vezes na vida fiquei furioso por perder imagens. A primeira vez foi quando um membro de um dos meus grupos teve uma experiência de *déjà vu* com transe e *petit mal* (pequeno ataque epiléptico). Minha filmadora estava ligada. Fiquei entusiasmado com a possibilidade de ter feito a única gravação existente dessa ocorrência. Apesar da minha advertência clara, "Não apagar", a fita foi apagada e reutilizada.

A outra vez foi com a Mitzie. Acordei numa manhã e vi meu sombreiro de 75 centímetros de diâmetro andando perto da minha cama.

---

48. Selig Morgenroth (1909-1977), projetista, arquiteto e construtor do Instituto Esalen, em Big Sur, Califórnia. [N. T.]

49. Ao apresentar Selig, Perls usa a expressão latina *ecce homo* (eis o homem), atribuída pelo apóstolo João (19, 5) ao governador romano Pôncio Pilatos quando este apresentou Jesus Cristo à multidão para que o julgasse. [N. T.]

Levantei o sombreiro e lá estava a minha gata abraçando um passarinho com as patas dianteiras. Tive um choque. Três semanas antes eu vira muitas penas na minha sala de estar, clara indicação de que a Mitzie apanhara e comera um passarinho. Tirei o bichinho dali — e ela me olhou com tristeza. O passarinho estava ileso e conseguiu voar depois de dez minutos de recuperação. Como é que eu imaginaria que a Mitzie fosse fã de passarinho? Quem já ouviu falar de um gato envolver um passarinho? Se eu não tivesse ficado chocado, poderia ter tirado uma foto para exibir esse raro acontecimento.

Sei como peguei a Mitzie, lembro-me do olhar crítico mas afetuoso dos meus primeiros encontros com Selig, mas Friedlander está imerso num nevoeiro. Quando minha mãe mencionou certo dia que eu enviara a ele pacotes de alimento, fiquei surpreso. Eu me esquecera inteiramente. Isso deve ter sido em 1922.

A inflação do marco alemão já aumentava, embora ainda não tivesse disparado. Comida, sobretudo carne, era escassa. Minha capacidade de me lembrar das coisas era vantajosa naquela época, assim como anos depois superei a ameaça do campo de concentração e a tormenta da Segunda Guerra Mundial, e, da mesma forma, a inflação.

Os calafrios com o perigo atual da inflação nos Estados Unidos me fazem sorrir. Inflação! Você não faz ideia do que é inflação! Se o dinheiro rende, digamos, juros de 4%, a lei do equilíbrio diz que esse dinheiro perde 4% do valor ao ano, e isso é mais ou menos o índice da inflação.

Não sei dizer se a inflação alemã foi fabricada para liquidar as dívidas de guerra, mas suspeito que sim. O fato é que o dólar passou de 4 marcos rapidamente para 20, depois para 100, depois para 1.000 e para muitas dezenas de milhares, depois disparou para milhões de marcos e terminou com a cotação de vários bilhões. O valor do marco ficou muito próximo do "nada". Tenho uma coleção histórica de selos alemães desde os reinos fragmentados até o império, passando pelo Terceiro Reich e pela divisão em Alemanha Ocidental e Alemanha Oriental e a partilha de Berlim. Os selos inflacionados ocupam várias páginas do álbum.

Era preciso levar cédulas de dinheiro em sacolas. As pessoas corriam à noite para comprar algo com o dinheiro que haviam ganhado naquele dia, porque na manhã seguinte o preço já teria dobrado. O valor das hipotecas não chegava ao custo do papel em que eram escritas.

Dois pacientes e meu estado de alerta superaram essa situação crítica. Um era banqueiro. Eu não sabia nada sobre o mercado de ações e suas manipulações. Um dia, ele sugeriu que eu comprasse algumas ações por um preço cerca de cem vezes acima do meu ganho mensal. Argumentei que ele estava louco, mas ele sorriu: "Pode confiar em mim! Eu assumo o risco. Você compra as ações agora e paga daqui a quatro semanas". Fiz isso mesmo e paguei um quinto do valor depois de um mês. Fiz mais uma vez, mas nem havia mais necessidade. O alívio veio de outra fonte, um paciente que era açougueiro em Bremerhaven.

Logo após o início da Primeira Guerra Mundial, a disponibilidade dos alimentos na Alemanha começou a se deteriorar. Logo a palavra *Ersatz* (substituto) ganhou conotação de ameaça. Depois da guerra, e sobretudo durante a inflação, a conjuntura alimentar não melhorou nada. Um episódio bem engraçado deixa isso mais claro.

1919. Meu amigo Franz Jonas e eu fomos estudar em Freiburg por seis meses. Um belo dia, fizemos uma caminhada com a esperança de conseguir alimentos com uns agricultores. Tudo que conseguimos naquela empreitada foram dois ovos. No caminho para casa, ficamos um tanto bêbados e alegrinhos. Brincando, ele deu um tapa no bolso em que eu escondera os ovos, já que era proibido sair em busca de comida. Um desastre em vez de um precioso café da manhã! Na Alemanha, um ovo cozido no desjejum é quase um símbolo de *status*.

Chega de dissociações livres! Voltemos ao meu salvador, o anjo açougueiro, que caiu do céu de Bremerhaven direto no meu consultório — ou devo dizer despensa? Ele sofria de dores de cabeça e queria, é claro, ser curado, como todos os neuróticos. Bremerhaven ficava a oito horas de viagem de trem, e ele vinha uma vez por semana com um pacotão de carne e salsicha; eu morava com meus pais e minha irmã Else. Nunca estivemos tão de bem de vida, diz o ditado. Mas isso não foi tudo. Após algumas semanas, ele insistiu que se sentia melhor, mas não estava curado, e aquelas longas viagens de trem não aliviavam em nada as dores. Ele tinha muitos amigos que queriam me consultar e não havia nenhum *Nervenarzt* (espécie de neuropsiquiatra) em Bremerhaven. "Não tenho interesse em ser torturado pelo sacolejo de um vagão de trem", respondi.

"Ora", replicou ele, "poderíamos pagar a você em dólares estadunidenses". Senti um baque no peito. Não podia ser. Milagres assim não existiam. Mas era verdade.

É difícil entender a importância do dólar durante a inflação galopante. Apenas um exemplo em vez de muitos. Em 1923, eu pretendia ir aos Estados Unidos. Nunca tive dinheiro para imprimir meu diploma de médico, o que só se podia fazer depois de pagar a impressão da dissertação. A medicina raramente me interessava, e minha dissertação era sobre um tema bobo: lipodistrofia ginoide ou coisa parecida, doença rara em que as mulheres parecem cangurus, com grande volume de gordura acima da cintura, e são magérrimas abaixo. Eu não estava interessado em publicá-la. Procurei o *Castellan*, uma espécie de assistente universitário, e disse que lhe daria um dólar se ele fizesse a impressão. Seus olhos brilharam; ele não acreditou no que estava ouvindo. "Um dólar inteiro?" Ele assumiu o trabalho e em uma semana eu tive minhas coisas impressas e assinadas, e o deixei profundamente grato sem mover um dedo. Essa era a magia do dólar em 1923.

Naquela época, eu era rico. Eu poupara 500 dólares, com os quais poderia ter comprado alguns prédios de apartamentos em Berlim. Em vez disso, usei-os para viajar a Nova York.

Bremerhaven tinha fama de subúrbio de Nova York. Era o porto alemão de uma das duas linhas transatlânticas de navios grandes, como o Bremen e o Europa. A tripulação era paga em dólares. Durante vários meses, fui a Bremerhaven dois dias por semana, tinha um bom número de pacientes, usando sobretudo hipnoanálise naquela época, e ainda por cima me diverti muito.

A maior parte dos médicos alemães era de conservadores com máscara de total respeitabilidade. Tenho certeza de que faziam cara feia para mim por causa dessas viagens. Eu fazia cara feia de volta. Eles pertenciam à burguesia com presunção a classe média alta. Eu e alguns dos meus amigos médicos éramos da classe boêmia de Berlim, que se encontrava no Ost--West-Café e depois no Romanisches-Café[50].

Muitos filósofos, escritores, pintores, radicais políticos e diversos parasitas se encontravam lá. No meio da multidão estava, é claro, Friedlander, embora nós nos encontrássemos principalmente no ateliê de um pintor. Friedlander ganhava dinheiro escrevendo histórias muito engraçadas sob o pseudônimo de Mynona, que é "anônimo" em alemão escrito ao contrário. Sua obra de filosofia, *Indiferença criativa*, teve enorme impacto em mim. Como personalidade, ele foi o primeiro homem em cuja presença me senti humilde, curvando-me em veneração. Não havia espaço para a minha arrogância crônica.

Quando tento racionalizar e entender o que me atraiu em Friedlander e sua filosofia, sinto um turbilhão de pensamentos, sentimentos e memórias. Filosofia era uma palavra mágica, algo que se tinha de entender para

---

50. Cafés da capital alemã famosos no período entreguerras e existentes ainda hoje. [N. T.]

compreender a si mesmo e o mundo, um antídoto para a minha confusão e perplexidade existencial. Sempre me dava bem com a sofisticação. A pergunta "quantos anjos conseguem dançar na ponta de uma agulha?" era uma tapeação barata, que misturava símbolos e coisas. "O que veio primeiro, o ovo ou a galinha?" não apenas descarta a conjuntura de um processo contínuo, mas ignora especificamente o ponto inicial: "Qual galinha, qual ovo?" Reich costumava ser vítima desse pensamento arrevesado.

Na faculdade, líamos Sófocles e Platão no original em grego. Eu gostava do dramaturgo, mas Platão, como muitos filósofos, propunha ideais e exigia um comportamento que eles mesmos não tinham. Eu me fartei dessa hipocrisia com meu pai, que pregava uma coisa e fazia outra.

Já Sócrates até superava a minha arrogância ao dizer: "Vocês todos são bobos por achar que sabem alguma coisa!" Mas eu, Sócrates, não sou bobo. Eu sei que não sei! Isso me dá o direito de torturar vocês com perguntas e provar que vocês são bobos! Até que ponto se pode glorificar o intelecto?

O ensino de psicologia era uma mistura de fisiologia e quatro tipos de mente: razão, emoção, força de vontade e memória. Eu não conseguiria nem começar a mencionar os cem propósitos e explicações diferentes fabricados para representar a Verdade (de novo, com V maiúsculo).

Em meio a essa turbulência, Friedlander apresentou um modo simples de orientação primária. Seja qual for, diferencia-se pelos opostos. Quem é pego por uma das forças opostas fica preso ou no mínimo desequilibrado; quem permanece no *nada* do centro zero está equilibrado e em perspectiva.

Tempos depois, percebi que esse é o equivalente ocidental do ensino de Lao-tsé.

A orientação da indiferença criativa é clara para mim. Não tenho nada para acrescentar ao primeiro capítulo de *Ego, fome e agressão*.

Escarafunchando Fritz

Gente, estou travado! Essa foi a única frase que me veio. Eu me refiro à velha merda de sempre! Ô, Fritz, que vergonha... Uma hora atrás, uma sessão terminou pesada, superterapeutizada. Enfim descartei alguns ressentimentos. Morcegos pretos saindo da sala. Fui até o chalé. Eles estavam dançando, animados; mais uma vez superaram o pior.

Parado e triste, indiferente ao que os olhos veem, eu mesmo abrindo os olhos, tristeza, cansaço, indolência. Às vezes, levava vários dias para superar uma depressão. Desta vez, fiquei totalmente com ela, resistindo ao impulso de estender a mão a um falso bem-estar. Hoje demorou só vinte minutos. Voltei a ser o que era. Caneta percorrendo o papel. É quase uma hora. Nas duas noites passadas escrevi mais ou menos até as três da madrugada. Acordar cedo. Ouvir o noticiário da 1 hora. Aqui não temos nem FM nem TV. Apenas AM com sinal fraco e estática. À noite, o programa de música clássica *American Airline* até que pega bem. Também não temos jornal. Então, ouço um noticiário, quando possível. Uma vez por semana ponho-me em dia com as notícias da *Newsweek*. A emoção desta semana: saímos na revista *Life*. É curioso, como se estivéssemos ficando respeitáveis. E eu tenho de zelar por minha má reputação!

Pare, Fritz, corte o papo,
Pare com esse delírio.
Seja um escritor, mostre o lado bom.
Às vezes a poesia é válida, como a contemplação
Dos próprios humores incômodos
E da própria euforia.
Sossegue e nos diga como,

Melhor que uma alma, ou Deus,
O nada criativo nos faz compreender.
Deixe aquele capítulo na lata de lixo
Com o resto do lixo.
Escolha uns exemplos, ilustre
Dê alguma luz às trevas.

Luz e trevas — opostos irreconciliáveis, vistos de uma perspectiva abstrata. Como pode haver luz quando há escuridão, a própria essência do nada? Uma exclui a outra.

Agora, olhe para aquela árvore banhada de sol. Vê a sombra? Sombra sem luz, luz sem sombra? Impossível! Nesse caso, luz e treva se determinam; uma conta com a outra.

Um cinema ao ar livre projeta filmes de dia? Para termos figuras no primeiro plano, precisamos ter escuro no plano de fundo. Para não complicar, fiquemos com um filme em preto e branco. Precisamos do contraste do preto e do branco. Precisamos de contraste equilibrado. Muito contraste e a imagem se torna dura, pequena demais e plana. Sua TV tem botões para dar um equilíbrio ideal. Novamente, o preto e o branco se determinam mutuamente. Uma tela totalmente branca *ou* preta constitui um *nada* de conteúdo. O conteúdo que é a imagem contém uma diferenciação de pontos pretos e brancos significativos.

Subindo a escada, encontramos Rembrandt, cuja sobreposição de luz e escuro é uma das grandes conquistas da arte.

Zero é nada, é nulo. Um ponto de indiferença, um ponto de onde nascem os opostos. Uma indiferença que se torna automaticamente criativa assim que começa a diferenciação. Pode-se selecionar à vontade qualquer ponto aleatório e zerar nesse ponto. Se decidem lançar um míssil no dia x-y-z, começam uma contagem regressiva de dias, horas, minutos e segundos até zero e continuam com a contagem progressiva de segundos, minutos, horas e dias.

Orçamento equilibrado é aquele em que crédito e débito chegam a zero, independentemente de o orçamento ser de centavos ou milhões.

Temos o costume de chamar o ponto zero de "normal". Então, dizemos temperatura normal, exame de sangue normal etc. *ad infinitum*. Qualquer sinal negativo ou positivo é chamado de anormal, um sinal de mau funcionamento — de doença, se o sinal de mais ou de menos é considerável.

Quanto ao organismo biológico, o ponto zero da normalidade deve ser mantido ou o organismo deixará de funcionar; o organismo morrerá.

Cada célula, cada órgão, cada organismo inteiro tem de manter um número considerável de funções normais.

Cada célula, cada órgão, cada organismo inteiro se ocupa de eliminar qualquer excesso (+) e compensar qualquer deficiência (-) para manter o ponto zero, o ponto de funcionamento ideal.

Cada célula, cada órgão, cada organismo inteiro está em contato com o seu ambiente, eliminando e se reabastecendo.

Cada célula, cada órgão está inserido num ambiente intraorganísmico (fluidos corporais, nervos etc.). O organismo inteiro deve manter o equilíbrio organísmico preciso em seu ambiente, o mundo.

Qualquer perturbação no equilíbrio organísmico constitui uma Gestalt incompleta, uma situação inacabada que força o organismo a se tornar criativo, encontrar meios e maneiras de restaurar o equilíbrio.

Qualquer deficiência — de cálcio, aminoácidos, oxigênio, afeto, importância etc. — gera a necessidade de supri-la de algum lugar. Não dispomos de um "instinto" para cálcio, aminoácidos, oxigênio, afeto, importância etc.; nós *criamos* milhares de "instintos" possíveis *ad hoc* sempre que se desfaz um equilíbrio específico.

Qualquer excesso cria um instinto temporário de se livrar dele — dióxido de carbono, ácido láctico, sêmen, fezes, irritações, ressentimentos, fadiga etc. — a fim de restaurar o equilíbrio organísmico.

Cada respiração repõe o oxigênio e elimina o dióxido de carbono. Respirar com frequência — assimetricamente — equipara-se a *in*spirar. "Respire fundo."

Não quero lavar as mãos em uma bacia cheia de água suja até a metade. Não despejo água limpa em cima de água suja. Dreno a água suja primeiro.

Para drenar o ar "sujo", primeiro *ex*pire! Se *in*alar se tornar um fetiche, é provável que se adquira asma, uma tentativa desesperada da natureza de expulsar o ar usado.

"Curei" rapidamente toda asma psicogênica que encontrei. Na maioria dos casos, havia algum constrangimento por trás da asma, um receio de fazer aqueles ruídos selvagens de expiração provocados pelo orgasmo. O medo de revelar uma masturbação ou de descobrir um amante na cama são situações preferidas para resolver a questão. Eu os deixo brincar de "foder". Superaram o impasse respiratório com um pouco de tontura e, depois, com um alívio tremendo.

Tenho na minha lata de lixo várias curas ditas milagrosas. Eis aí uma "conquista" que posso revelar. Esses tipos de cura são milagres tão pequenos quanto conseguir ver uma árvore que os cegos não veem. Simplesmente acontece que a minha zona intermediária está menos lotada do que a média e sou capaz de ver o óbvio. Preciso mencionar o caso a seguir.

Um violinista foi enviado a mim por causa de uma cãibra na mão esquerda que aparecia depois de tocar o instrumento por apenas quinze minutos. Ele tinha a ambição de ser solista; não teve cãibra enquanto tocava na orquestra. Todas as investigações neurológicas deram resultado negativo. Obviamente, esse caso era psicossomático, e a psicanálise era indicada.

Vi muitos casos longos de psicanálise. Cinco a dez anos são bem frequentes. Porém, ele superava isso em muito: foram vinte e sete anos com seis terapeutas diferentes. Desnecessário dizer, todos os aspectos de complexo de Édipo, masturbação, exibicionismo etc. foram reexaminados várias vezes.

Quando ele veio me consultar e se agachou para deitar no divã, eu o detive e pedi que trouxesse seu violino.

Escarafunchando Fritz

— Para quê?

— Quero ver como você provoca essa cãibra.

Ele trouxe o violino e tocou maravilhosamente bem, em pé. Percebi que ele se apoiou no chão com a perna direita e cruzou a esquerda por cima dela. Depois de uns dez minutos, ele começou a balançar ligeiramente. A oscilação aumentava de modo imperceptível e, alguns minutos depois, a velocidade dos dedos diminuía e muitas notas saíam errado. O músico parou:

— Está vendo? Está ficando difícil. Se eu me forçar para continuar, fico com cãibra e não consigo tocar de jeito nenhum.

— E você não sente cãibra quando toca com a orquestra?

— Nunca.

— Você se senta?

— Claro, mas ao fazer o solo preciso me levantar.

— Certo. Agora vou massagear suas mãos. Fique com os pés afastados e flexione ligeiramente os joelhos. Agora comece de novo.

Depois de 20 minutos tocando com perfeição, seus olhos se encheram de lágrimas. Ele murmurou: "Não acredito, não acredito".

Nesse momento sua sessão já terminara, mas deixei o paciente seguinte esperar. Isso era muito importante! Eu queria ter certeza e o deixei tocar alguns minutos mais.

O que acontecera? Temos polaridades diversas que, se não devidamente equilibradas, produzem clivagem e conflito. Mais comum é a dicotomia direita-esquerda; menos comum, a divisão frente-costas ou parte superior--parte inferior do corpo, observada pela primeira vez por Lore. A parte acima da cintura tem essencialmente funções de contato; a parte inferior, funções de apoio. Então, meu paciente tinha apoio suficiente quando sentado, mas, em pé, o apoio sobretudo na perna direita não era suficiente para os movimentos sutis dos dedos da mão esquerda. Assim que sua perna direita se cansava de suportar todo o peso, ele começava a cambalear e precisava recuperar o equilíbrio quase a cada segundo. Esse desequilíbrio formava uma tensão que influenciava a parte superior do corpo e, em especial, a mão esquerda. Tivemos de trabalhar mais algumas semanas, não apenas para afastá-lo da vida no divã como também para suavizar sua "absoluta determinação" — maxilares cerrados etc.

Não sei se ele conseguiu o que queria. Tocava muito bem, mas nunca vi seu nome associado a um virtuoso do violino.

Na época, eu já estava bem instalado em Nova York e passei a ter a reputação de alguém que queria pegar casos persistentes e era ávido por eles. Na verdade, durante um período eu não sabia ao certo se permaneceria ou não nos Estados Unidos.

Estou num pequeno impasse. Tenho vontade de escrever sobre a minha vinda aos Estados Unidos e, ao mesmo tempo, não me sinto muito bem com isso. Essa mistura de um contexto com outro parece um subterfúgio, uma técnica. Não é nem mesmo uma espécie de contraponto em que se compensem mutuamente. Mas quem, senão eu, vai definir as regras do que jogar no lixo e do que selecionar? Além do mais, não estou nem escrevendo sobre o que me incomoda no momento.

São 3h15 da madrugada e não consigo dormir. Isso é muito raro. Em geral, consigo perceber e localizar qualquer superexcitação. Isso se dissolve e se dissipa, a *awareness* do "eu" se dissipa, a *awareness* do corpo diminui e, então, "nada" até de manhã.

Larry Booth fez um filme em cores chamado *Fritz*. Esse filme é um poema, um retrato bastante comovente de mim, embora se tenha dito que a minha simpatia e afetuosidade não transpareçam como nos filmes das sessões de terapia. Isso não me incomoda. O que me perturba é que estou desconfiado e irritado com uma atitude paranoica minha, o que se tornou bastante raro. Sinto que estou sendo usado. De fato, estou fundamentado ao menos a respeito do acordo e da situação financeira. Contudo, não posso ser generoso e ao mesmo tempo me sentir um otário. Tenho condições de pagar. Ganho um bom dinheiro. Então, por que diabos?

Sobrevivi aos horrores de Flandres[51]; sobrevivi a muitas difamações; sobrevivi àquela época na Holanda e a muitos outros problemas — mesmo assim, não consigo tratar disso racionalmente. Permanece o autoconceito arrogante: "Você não pode fazer isso comigo!"
Tive vários acessos de paranoia, mesmo nas situações em que eu estava errado. Esses episódios foram muito marcantes e exagerados depois das minhas primeiras viagens com LSD. Naquela época, eu perdia a perspectiva e vivia muitas fantasias de vingança. Sei que este seria o momento de falar sobre drogas psicodélicas e minha relação com elas, mas começo a me sentir pesado e cansado. Preciso adiar. Escrever isto vai me dar sono?

Durante o almoço de hoje, falamos de aprendizado. Opinei que aprender é descobrir. Isso remonta a fatos. Aprender habilidades é *descobrir* possibilidades. Ensinar é *mostrar* possibilidades. Descobrir: tirar uma cobertura, fazer aparecer coisas ou habilidades, acrescentar algo "novo".

Uma célula ou um organismo que perdeu o centro — o ponto zero, a normalidade, o ponto da indiferença criadora — descobre esse desequilíbrio e descobre os meios para recuperar o equilíbrio. Pode ser um processo simples ou muito complicado, e pressupõe que pelo menos toda a vida orgânica seja capaz de estar *aware*. Uma deficiência de água, por exemplo, cria um instinto temporário por água chamado sede, e então descobre uma fonte de água, digamos, uma garrafa de cerveja, então descobre um modo de abrir a garrafa e então descobre que beber acaba com a sede. Expresso numa

---

51. Flandres, região que abrange todo o norte da Bélgica e parte da França, foi palco de cinco batalhas – também chamadas batalhas de Ypres – ao longo dos quatro anos da Primeira Guerra Mundial, que deixaram centenas de milhares de mortos, entre alemães, australianos, belgas, britânicos, canadenses, franceses e neozelandeses. [N. T.]

fórmula, diz: o estado do organismo é - x água. Ao ingerir + x água, chegamos ao zero, ao desaparecimento de um desequilíbrio.

Com essa fórmula, fazemos um pequeno progresso em comparação com a transformação de uma alma ou Deus ou a "vida" em agente do funcionamento do organismo. Já temos alguma movimentação; temos uma relação bem definida do organismo com seu ambiente e incorporamos uma função organísmica básica: a necessidade de descobrir.

Sinto agora a necessidade de me defender dos que me chamam de behaviorista. De certa forma, isso é verdade. Estou interessado em investigar o comportamento da matéria e especificamente o do ser humano. É decisiva a diferença entre a minha atitude e a grande classe de psicólogos que se denominam behavioristas: é a diferença entre um lugar cheio de gente e uma cidade fantasma.

A *awareness* é uma experiência de máxima privacidade. Não posso estar *consciente* da *sua awareness*; só posso participar dela indiretamente. O behaviorista observa humanos e ratos "como se" não pudessem estar *aware*, "como se" fossem coisas. Em consequência, o behaviorista torna-se um técnico e condicionador do comportamento — isto é, controlador e manipulador. Porém, até ele reconhecerá a função fundamental da descoberta. Sem estar *aware* dos choques e dos apetites, nenhum animal descobriria "como o cientista quer que eu me comporte".

Para mim, é importante usar termos que abarquem toda a gama de abstrações e caibam na linguagem de todos. É uma pena que não tenhamos na linguagem comum um termo para Gestalt — padrão, melodia, configuração já são específicos demais. Acredito que, à medida que progredirmos, a ideia de Gestalt surgirá. Espero que este texto ajude, enfim, a chegar a uma boa formulação da Gestalt. É simples compreendê-la quando se trata de uma melodia. Quando se transpõe uma melodia de um tom para outro, o tema continua o mesmo, embora todas as notas tenham sido alteradas. Se você conhece bem uma melodia e alguém canta as três primeiras notas dela, automaticamente você a completa.

Desse modo, voltamos a uma das leis básicas da formação da Gestalt: a tensão que aflora da necessidade de conclusão chama-se frustração; a conclusão chama-se satisfação. *Satis* — bastante; *facere* — fazer: faça de um modo que tenha o suficiente. Em outras palavras, satisfação: preencha-se até estar satisfeito. No estado de satisfação, o desequilíbrio é aniquilado; desaparece. Acaba o incidente.

Assim como o equilíbrio e a descoberta são encontrados em todos os níveis de existência, a frustração, a satisfação e a conclusão também o são.

Imagino uma situação de guerra prolongada, com suas frustrações e a possível conclusão: paz.

Refiro-me especificamente às frustrações do combatente, é óbvio, e comparo a minha situação nas duas guerras mundiais — terror *versus* abrigo antiaéreo confortável.

Quando eclodiu a guerra de Hitler, eu estava bem instalado em Joanesburgo, ou melhor, estávamos, porque Lore também tinha consultório lá. Eu ainda não rompera oficialmente com os freudianos; foi depois. Na verdade, consigo dizer o minuto exato em que me senti totalmente livre dos grilhões ideológicos e comecei a me opor ao sistema de Freud. Durante anos estive propenso a exagerar a oposição; faltava-me o apreço por Freud e suas descobertas.

Frederick S. Perls

A ruptura ocorreu na Cidade do Cabo, quando conheci Maria Bonaparte, princesa da Grécia. Ela era amiga e discípula de Freud. Eu completara e mimeografara os originais de *Ego, fome e agressão* e entreguei-os a ela para que lesse. Quando os devolveu, ela me deu o tratamento de choque que eu necessitava. Disse: "Se você *não acredita* mais na teoria da libido, é melhor pedir demissão". Eu não acreditava no que eu ouvi. Uma abordagem científica baseada num artigo de fé?

Claro, ela estava certa. A libido ligava-se vagamente aos hormônios sexuais, mas Freud, sofrendo, como eu, de sistematite, teve de encontrar um denominador comum para seu modelo de ser humano. Ele chamou tal denominador comum de libido. Examinado de perto, esse denominador comum era como o coringa de um jogo de cartas: servia para muitas coisas, fosse impulso sexual, afeto, sensibilidade, fosse amor, formação de Gestalt, elã vital. Pobre Wilhelm Reich por tentar encontrar um equivalente dessa mistura semântica na realidade concreta.

Seja como for, não pedi demissão. Não fui expulso; minha relação com o Instituto Psicanalítico etc. simplesmente evaporou. Não fosse a guerra, eu poderia ter assumido uma posição.

O Afrika Korps de Hitler perambulava livremente pelo Norte da África. Uma divisão sul-africana foi dominada em Tobruk. Eu não sabia o que fazer. Meu diploma de médico não era válido. Eu estava disposto a me alistar como paramédico, mas me mandaram para casa com a recomendação de fazer um exame sobre higiene. Isso me permitiria servir o Exército. Estudei a matéria com dois amigos durante vários meses, mas eles passaram no exame e eu fui reprovado.

Logo depois, aprovaram uma lei que reconhecia diplomas estrangeiros enquanto durasse a guerra. Assim, me aceitaram como oficial médico e

Escarafunchando Fritz

passei por um curso de treinamento. Éramos chamados de turma de deten-
tos. Éramos uma verdadeira atração. Foi curioso voltar a ser soldado e ser
posto à prova. Depois, fomos vinculados aos hospitais.

A vida lá era só rotina. Fiquei surpreso com a quantidade de chá que
bebemos. Meu ordenança me acordava com uma "boa xícara de chá". Depois, chá no café da manhã, chá das dez da manhã, chá das quatro da tarde,
chá do jantar e chá na ceia.

Nosso comandante era um oficial da reserva que voltou para comprovar sua eficiência. Tudo devia ser escrito em três vias e registrado. Depois
de um ano nos livramos dele. Um coronel do Exército regular tomou-lhe o
lugar. Ele nos chamou e disse: "Senhores, vocês são oficiais e médicos.
Acredito que sejam responsáveis e saibam o que estão fazendo. Sugiro que
usem o telefone em vez da caneta". Ficamos aliviados ao saber que ele não
sofria de uma doença burocrática. A rotatividade dos pacientes duplicou
em pouco tempo.

A enfermeira-chefe da minha ala era uma voluntária de Vancouver,
loira, bonita e alta. Calorosa, mas assexuada. Calada, e mesmo assim
uma das pessoas mais eficientes e confiáveis que já conheci na vida. Eu a
respeitava tanto que nunca passei uma cantada nela. A raposa e as uvas
azedas? Talvez.

Obviamente, os pacientes foram separados por raça. A segregação entre negros e brancos após o *apartheid* de 1946 aumentou, mas não acredite
nem um pouco que sob o regime mais liberal de Jan Smuts[52] houvesse algo
que cheirasse a igualdade. Os brancos eram chamados de europeus; os negros, de nativos. Nenhum nativo podia dormir na mesma casa que um europeu ou usar o mesmo banheiro. Pegavam ônibus separados e moravam
em bairros distantes.

Diferenciei duas formas de crise nervosa nos chamados nativos. Uma
delas acometia o nativo urbanizado, que em geral falava inglês ou africâ-
ner, uma forma corrompida do holandês. Esse costumava ter uma neurose de angústia grave. Por outro lado, o nativo puro, recrutado nas
fazendas de gado ou nas instalações de mineração, tinha uma modalidade
esquizofrênica de neurose. Não consegui lidar com esses, nem mesmo por

---

52. De 1919 a 1924 e de 1939 a 1948, o general Jan Christian Smuts (1870-1950) foi primeiro-
-ministro da União Sul-Africana, antecessora da República da África do Sul. [N. T.]

meio de intérprete. Eu os mandava ao curandeiro deles, e muitas vezes voltavam curados.

As neuroses europeias em geral podiam ser classificadas, embora a classificação resultasse em simplificação excessiva. Os britânicos tinham neuroses de caráter, os judeus, histeria e os bôeres, traços compulsivos.

Lentamente, meus colegas perceberam quanta doença psicossomática existia. O chefe do departamento médico interno dizia no início: "Por trás de toda neurose há uma úlcera estomacal". No fim: "Perls (o jeito camarada de os estadunidenses chamarem os outros pelo primeiro nome era malvisto, exceto por amigos próximos), você estava certo: por trás de toda úlcera estomacal existe uma neurose". Fiquei satisfeito; eu até o perdoei pela gafe que ele cometera comigo.

Tive uma inflamação no pé direito. Era um inchaço doloroso. O chefe diagnosticou gota, e eu fiquei furioso. Eu e gota, isso não combina! Apesar do remédio, a dor se tornou insuportável. Insisti em tirar uma radiografia. Encontraram uma lasca, talvez remanescente de uma fratura anterior. Com uma pequena cirurgia, fiquei bem depois de alguns dias.

Sofri muitas lesões pequenas por andar de moto e fazer outros esportes, e apenas uma mais grave: uma concussão depois de um tombo na pista de patinação. Felizmente não houve fratura nem dano cerebral permanente.

Meu primeiro reconhecimento veio com uma das minhas chamadas curas milagrosas. Um soldado tinha grandes vergões por todo o corpo. Num último recurso, ele foi enviado a mim.

Um diagnóstico psiquiátrico nunca poderia ser feito apenas com base na ausência de achados neurológicos ou similares. Precisava haver alguma indicação psicológica clara. Esse soldado tinha um desespero profundo no olhar e estava um tanto atordoado. No exército, é óbvio, não tínhamos tempo para brincar de psicanálise ou qualquer outro tipo demorado de psicoterapia. Eu lhe receitei pentotal e soube que esteve num campo de concentração. Conversei com ele em alemão e o fiz retornar aos seus momentos de desespero e tirei dele o bloqueio do choro. Ele chorou do fundo do coração — ou, como se diz, chorou aos borbotões. Acordou em estado de confusão, e então ele despertou mesmo e teve a típica experiência *satori* de estar plenamente no mundo. Enfim ele deixara o campo de concentração para trás e estava conosco. Os vergões desapareceram.

Curas espetaculares como essa eram raras. Normalmente, o trabalho era bem árduo se eu quisesse usar a psicoterapia.

Bangue! Um aparte. Entre, G. Coma uma bolinha de marzipã. Grete, minha irmã, mostra o amor por mim enviando-me doces dos mais requintados. Sou pão-duro na hora de oferecê-los aos outros, mas ofereço.

Contei a G. a coisa maravilhosa que passou a acontecer. Começo a gostar de mim — minhas sutilezas, meu ritmo, minha visão nítida. Que diferença de se exibir e se vangloriar. Que diferença da minha sede de apreço e do seu alimento insosso e fugaz.

Hoje de manhã, à mesa do café — não, logo ao acordar —, o turbilhão recomeçou. Estou tateando para achar alguma coisa no nevoeiro. Na fantasia, escrevo furiosamente. Muitos temas voltam a se amontoar, mas muitos temas só compõem uma sinfonia quando estruturados e integrados.

Sinto que este texto vai dar em livro, e provavelmente um grande volume. Nunca me dei conta de quanta coisa há na minha lata de lixo e de quanto precisa ser descartado. Sei que grande parte da minha experiência terá valor para muitos leitores. Já recebi comentários deveras enaltecedores de amigos a quem emprestei partes dos originais.

Uma observação que fazem me deixa sem jeito e irritado: "Quando o livro será lançado?"

"Por favor, deixe-me cuidar das minhas coisas em paz! Estou feliz com a minha empolgação e gana de escrever. Fico feliz por fazer algo que une as suas necessidades e as minhas. Então, não apresse o rio; ele corre sozinho!" E, se os acontecimentos e as ideias se aglomerarem, nenhuma fantasia, nenhuma expectativa, nenhum ensaio ditarão o fluxo. A concepção figura-fundo determina que apenas um acontecimento pode ocupar o primeiro plano, dominando a situação. Em caso contrário, surgem conflito e confusão.

E a formação figura-fundo mais forte controlará temporariamente todo o organismo. Essa é a lei fundamental da autorregulação organísmica — nenhuma necessidade específica, nenhum instinto, propósito ou objetivo, nenhuma intenção deliberada terá qualquer influência se não estiver assistida pela Gestalt energizante.

Se mais de uma Gestalt tende a surgir, o controle e a ação unificados correm perigo. Em nosso exemplo da sede, não é a sede que sai à procura da água, mas todo o organismo. *Eu* a procuro. A sede *me* dirige.

Se mais de uma Gestalt aparece, talvez se desenvolva uma divisão, uma dicotomia, um conflito interno, enfraquecendo o potencial que deve ser investido para completar a situação inacabada.

Se mais de uma Gestalt aparece, a pessoa começa a "decidir", muitas vezes a ponto de decidir executar o jogo da autotortura da indecisão.

Se mais de uma Gestalt quiser emergir e deixarem em paz a natureza, não haverá decisões, mas sim preferências. Tal processo implica ordem em vez de conflito.

Não existe uma hierarquia de "instintos"; existe uma hierarquia de surgimento da Gestalt mais urgente.

Ao se encerrar, essa Gestalt passará a segundo plano, esvaziando o primeiro plano para outra emergente ou uma emergência. Depois que uma Gestalt é satisfeita, o organismo pode se ocupar da frustração mais premente.

Escarafunchando Fritz

As primeiras coisas sempre vêm primeiro. Quando alguém, cartas ou contas urgentes ou um seminário exige a minha atenção, estes originais ficam em segundo plano. Não desaparecerão, não serão esquecidos nem reprimidos; permanecerão ao alcance da vivacidade do intercâmbio figura-fundo.

Quando a minha preocupação com este livro estiver próxima do primeiro plano, darei pouca atenção à conversa à mesa ou à beleza da paisagem que me cerca.

Toda interferência na flexibilidade do intercâmbio primeiro plano-segundo plano provoca fenômenos neuróticos ou psicóticos.

O primeiro e o segundo plano devem ser facilmente intercambiáveis, de acordo com as exigências do meu ser. Do contrário, fica-se com um acúmulo de situações inacabadas, ideias fixas, estrutura de caráter rígida.

O primeiro e o segundo plano devem ser facilmente intercambiáveis. Do contrário, o sistema de atenção sofrerá uma perturbação — confusão, perda de contato, incapacidade de concentração e de envolvimento.

Uma vez li um artigo para a equipe do hospital. Eu queria que fosse tão simples que até os doutores conseguissem entender o princípio da formação da Gestalt. Escolhi um sintoma frequente, insônia, e expliquei o seu significado como uma tentativa do organismo de lidar com problemas mais importantes do que o sono. Uma entrevista ameaçadora no dia seguinte, uma vingança não cumprida, um ressentimento inesperado, um forte desejo sexual são apenas algumas das situações inacabadas que interferem nesse afastamento do mundo que chamamos de sono.

Para lidar com a situação inacabada, o organismo precisa produzir uma quantidade maior de excitação. Excesso de excitação e sono são incompatíveis. Assim, se não se consegue dormir e não se aplica a excitação à Gestalt incompleta, é preciso procurar outra saída e se zangar com a insônia ou o travesseiro duro ou o cachorro latindo. Quanto mais irritado se fica, menos se consegue dormir. Fechar os olhos não ajuda. Fechar os olhos não dá sono; o sono é que provoca o fechamento dos olhos.

Também se pode buscar refúgio na panaceia da psiquiatria moderna, nos tranquilizantes — amortecedores da excitação da força vital — e empurrar os problemas não resolvidos para baixo do tapete.

Parabéns ao estilo estadunidense de uma vida de medíocre excitação, com seu complemento, a violência. Ou devemos prescrever uma boa dose de tranquilizantes para cada cidadão no café da manhã?

Frederick S. Perls

    Estou morando no terreno do Instituto Esalen. Como de costume, fui dormir tarde e acordei cedo e olhei pela janela. As falésias de Big Sur, ondas inquietas, algas flutuando em grandes tapetes marrons. No ano passado, as encostas que descem da minha casa estavam quase nuas. Agora, arbustos de todo tipo cobrem as encostas. Aparecem flores entre eles, despejando cores à espera do pincel de Corot ou Renoir.

    A praia não tem areia. Tem pedregulhos e rochas esperando que as ondas brinquem com eles. E lá vêm elas, uma depois da outra. Rastejam com suavidade, depois pulam e dançam, abraçando-os e derretendo-os, morrendo na brancura.

    Uma das rochas que beiram a praia tem importância histórica. Elizabeth Taylor sentou-se nela num filme. Nunca desci nem cultuei aquela pedra. Disseram-me — não posso garantir — que, para filmar, cobriram a rocha com espuma de borracha pintada para torná-la mais cinemática

Escarafunchando Fritz

ou confortável ou protetora contra a frieza da rocha. Afinal, é provável que a bunda de uma estrela de cinema seja uma propriedade com um ótimo seguro.

As lontras-marinhas que brincam lá não parecem gostar da santidade daquela rocha. Minha casa fica no penhasco, a apenas 90 metros acima das famosas fontes termais sulfurosas que nos trouxeram para cá. Há cerca de 23 nascentes. A temperatura é de 55°C. O cheiro de enxofre não é desagradável; a água é bem suave. As casas balneárias abrem-se para o mar e para um céu cravejado de diamantes à noite. A neblina é frequente, e chove forte no inverno. A temperatura do ar nunca cai abaixo de zero e os dias muito quentes são raros.

Este diário de viagem não nos diz nada sobre a função que os banhos assumiram. Ambos os lados têm banheiras e tanques. Às vezes, até 16 pessoas se aglomeram num tanque. Nas banheiras, as pessoas se lavam de corpo inteiro. É muito condenável fazer isso nos tanques. Às vezes, mulheres e homens são separados; em outras, há banhos mistos, geralmente após os seminários noturnos. Às vezes, grupos de encontro se reúnem lá à tarde, e os familiares dos funcionários, antes do jantar.

Recomendo esses banhos mistos para os meus grupos de não profissionais, mas faço uma exigência aos profissionais — psiquiatras, psicólogos, ministros etc. Em geral, eles chegam muito tensos, despreparados (não para o trabalho), receosos de se rebaixarem a nós, mortais, e muitas vezes relutam em aceitar a bela descoberta de Whitaker[53] daquele "lado de paciente que todo terapeuta tem".

(Muitos terapeutas ainda não reconhecem isso, nem mesmo aceitam ser elevados ao *status* de paciente.)

Eles — acho que não vi mais de uma ou duas exceções — se decepcionam com a falta de delicadeza e de bajulação e ficam assombrados com a falta da esperada agitação diante da nudez. Vê-se de tudo, de gente boiando tranquilamente a abraços ferozes, de cantos coletivos à repetição das sessões do seminário. Às vezes eles ficam entediados e constrangidos e descem ao baixo nível das piadas. Eles se tocam, principalmente fazendo massagem. Sexo e violência em público são raros.

---

53. Carl Alanson Whitaker (1912-1995), médico psiquiatra e pioneiro da terapia familiar. [N. T.]

Uma vez apareceu uma garota desgraçada que fez dois homens brigarem. Um, talvez para se exibir, começou a vociferar como louco e ameaçou matar o outro. Quando ele veio para o nosso tanque, levantei-me e, apesar da minha idade, dei-lhe um soco bem no nariz. Para minha surpresa, ele desmoronou sem resistência e começou a chorar.

É raro eu sentir medo. Um bom psiquiatra precisa arriscar a vida e a reputação se quiser conquistar algo real. Precisa se posicionar. Fazer concessões e ser solícito não dá em nada. Uma pessoa que acabou sendo uma terapeuta de primeira categoria finalmente teve uma explosão de raiva quando trabalhava comigo. Veio para cima de mim com uma cadeira pesada nas mãos, pronta para me esmagar. Eu disse calmamente: "Vá em frente. Já vivi minha vida" — e ela acordou do transe.

Certa vez fui chamado a um grupo para acalmar uma moça que agrediu fisicamente todos os presentes, que tentaram segurá-la e acalmá-la, em vão. Uma vez após a outra ela se levantava e voltava a atacar. Quando entrei, ela investiu com a cabeça na minha barriga e quase me derrubou. Continuei resistindo até colocá-la no chão. Ela investiu de novo, e uma terceira vez. Eu a pus no chão novamente e disse, ofegante: "Já bati em mais de uma ordinária na minha vida". Então ela se levantou e lançou os braços ao meu redor: "Fritz, amo você". Ficou claro que ela enfim conseguiu o que vinha pedindo a vida inteira.

E existem milhares de mulheres como ela nos Estados Unidos. Provocando e atormentando, reclamando, irritando o marido sem nunca levar uma surra. Não tem de ser como as prostitutas de Paris, que precisam disso para respeitar o seu homem. Um dito polonês diz assim: "Meu marido não se interessa mais por mim; nunca mais me bateu".

Certa vez aconteceu uma coisa que me assustou demais. Muitos pacientes "retrofletem" sua agressão e descontam em si mesmos, por exemplo, sufocando-se. Para não fazerem isso, eu costumava deixá-los me sufocar. Até que um dia uma moça levou muito a sério. Eu não percebera sua personalidade esquizoide. Já começava a perder a consciência quando, no último momento, pus meus braços entre os dela e os separei. Depois disso, eu só dou o meu *braço* para o paciente enforcar. Às vezes dói muito também. Existe um bom número de estranguladores mundo afora. Com pacientes que têm imaginação, uma almofada dá conta do serviço.

Tenho muito pouca tendência para a violência se não houver uma boa provocação. Até fico com raiva, e duas vezes usei de força física para expulsar de um seminário as pessoas que estavam descontroladas e se recusavam a sair. Bato de volta com força quando me atacam. Algumas vezes fiquei violento de ciúmes, mas me satisfaço mais torturando minha amada com perguntas e pedidos sem fim para obter uma confissão minuciosa.

Quanto às brincadeiras sexuais, nos banhos e em outros lugares, a hesitação não se aplica a mim. Freud me chamaria de pervertido polimorfo. Até aprendi a gostar de beijos íntimos de homens amigos meus. Eu costumava gostar de trepar durante horas, mas agora, na minha idade, gosto principalmente de ficar excitado sem entregar a mercadoria. Gosto da minha reputação de velho safado e guru. Infelizmente, o primeiro está em declínio e o segundo em ascensão.

Certa vez, fizemos uma festa no "casarão" de Esalen. Uma linda garota estava deitada sedutoramente num sofá. Sentei-me ao lado dela e disse algo assim: "Cuidado comigo, sou um velho safado". "E eu", ela respondeu, "sou uma jovem safada". Tivemos um caso rápido e delicioso depois disso.

Escarafunchando Fritz

Gosto da maior parte do que estou escrevendo. Nunca esperei que fosse tão fácil. Começo a pensar na possibilidade de escrever uma peça. Ainda nem sei sobre o quê. É muito vago. E, sendo bom ator e produtor de primeira qualidade, eu faria tudo isso como uma produção "Fritz". Neste momento, há muitas pessoas se metendo neste livro, zombando da minha depravação, desprezando-me pela minha falta de controle, chocando-se com o meu linguajar, admirando-me pela coragem, confusas com a diversidade de traços contraditórios, desesperadas porque não conseguem me rotular. Sinto-me tentado a começar um diálogo, mas...

A janela está bem aberta. Ruído levemente ameaçador das ondas se quebrando. Um vento leve levanta os papéis da escrivaninha, mas é fraco para fazê-los voar — como minha barba macia acariciando o rosto e o seio de uma donzela e fazendo-a estremecer de prazer silenciosamente, fazendo seus mamilos endurecerem de orgulho, enquanto esperam pacientemente mordidas leves.

Minhas mãos são fortes e quentes. As mãos de um velho safado são frias e úmidas. Tenho carinho e amor — muito. E se eu consolar uma moça magoada ou aflita e os soluços diminuírem e ela se apertar mais contra mim e as carícias saírem do ritmo e deslizarem para o quadril e os seios... onde termina a dor e começa um perfume que faz as narinas passarem do gotejamento ao cheiro?

Essas reuniões e descobertas são como a temperatura em Big Sur. Sem dúvida, não congelaremos nem morreremos de calor. Mas no meio desses extremos não há a indolência da mesmice de uma ilha tropical. O frio é frio e arrepia. A chuva traz umidade e lama. O sol esquenta o telhado à tarde a ponto de asfixiar. Não tenho extremos nos relacionamentos. Não mato e não me entrego a um casamento único. Meus relacionamentos são flutuantes, dos beijos muito frequentes à lealdade de longo prazo.

Frederick S. Perls

O primeiro beijo é um teste de Rorschach
Tocamos a boca e os lábios de um estranho
Encontramos um "nem ligo" nos lábios cerrados
Ou uma voracidade de sugar boca adentro
A indiferença nos põe à prova
Uma beijoca nos dispensa
Um aviso suave: atenção à mágoa
Uma mutilação lancinante nos tira o fôlego
Uma lambida que implica sexo
Uma boca que fede a merda estomacal
Uma secura tal qual frigidez
Um aperto tal qual o braço de um lutador
Uma flacidez de borracha esponjosa
Uns poucos que sugerem plenitude:
Uma espera, promessas futuras
De nos derretermos juntos.
Abolir o meio ambiente
Em isolamento de dar desmaio.
Cada beijo, digo, é diferente
Quando se descobrem sutilezas
Com envolvimento pleno e presente.
Die Engel, die nennen es Himmelsfreud
Die Teufel, die nennen es Höllenleid
Die Menschen, die nennen es... Liebe! (Heinrich Heine[54])
(Os anjos chamam isso de "alegria celestial"
Os demônios chamam isso de "tortura infernal"
Os humanos chamam isso de... "amor"!)

No começo, Esalen era uma pousada com o atrativo especial das termas. Quando cheguei, o lugar ainda era um albergue que começava a promover palestras e seminários; o bar e o restaurante eram abertos ao público. Os donos eram Mike Murphy e Dick Price. Agora somos um instituto privado em expansão, e os *diretores* são Mike Murphy e Dick Price. Vigaristas

---

54. Christian Johann Heinrich Heine (1794-1857), um dos maiores poetas e ensaístas da língua alemã no século 19. [N. T.]

da cidade e indigentes traficantes de drogas são convidados a ir embora ou expulsos. Por um tempo, há cerca de um ano, era fácil e corriqueiro conseguir LSD e maconha aqui até Mike tomar uma providência. Agora temos orgulho de despertar as pessoas sem drogas. Dizem que produzimos cura instantânea, alegria instantânea e *awareness* sensorial instantânea.

Como foi que entramos em tudo isso? No início, é claro, havia uma vontade intensa de redenção e salvação. O místico, o esotérico, o sobrenatural e a percepção extrassensorial parecem combinar com o espírito do local. A meditação iogue, usada para atingir um nível superior de vida, parece coincidir com o desalento diante da monótona vida na cidade. A alma, antes descartada, agora faz sua reestreia comercial.

A beleza disso foi que se fez uma tentativa sincera de chegar ao nível não verbal da vida, mas não se percebeu que a meditação, como a análise, é uma arapuca. Tal qual a psicanálise, cria um desequilíbrio, embora no outro lado da balança.

Esses dois desequilíbrios podem ser comparados com a defecação. Constipação e diarreia são tipos contrários de evacuação, e ambas interferem na função ideal, (+) contra (-). Na psiquiatria, temos os opostos do estupor catatônico (- excitação) e da esquizofrenia (+ excitação).

A meditação, que não caga nem sai da moita, me parece um ensino de catatonia, enquanto a técnica psicanalítica de fuga de ideias promove o pensamento esquizofrênico.

Experimentei tanto a quietude da postura de lótus do zendô quanto a produção verborrágica do divã. Agora ambas descansam sob suas lápides na minha lata de lixo.

Detesto usar e validar a palavra "normal" com relação ao ponto de indiferença criativa, usado com muita frequência para a média e não para o ponto de funcionamento ideal.

Detesto usar e validar a palavra "perfeito" quanto ao ponto de indiferença criativa. Cheira a façanha e exaltação.

Adoro usar e validar a palavra "centro" — é a mosca do alvo, um alvo tal que atinge a flecha todas as vezes.

Adoro todos os encontros imperfeitos de arco e flecha que erram o alvo à direita e à esquerda, acima e abaixo. Adoro todas as tentativas que fracassam de mil maneiras. Existe apenas uma mosca do alvo e mil boas vontades.

Amigo, não seja perfeccionista. O perfeccionismo é uma maldição e uma inquietação. Porque se treme para não errar o alvo. Você é perfeito se deixar-se ser.

Amigo, não tenha medo de errar. Os erros não são pecados, mas jeitos de fazer algo de outro modo, talvez criativamente. Amigo, não se desculpe pelos seus erros. Orgulhe-se deles. Você teve a coragem de dar algo de si.

Leva-se anos para ser centrado; leva-se mais anos ainda para entender o que é isso e sê-lo agora.

Até lá, tome cuidado com os dois extremos, perfeccionismo e cura instantânea, alegria instantânea, *awareness* sensorial instantânea.

Até lá, cuidado com quem se dispõe a ajudar. Ajudantes são vigaristas que prometem algo por nada. Eles mimam a pessoa e deixam-na dependente e imatura.

É bom se fazer de pregador e desfrutar um pomposo estilo Nietzsche.

Como foi que o alvo de Esalen atingiu minha flecha, apontada na direção do alvo anos antes de eu saber que ele existia?

Em 1960 ou perto disso, eu tinha um consultório em Los Angeles. Ainda padecia dos problemas de duas operações em Miami, distanciei-me de Marty e fazia viagens de LSD frequentes demais. Não aconteceu nada que valesse a pena. Apesar do apoio de Jim Simkin[55], não consegui seguir a profissão nem me livrar da sensação de estar condenado a ela por toda a vida. Nem tive depressão. Estava farto de tudo que fosse psiquiatria. Eu não sabia o que queria. Aposentadoria? Férias? Outra profissão?

Decidi fazer uma viagem de Los Angeles a Nova York, mas ao contrário — uma viagem de volta ao mundo de navio.

---

55. Jim Simkin (1919-1984), psicólogo estadunidense. No Instituto Esalen, conduziu, ao lado de Perls, grupos de treinamento para profissionais. Em 1969, um ano depois de Perls ter saído de Esalen, Simkin fundou seu próprio centro de treinamento. [N. T.]

Escarafunchando Fritz

Sempre adorei viajar de navio, tanto quanto não gostava de aviões lotados. Exceto a única vez em que, no auge do amor, Marty e eu voamos para a Europa. Então, sentarmos juntos foi gostoso.

Geralmente sou espremido por desconhecidos que me molestam com perguntas e necessidade de atenção. Nisso, aguardo na minha gaiola aérea e abençoo um cochilo ocasional.

Adoro viajar de avião tanto quanto não gosto de ser levado de avião. Ao contrário de dirigir um carro: gosto tanto de ser levado quanto desgosto de dirigir.

Aquela viagem de navio de Los Angeles a Nova York levou 15 meses. Primeira parada, Honolulu, Havaí. Foi como um *déjà vu* de Miami Beach.

Antes de entrarmos no porto, tive talvez a maior experiência visual da minha vida.

Quando se chega de avião à noite em Los Angeles, veem-se árvores de Natal achatadas de um tamanho enorme. O brilho e a cintilação fazem esquecer aqueles troços falsos de neon. Fazem esquecer aquela feia nuvem de fumaça que nos saúda ao entrar na cidade das cem cidadezinhas.

Agora, multiplique essa purpurina multicolorida diversas vezes e tome um banho de chuveiro nela. Isso aconteceu comigo antes do Havaí.

Como todo mundo, adoro o brilho prateado do firmamento. O ar limpo do mar intensificara o brilho e eu estava curioso para ver se conseguiria aproveitar isso ainda mais. Tomei um pouquinho de LSD e aí aconteceu.

Indescritível é uma palavra plana. Não havia distância nem duas dimensões. Cada estrela estava mais perto ou mais longe, cada uma fazia uma dança de cores como o planeta Vênus antes de mergulhar no mar. O universo, o vazio de todos os vazios, foi preenchido uma vez.

111

Depois, Japão: Tóquio e Kyoto. Impossível descrever o contraste dessas duas cidades, à distância de uma noite de serviço no trem rápido. Em Tóquio, pessoas insensíveis, sem dar atenção às outras, aglomeraram-se de uma forma que as sardinhas em lata têm mais *Lebensraum*. Pelo menos estas não se machucam. No entanto, tive uma experiência máxima: os belos olhos de uma senhora agachada na sarjeta, engraxando meus sapatos. Joguei fora um resto de cigarro e ela o pegou avidamente. Então dei a ela meu maço meio cheio. Ela voltou o rosto para mim: seus olhos escuros se derreteram e brilharam com um amor que fez meus joelhos bambearem. Ainda vejo esses olhos às vezes. Amor impossível tornado possível.

Só uma vez eu vi tanto amor no olhar de alguém. Lotte Cielinsky, meu primeiro amor. Eu devia interpretar um nobre francês numa comédia. Ela foi aos bastidores e, quando me viu de figurino e maquiagem, seu rosto sofreu uma transformação que parecia que o paraíso se abrira só para ela. Linda, a mais linda.

Um médico japonês inventou um método de tratamento de neuroses. Três dias na cama. O paciente só pode se levantar para ir ao banheiro. Vamos experimentar isso! Usá-lo para parar de fumar! Médico jovem, não fala inglês. A secretária toma todas as providências. Peço um intérprete. Tudo bem, mas preciso pagar um adicional.

Tive um bom quarto só para mim. Talvez eu tenha sido o primeiro europeu a entrar ali. Os outros pacientes me encaram como se eu fosse um animal raro. A mulher do médico traz a comida e a serve de joelhos. Passei no consultório do médico na segunda tarde. O médico senta-se ereto com um roupão impressionante, aparentemente esperando por mim o dia inteiro. Não conhece os costumes. A garota intérprete sabe muito pouco inglês.

Aguento apenas por dois dias, depois tenho um chilique, saio correndo e compro cigarros. Peguei a conta. Duas horas da intérprete custam três vezes o preço de três dias numa clínica. Não me sinto curado.

Um psicólogo japonês que conheci nos Estados Unidos me sugeriu um mestre zen, Roshi Ihiguru. Zen instantâneo. *Satori* em uma semana. Sem piada. M., outro psicólogo estadunidense, e eu somos seus primeiros alunos ocidentais. Nós mais oito jovens japoneses éramos a turma. Grande evento. Imprensa e fotógrafos são chamados. Guardei os recortes de jornal.

M. e eu temos um quarto espaçoso só nosso. Precisamos estender os colchões para dormir e depois enrolá-los, pois durante o dia o mestre faz uma entrevista com cada aluno. Nesse encontro, preciso ficar completamente prostrado diante dele, que faz umas perguntas triviais, e depois tenho o dia para mim. É um sujeito baixo e pomposo, fala bem alto e leva muito a sério o trabalho e a si mesmo.

Acordamos às cinco horas da manhã e devemos "sentar" quase o dia inteiro na famosa posição de lótus, com as famosas torções das pernas. Nós dois, estrangeiros, logo fomos autorizados a sentar em cadeiras. Dois dias depois, o mestre apresentou sua especialidade. "Expire com um barulho de latido. Faça isso por _____." Qual é a diferença entre "fazer por minutos" e "fazer por horas"?

A comida é surpreendentemente boa. A mulher do patrão se esforça para complementar os pratos japoneses com alguns ocidentais. No final da refeição, despejamos chá numa tigela e usamos um pedaço de alguma verdura para tirar até o último grão de arroz.

Creio que a raça japonesa[56] se ajustou à escassez de alimentos encolhendo e vivendo confortavelmente com uma dieta de baixa caloria. Quando andei no meio da multidão, senti-me como um gigante entre os anões, e tenho apenas 1,75m de altura.

Seja como for, não morri de fome, embora de vez em quando saísse escondido para fumar e comer chocolate.

Não acredito que alguém tenha tido uma iluminação, ou *satori*, mas a experiência foi interessante. Na hora de pagar, levei um susto. O preço era de dez dólares, com alojamento, alimentação e aulas por uma semana inteira. Quando soube disso, não pude aceitar: dei-lhe 30 dólares, que ele recebeu dignamente e ainda fez uma pintura para mim, na qual a mulher dele me deu de brinde o mais doce desenho de flores.

---

56. Expressão informal comum quando este livro foi escrito, no final dos anos 1960. No século 21, prefere-se dizer que os japoneses formam um grupo étnico. [N. T.]

Frederick S. Perls

Eu cometi a maior gafe. Na terceira manhã, avisaram-me que a água do banho estava pronta. Havia um grande barril com água fumegante com cerca de 60 centímetros de largura e um metro de profundidade. Eu não sabia muito bem como mergulhar, mas consegui subir e me ensaboei. Usei a grande concha que estava pendurada ao lado do barril para molhar a cabeça. A coisa toda era desconfortável, mas melhor do que nada.

Então eu soube do meu crime. A água era aquecida com grande esforço e era propriedade coletiva. A concha servia para tirar a água necessária para se lavar. Eu tinha estragado o "banho" da classe inteira.

Minhas desculpas tardias. Somos mimados demais e achamos que é corriqueiro o que para outras pessoas se trata de um luxo conquistado a duras penas.

Eu sei o que é uma experiência de *satori*, embora não tenha alcançado o grau de iluminação total, caso tal coisa exista. Afinal, Sidarta é produto da sincera imaginação de Hermann Hesse.

Uma das experiências de *satori* mais surpreendentes e espontâneas aconteceu há cerca de doze anos em Miami Beach.

Eu estava andando pela rua Alton quando senti uma transformação tomando conta de mim. Naquela época eu não sabia nada sobre drogas psicodélicas nem nunca tinha tomado uma. Senti meu lado direito ficar tenso e quase paralisado. Comecei a mancar, meu rosto se tornou flácido, me senti um idiota, meu intelecto ficou dormente e parou de funcionar por completo. Como um raio, o mundo voltou a existir, tridimensional, cheio de cores e vida — sem dúvida, não com uma despersonificação, como uma clareza sem vida, mas com uma sensação plena de "é isso, isso é real". Foi um despertar total, retomando os meus sentidos, ou meus sentidos voltando a mim, ou os meus sentidos fazendo sentido.

É claro que eu conhecia, principalmente pelos sonhos e pela leitura de Korzybski[57], o nível não verbal de existência, mas o considerava um substrato e não a mais real forma de existência.

Ao contrário de Tóquio, eu me apaixonei por Kyoto. Eu me apaixonei de tal modo por Kyoto que pensei seriamente em me mudar para lá. Pessoas gentis na relação com as outras, com olhar franco, respeitoso. Certa vez, num café, deixei um jornal que eu terminara de ler. A proprietária correu dois quarteirões atrás de mim para devolvê-lo. Até os taxistas eram honestos. Fiquei horas sentado no jardim do meu hotel observando patos policiando carpas velhas e insolentes, e cisnes arrogantes que mal viravam o pescoço para acompanhar os acontecimentos.

Harmonia e serenidade em abundância, não apenas o castelo e o templo dourado. Algumas vezes tive a mesma sensação até dentro de um bar de *strip-tease* no centro da cidade. Uma apresentação que seria obscena em qualquer espetáculo no Ocidente mostrou-se um evento artístico. A atriz representou uma viúva que se masturbava à frente do santuário do marido morto. Ela fez isso com tanta devoção e beleza nos movimentos que transmitiu uma mensagem de amor, e o público reagiu calado, sem aplausos.

---

57. Alfred Korzybski (1879-1950), engenheiro e erudito polonês criador da semântica geral, elaborada nos Estados Unidos. [N. T.]

E daí para o zen. O lugar, acredito, chamava-se Daitoku-ji[58], um entre centenas de templos localizados na zona norte de Kyoto. A proprietária, estadunidense, vigiava e mantinha o santuário do marido dela, uma biblioteca e diversos textos. Uma vez ela recebeu uma multidão de visitantes e vestiu um traje impressionante. Realmente, uma alta sacerdotisa do zen.

Os estudantes formavam um grupo heterogêneo internacional. Alguns deles levavam uma vida simples, fingindo ser monges zen. Gostei mesmo deles e da sua sincera luta pela redenção. Nós nos encontrávamos muitas vezes à noite, antes de entrar em lótus. No início, a sra. Sassaki falou da respiração e de outros tópicos do zen, mas depois de quatro semanas ela e seus alunos ficaram cada vez mais interessados por Gestalt-terapia. Revelei o mínimo possível. Eu queria investigar a situação deles e os resultados do trabalho.

O *roshi*[59] era um monge zen bastante jovem que se afeiçoou muito a mim. Antes de ir embora de Kyoto, convidei-o e a turma toda para um requintado (e, devo admitir, delicioso) jantar chinês com doze pratos. Eu soube que ele queria muito um relógio de pulso. Dois dias depois, descobri que ele não usava o relógio que eu lhe dera. Não consegui entender, porque o relógio era bom. Então descobri que ele havia posto o relógio com seus bens mais preciosos em seu santuário, seu local de devoção.

O zen me atraíra pela possibilidade de ser uma religião sem deus. Fiquei surpreso ao ver que, antes de cada sessão, precisávamos invocar o buda e curvar-nos diante de uma estátua dele. Simbolismo ou não, para mim foi novamente uma *rei*ficação que levava a uma *dei*ficação.

Não era um grande esforço ficar na posição de lótus, pois interrompíamos a sessão de duas ou três horas com uma caminhada. Tínhamos de

---

58. O nome do templo é esse mesmo: Daitoku-ji, ou Templo Daitoku. Existe ainda hoje e cresceu muito: ocupa 230 mil metros quadrados. [N. T.]
59. Líder espiritual de um grupo de zen-budismo. [N. T.]

respirar de determinada maneira e atentar para a respiração a fim de diminuir a intrusão de pensamentos enquanto o mestre se pavoneava para um lado e para o outro, corrigindo as posturas ocasionalmente. Cada vez que ele chegava perto de mim eu me sentia ansioso. Isso, é claro, descontrolava a minha respiração. Ele só me bateu poucas vezes. Tinha músculos abdominais muito fortes e gostava de mostrá-los. Tive a impressão de que os músculos importavam mais para ele do que a própria iluminação.

Fiquei dois meses lá. Não houve tempo para me apresentarem devidamente o jogo *koan*[60]. O mestre só me passou um *koan* simples, bastante infantil — "qual é a cor do vento?" —, e pareceu satisfeito quando respondi com um sopro no rosto dele.

Estou travado novamente. Dei uma espiada nos dois últimos parágrafos e os achei bastante confusos e raivosos em alguns trechos. O que o editor fará? Pelo visto, este texto quer se tornar um livro. Isso desvirtua minhas intenções iniciais de escrever apenas para mim, para me organizar, para investigar o meu hábito de fumar e outros sintomas remanescentes. Também desvirtua a minha sinceridade. Não só me peguei duas vezes no pecado da omissão, mas, pior ainda, comecei a hesitar em falar de pessoas vivas. Medo de ser processado, esse tipo de coisa. Bem, o que será será, seja o que for, será, como canta Edith Piaf[61].

Até aqui me tem feito muito bem escrever este texto. Meu tédio inicial se transformou em empolgação. Escrevo de três a seis páginas por dia, entre seminários ou à noite. Estou ficando sovina com o meu tempo, e muitas vezes prefiro escrever a ir à pousada. Gosto de mostrar partes do texto a amigos e não me canso de me encantar com as respostas. Quando Teddy,

---

60. Frase curta ou história breve absurda usada em algumas escolas de budismo para provocar o despertar individual. [N. T.]

61. Perls comete um engano. A música *Que será será (Whatever will be will be)* não era cantada pela francesa Edith Piaf (1915-1963), mas sim pela estadunidense Doris Day (1922-2019), e obteve maior sucesso ao ser apresentada no filme *O homem que sabia demais* (1956), de Alfred Hitchcock, com James Stewart e a própria Doris Day. [N. T.]

minha secretária, chega para cuidar da correspondência ou da arrumação, ela primeiro tem de ler o que escrevi e me dar sua opinião.

Por causa da mobilização que a empolgação da escrita me provoca, sinto-me melhor o tempo todo. Tenho dado e recebido cada vez mais amor. O velho safado está um pouco mais limpo. Mas o que fazer se mais moças bonitas e não tão jovens e quase sempre este ou aquele homem me abraçam e me beijam?

Minha serenidade, meu humor e minha competência terapêutica estão aumentando, assim como minha alegria. Curiosamente, nos últimos anos tenho sentido que não estou mais condenado à vida, mas abençoado por ela.

Estou travado porque não sei se agora devo escrever sobre o meu falecido amigo Paul Weiss, que teve grande influência no meu crescente interesse pelo zen-budismo, ou se devo continuar viajando pelo mundo. Percebo que minha letra diminui de tamanho quando falo de Paul. Aliás, muitas vezes eu me senti pequeno na presença dele.

Paul, se eu ao menos conseguisse fazer mais do que só tirá-lo da minha lata de lixo... Se pudesse trazê-lo de volta à vida. Você era firme e autêntico, sábio e cruel. Em geral, cruelmente exigente consigo mesmo, disciplinando-se com a postura de lótus e exigindo um pensamento o mais claro e sincero possível, sem nunca fazer concessões no que era fundamental.

Você foi uma das poucas pessoas a quem escutei na vida. Mesmo que você dissesse algo que parecesse absurdo na época, eu sempre guardava aquilo e deixava amadurecer. Quase sempre foi frutífero.

As observações dele nem sempre eram críticas. Uma vez, ele me deu muito apoio. Eu tentava entender Heidegger quando Paul me perguntou: "Para que você precisa de Heidegger? Você disse a mesma coisa muito melhor e com mais precisão".

Paul e Lotte tinham um casamento incrível. Ele era um rolo compressor e ela era indestrutível. Lotte fazia perguntas muito irritantes com um sorriso encantador (Lotte é encantadora e gentil e boa cozinheira de comida vienense), e ele revidava com violência e amor.

Conheci Lotte depois de ler um ensaio para a Sociedade para o Progresso da Psicoterapia sobre "A teoria e a técnica de integração da personalidade". Ela apareceu e trabalhou comigo. Foi aí que nos tornamos, e ainda somos, muito bons amigos.

Paul, que fazia pesquisa sobre câncer, tinha uma neurose obsessiva grave. Trabalhou principalmente com Lore e se tornou um terapeuta muito bom e eficiente, sobretudo em casos *borderline*. Além da Gestalt-terapia, envolveu-se bastante com o zen, fez diversas viagens ao Japão e convidou monges do zen-budismo para virem aos Estados Unidos. Lotte reclamou dessa invasão na sua casa sempre bem-arrumada.

A partir daí, fiquei cada vez mais fascinado com o zen, sua sabedoria, seu potencial, sua atitude amoral. Paul tentou integrar Gestalt e zen. Meu empenho acentuou a criação de um método viável para levar aos ocidentais esse tipo de autotranscendência. Fui encorajado por Aldous Huxley, que chamou Gestalt-*terapia* de "o único livro de psicoterapia que vale a pena ler".

Minha visita ao Japão foi um fracasso no que se refere a qualquer conquista no zen-budismo. Reforçou minha convicção de que, como na psicanálise, algo deve estar errado se levar muitos anos e décadas para não chegar a lugar algum. O melhor que se pode dizer é que a psicanálise gera psicanalistas e o estudo do zen gera monges zen.

Deve-se reconhecer o valor de ambos: a ampliação da *awareness* e a liberação do potencial humano. Já a eficiência desses métodos deve ser negada: não podem ser eficientes porque não se voltam para as polaridades de contato e retraimento, o ritmo da vida.

Ontem não tive vontade de escrever. Dei a Teddy as primeiras páginas desta seção para datilografar. Senti um vazio depois disso; nada para comentar, nada para preencher o vazio do nada.

Mil flores de plástico
Não florescem o deserto
Mil sombras vazias
Não preenchem o vazio

Frederick S. Perls

Ontem à noite, a busca recomeçou. Procurei em direções diferentes. Mais do que lembranças e experiências, quero resgatar minha filosofia da Gestalt. Quero me expressar numa linguagem que todos compreendam. Quero apresentar uma teoria viva que seja exata sem ser rígida. Quero, quero, quero, eu, eu, eu.

O que é "eu"? Uma composição de introjeções (como propôs Freud), uma coisa que o neurologista consegue localizar no cérebro, o organizador das nossas ações, o capitão de minh'alma? Nada disso. Uma criança pequena ainda não tem um "eu". Ela fala de si mesma na terceira pessoa. Os esquimós usam a terceira pessoa do singular em vez de "eu". Certas tribos dos mares do Sul dizem "aqui" em vez de "eu".

Vimos que a Gestalt biológica, que aparece como organizadora transitória, assume o controle do organismo inteiro. Todos os órgãos, sentidos, movimentos, pensamentos subordinam-se a essa necessidade emergente e mudam de dedicação e função assim que tal necessidade é satisfeita, retirando-se para segundo plano. Tão logo surja a próxima necessidade, todas as partes se põem a serviço dela e, numa pessoa sadia, farão tudo para concluir essa Gestalt. Todas as partes do organismo identificam-se temporariamente com a Gestalt emergente.

Ocorre um processo semelhante no âmbito social. Numa emergência, enchente, terremoto, comemoração de vitória, muitas pessoas se identificam com isso, participam e se unem a outras para estar presentes e contribuir a seu modo.

O "eu" é a experiência da figura em primeiro plano. É a soma de todas as necessidades emergentes, o balcão de triagem para satisfazê-las. É o fator de constância dentro da relatividade das demandas internas e externas. É o agente da responsabilidade por tudo aquilo com que se identifica: respondente, capaz de reagir à situação — não "responsável", no sentido moralista de assumir obrigações ditadas pelo dever.

No exemplo de desequilíbrio de água, as afirmações "tenho sede" e "não tenho sede" não são contradições lógicas, mas identificações com estados diferentes de desidratação ou da ausência dela.

Até aqui, tudo bem. Reconhecemos que "eu" não é algo estático, mas símbolo de uma função de identificação. No entanto, de forma alguma estamos fora de perigo. Em primeiro lugar, quando Freud fala de introjeção total, também se refere a um processo de identificação. Se uma menina introjetou a mãe, diz ele, ela se identifica tanto com a mãe que se comporta "como se" fosse sua mãe.

Além disso, o termo "identificação" é descritivo e nos diz pouco sobre o que realmente está acontecendo.

Enfim, nosso termo precisa de mais esclarecimentos: "identificação com", "identificação como" e "identificar-se com".

Agora, precisamos fazer ajustes semânticos. Um dos objetivos da minha filosofia é a coesão, isto é, ser aplicável a todos os acontecimentos, no mundo inorgânico e também no orgânico. Quanto mais amplo for o sustentáculo intelectual, menor será a oscilação nos níveis superiores, isto é, nos níveis sobrepostos.

Desde que conheci Friedlander, aprendi a arte da polarização pertinente. O oposto de "identificação com" é alienação. A autoalienação tornou-se um termo importante na psiquiatria existencial.

"Identificação como" implica o oposto: distinção entre confluência e fundo indiferenciado.

Uso o termo confluência desde 1940. Não acredito que se tenha disseminado na psiquiatria. Como palavra, é fácil de entender, mas como termo técnico não é nada fácil. É uma das categorias do nada.

Estou fumando. Soprando um anel. Identifico isso como anel de fumaça. Uma brisa suave o expande. Flutua para cima, distorce sua forma, ampliando-a, afinando-a. Continua lá, vagamente. Perde o contorno. Está desaparecendo. Preciso me esforçar para continuar *aware* disso. Agora se foi. Foi? Não. Está lá em confluência com o ar e não é mais identificável. Teríamos de pegar amostras do ar da sala e analisá-las para pesquisar sua substância, embora sua Gestalt, sua definição, tenha desaparecido.

Estou saindo do quarto. Ao voltar, sinto o cheiro da fumaça. Fiz *contato*. Agora estou *aware* do ar enfumaçado.

Na *confluência*, a *awareness* reduz-se a nada. No contato, a *awareness* é intensa. Antes de voltar a entrar na sala, eu não estava *aware* do ar enfumaçado. Eu estava *isolado*, *separado* dele. Esse fenômeno é o mais conhecido e o mais bem-investigado da psiquiatria moderna: repressão, bloqueio, inibição, compartimentalização, escotoma, ponto cego, branco, amnésia, parede, censor, folha plástica etc. O resgate do tesouro escondido é o propósito da técnica psicanalítica.

Assim que removo a instância de separação, entro em contato com o fenômeno oculto. Estou em contato.

Preciso prosseguir com cuidado, passo a passo, para manter a coerência. Não é à toa que agora a escrita não flui. Nem espero que a leitura seja fácil. Eu costumava dizer que os filmes que eu fazia seriam o meu testamento, mas agora este livro está vindo mais para o primeiro plano e os filmes não me empolgam tanto. O *workshop* de quatro semanas termina amanhã e parece que temos muito material filmado interessante para abordar a

Escarafunchando Fritz

Gestalt-terapia, mas diminuíram a emoção e o envolvimento total que senti quando comecei a lidar com vídeos e produção de filmes. Temos pelo menos dois filmes sobre confluência, muitos sobre funções de contato e reintegração e também alguns sobre revelação[62].

O ponto zero aqui é descoberta. Qualquer descoberta é acompanhada de um "eureca!", um choque agradável ou desagradável de intensidade variável. Sustento que aprender é revelar algo "novo", por exemplo, perceber que algo é possível. A remoção de um bloqueio é a reintegração de algo "velho", algo que nos pertence, de que nos afastamos, negamos que realmente nos pertença.

Enquanto a terapia atual se satisfaz com o fato de que a reintegração é um antídoto para o empobrecimento causado pela repressão etc., a Gestalt-terapia está ainda mais interessada na revelação do potencial latente do indivíduo. Além disso, apesar da sua utilidade, toda a teoria da repressão e a terapia correspondente precisam ser reexaminadas.

Dominador — Pare, Fritz, o que você está fazendo?
Dominado — Como assim?
Dominador — Você sabe muito bem o que eu quero dizer. Está indo de uma coisa para outra. Começa a falar de algo como identificação, e então fala de confluência. Agora vejo que você está pronto para mergulhar numa discussão sobre repressão.

---

62. Nesse ponto e nos dois parágrafos seguintes, Perls faz um jogo de palavras em inglês utilizando o radical *cover* e alterando os prefixos (*re*covery, *un*covering, *dis*covery). Esse processo não tem correspondência em português, pois a tradução leva a termos com radicais diferentes (reintegração, descoberta). Procuramos aqui contemplar o sentido do pensamento do autor tal qual o compreendemos. [N. T.]

Dominado — Ainda não entendi a sua objeção.

Dominador — Não entendeu minha objeção? Caro, quem mais pode ver a sua terapia com clareza?

Dominado — Você quer dizer que eu devo pegar uma lousa, traçar quadros e categorizar cuidadosamente cada termo, cada antônimo?

Dominador — Não é má ideia. Pode fazer.

Dominado — Não, não vou fazer. Pelo menos não nesta fase. Mas vou lhe dizer o que posso fazer. Posso até usar tipos diferentes de letra para material biográfico, filosófico, terapêutico e poético.

Dominador — Bem, pelo menos é uma ideia.

Dominado — Então, o que você quer que eu faça? Que eu pare de deixar o rio correr? Pare de jogar o meu jogo da lata de lixo?

Dominador — Bem, não seria má ideia se você se sentasse e se disciplinasse, como Paul fez, e escrevesse:

1. sua biografia;
2. sua teoria;
3. relato de casos, trabalho com sonhos etc.;
4. poesia, se achar preciso.

Dominado — Vá para o inferno! Você me conhece. Se me obrigam e me pressionam a fazer uma coisa, fico ressentido e declaro greve. Na minha vida inteira fiquei à deriva...

Então me deixe flutuar e navegar mares
De cem oceanos verbais
E que esse capitão comande
Pois só sabe controlar.
Então me deixe dormir quanto quiser

Escarafunchando Fritz

E fazer um café da manhã demorado
E enfrentar o vento que me arrepia
E as ondas, o barco, os amigos a bordo.

Então me deixe viajar sozinho
Sem mulher nem filhos
Sem guru nem amigo
Nem obrigação alguma.

Então me deixe esvaziar as malas
Me livrar da bagagem excedente
Até me livrar das porcarias
Que atravancam a minha vida.

Então me deixe ser e morrer do meu jeito
Um balcão de triagem de pessoas
Um mendigo solitário que adora gracejar
E pensar e brincar, e é isso aí.

Então deixe o mundo, a célula, as abelhas
Se encherem de emoções-pensamentos
E deixe-me flutuar e navegar os mares
De uma centena de oceanos verbais.

Dominador —
Ouço a sua súplica
Sinto suas lágrimas.
Adeus, marinheiro solitário.

Você fez sua cama
Forjou seus grilhões.
Aprecie sua dança lerda.

Adeus por enquanto
Porque voltarei
Com minha escuta implacável.

Até o último dia da sua vida
Quando nos separaremos para sempre.
Você se casou comigo, não com sua mulher
E pensou que fosse esperto.

Porque você é eu e eu sou você
E morreremos juntos.

Primeiro leitor — Ei, pare com esse sentimentalismo! Paguei a taxa para dar uma espiada no que você tem feito. Você saiu do Japão e de lá foi... aonde?
Fritz — Hong Kong, claro.
Segundo leitor — Conseguiu pechinchas por lá, não foi?
Fritz — Sim e não. Comprei um sobretudo de lã que custou só 30 dólares, mas era muito ordinário. Tenho um *smoking* branco que usei no navio, mas ele está pendurado no armário há anos, sem uso.
Terceiro leitor — Qual era a situação política?
Fritz — Não me lembro. Fui por diversão até o arame farpado que separa a Colônia Britânica da China, só para poder dizer que dei uma espiada na China comunista.
Terceiro leitor, novamente — Havia muitos refugiados da China comunista?
Fritz — Sim, estavam morando em abrigos superlotados nos morros e em prédios residenciais superlotados. Gente, o que vocês estão fazendo comigo? Perguntam como jornalistas; me tratam como um VIP que tem respostas para dar...

Escarafunchando Fritz

Leitores, juntos — Acalme-se, Fritz! Para começar, sua imaginação é que nos criou. É você que pensa ser VIP.

Fritz — Ora, ora, admito tudo isso. Querem que eu aproveite a oportunidade para falar de projeções?

Leitores — Não, não. Queremos que você continue a contar sua viagem pelo mundo. Você disse que a flecha estava pronta para atingir o alvo — Esalen — muito antes de você ir para lá, e isso tinha relação com a sua viagem ao redor do mundo.

Fritz — Isso mesmo. Apesar da minha alma cigana inquieta, eu procurava um lugar para armar a minha barraca por um bom tempo. Kyoto, com seu povo gentil, parecia uma possibilidade. O outro era Eilat, em Israel.

Leitores — Ah! O velho judeu que retorna à terra dos ancestrais. E pensávamos que você fosse ateu.

Fritz — Sou mesmo, embora tenha tido pelo menos uma experiência religiosa na vida, em 1916, nas trincheiras de Flandres.

Eu era um paramédico ligado ao 36º Batalhão de Pioneiros, unidade treinada especialmente para atacar o inimigo com gás venenoso. Alteraram a ordem inicial que me deram, de ficar com o oficial médico na terceira trincheira, e eu tive de ir para a trincheira da frente, mais perigosa. Éramos apoiados por duas companhias de lançadores de minas de gás venenoso. Às três horas da madrugada, fizemos o ataque com gás, e em poucos minutos recebemos toda a sequência de tiros dos canhões britânicos. Duas horas de inferno, e mesmo assim não precisei atender muitas baixas. Eu mesmo fui ferido superficialmente na testa, e a cicatriz ainda é visível, a não ser quando meu rosto está bronzeado, e em algumas fotos ela parece um terceiro olho. Bem depois eu soube que o abrigo médico da terceira trincheira fora atingido em cheio, e o médico e dois paramédicos morreram.

Em nossa marcha de retorno, vi um belíssimo nascer do sol. Senti a presença de Deus. Ou teria sido gratidão, ou o contraste entre os tiros e o plácido silêncio? Quem pode dizer?

Em todo caso, não foi suficiente para me tornar crente. Talvez Goethe tenha razão quando Fausto responde a Margarida:

Religioso é o homem
que se envolve com a arte
ou também se consegue
confiar na sábia ciência.
Mas à falta de tal apoio
o homem que não tem mais
que um vazio que não sustenta —
esse homem precisa da fé em Deus.

A tradução não está boa. Goethe é o único poeta que ninguém consegue traduzir. Ele era capaz de unir linguagem, ritmo e sentido de tal modo que a sutileza se perde assim que alguém o faz falar em outra língua.

Não, o meu não foi o retorno de um judeu, embora durante algum tempo eu tenha brincado sinceramente com a ideia de fazer de Israel a minha casa, mas para o meu bem, não para o território nem para o povo.

Minha relação com o judaísmo e os judeus é extremamente indefinida. Conheço um pouco da história alemã, grega e romana. Não sei quase nada da história do povo judeu — nem posso dizer meu povo, de tão pouco que me identifico com ele. Os judeus do Leste europeu, de cafetã e *peyot* (cabelo longo cacheado nas laterais do rosto) que vi na juventude eram esquisitos, assustadores, como monges; não eram do meu mundo. No entanto, adoro o humor expressivo das histórias judaicas. Os israelenses vêm com frequência aos meus seminários, ainda mais quando são sabras (nascidos em Israel), e tendo a favor deles. Tenho veneração e apreço pelo judeu íntegro, com sua religião, história e modo de vida. O sionismo deles faz sentido, embora eu o considerasse e ainda considere de um sentimentalismo irreal, tolo. A maioria dos judeus não foi para Israel com esse espírito. Foram na condição de refugiados de Hitler, e existem muitos lugares no mundo onde a engenhosidade judaica poderia ter feito desertos florescerem mais facilmente e com menor disseminação de hostilidade. Na balança, porém, eu me inclino para você, Israel, e seu espírito macabeu. Você propiciou muito respeito aos judeus no mundo. Até o antissemitismo estadunidense diminuiu sobremaneira. Ser judeu já não desqualifica automaticamente um candidato a um trabalho para o qual está preparado. Quanto ao fascismo estadunidense latente, o alvo será o negro e o *hippie*, não o judeu, e o negro não o sofrerá tão submissamente, covardemente, como fez o judeu europeu. O negro sentiu o gosto da liberdade e sabe usá-la.

Como qualquer outra coisa, esta escrita é ditada pelo ritmo do contato e do retraimento. Depois de escrever a última página, senti pressão na cabeça e cansaço. Ora, o cansaço é o sinal organísmico por excelência para o retraimento. De novo, sinto o mesmo cansaço depois de apenas duas frases...

Voltei para o divã para entrar em contato com a pressão e cheguei ao *enfrentamento*, que é uma polaridade muito mais apropriada para o retraimento. O contato está presente em ambas as situações. Para simplificar bastante: enfrentar é estar em contato com a ZE (zona externa, alteridade, meio ambiente); retirar-se é entrar em contato com a ZM (zona média), ou mesmo com a ZS (zona do *self* ou interna). A regressão não é um sintoma neurótico como Freud a considerava. E sem dúvida não é a característica mais marcante do neurótico. Ao contrário, o retraimento, a regressão e o afastamento implicam assumir uma posição na qual conseguimos enfrentar ou obter o apoio necessário ou atender a uma situação inacabada mais importante.

Frederick S. Perls

Se a elasticidade da formação figura-fundo é prejudicada, se, no nosso caso, o enfrentamento e o retraimento não se complementam, precisamos lidar com o enfrentamento *crônico* e o retraimento *crônico*, ambos sintomas de patologia. O enfrentamento crônico é conhecido por fixação, permanência, compulsividade, falsidade etc.; o retraimento crônico é conhecido por "desconexão", desligamento e, em casos extremos, estupor catatônico.

Se um batalhão estiver em situação difícil, ameaçado de extermínio, perda de homens e munição, ele adotará uma "retirada estratégica". Recuará para uma posição mais segura e receberá o apoio de homens e munição, talvez apoio moral, até que a Gestalt incompleta se conclua e ele volte a ter tropas, armamento e espírito de luta apropriados.

Numa anedota sobre dois analistas, o jovem, exausto à noite, pergunta ao colega mais velho: "Como você aguenta ouvir o dia inteiro todas essas associações?" Responde o mais velho: "Quem ouve?"

De novo, temos aqui os dois extremos da permanência: enfrentamento crônico, muitas vezes chamado de "firme determinação", e fechar os ouvidos. A permanência causaria a aniquilação do batalhão e leva à exaustão do analista jovem.

Nos dias da Grande Depressão econômica, um banqueiro que achasse que o valor máximo da vida é ganhar dinheiro, fosse apegado a essa imagem e incapaz de lidar com o mercado não teria outra escolha que não se suicidar.

Uma pessoa que se sente impotente para enfrentar determinada situação e não desiste de fazê-lo quase sempre recorrerá ao recurso mais primitivo de enfrentamento: matar. Em outras palavras, assassinato e violência são sintomas de enfrentamento crônico.

Escarafunchando Fritz

Em abril de 1933, depois de os nazistas terem subido ao poder, fui me encontrar com Eitingon[63], que era presidente da Associação Psicanalítica Internacional, e lhe contei que vira nos muros cartazes de advertência contra os judeus. Ele respondeu: "Você não se orienta pela realidade; está fugindo". Foi o que fiz. Minha realidade era a minha impotência para lidar com a SS[64] de Hitler. Foram necessários mais dois anos para Eitingon se orientar e fugir para a Palestina.

Muitos judeus poderiam ter sido salvos durante o regime de Hitler se conseguissem desapegar-se dos seus bens, dos parentes e do medo do desconhecido. Muitos poderiam ter sido salvos se tivessem superado a inércia e o otimismo ingênuo. Muitos poderiam ter sido salvos se tivessem mobilizado seus recursos em vez de esperar que alguém os socorresse.

Se, se, se.

Acordei hoje de manhã atordoado e pesado. Sentado na cama, entorpecido e em transe, assim como os internos de hospitais psiquiátricos quando se fecham em suas ruminações. Recebo a visita de fantasmas, vítimas de Hitler, principalmente parentes meus e de Lore, e eles me apontam o dedo:

---

63. Max Eitingon (1881-1943), médico e psicanalista nascido da Bielo-Rússia (hoje Belarus), cofundador e presidente da Policlínica Psicanalítica de Berlim (1920-1933) e presidente da associação citada por Perls, a Associação Psicanalítica Internacional (1927-1933). [N. T.]
64. SS é a abreviatura de *Schutzstaffel* (Esquadrão de Proteção), organização formada por ordem do chanceler alemão Adolf Hitler (1889-1945). A SS participava da prisão, da deportação e do assassinato de pessoas consideradas "inimigas do regime" nazista — judeus, ciganos, eslavos, comunistas, deficientes físicos, homossexuais. [N. T.]

"Você poderia ter me salvado" — todos estão empenhados em me fazer sentir culpa e responsabilidade por eles.

Porém, agarro-me ao meu credo: "Sou responsável apenas por mim mesmo. Vocês são responsáveis por si mesmos. Fico ressentido com as suas exigências a mim, assim como com qualquer intrusão no meu modo de ser".

Sei que estou agarrado ao meu credo com força excessiva.

Sinto-me frustrado e sei ao mesmo tempo que "eu" frustro a "mim mesmo". O alvo, Esalen, parece se afastar cada vez mais. Mesmo Eilat, onde, além de Kyoto, pensei em morar, parece fora de alcance.

No entanto, sinto-me autêntico e realizado. Estou em contato com todas as três zonas. Sei que estou sentado à minha escrivaninha. Sinto a caneta deslizar no papel; vejo minha escrivaninha bagunçada. A lâmpada acima de mim projeta a sombra da minha mão nas palavras que se formam.

Também estou em contato com a minha zona interior, com uma sensação de contentamento, cansaço após um dia de negociação com uma comissão de Washington, capital dos Estados Unidos da América, sobre uma doação para o futuro "centro de explosão"[65], e uma ânsia de dar prosseguimento ao livro.

Também estou em contato com a zona intermediária, quase sempre chamada de mente. Nessa zona, imagino, falo subvocalmente, o que em geral se chama pensamento; lembro, planejo, ensaio. Sei que estou imaginando, invocando acontecimentos antigos. Sei que não são reais, mas sim imagens. Se eu os achasse reais, seria alucinação, ou seja, incapacidade de distinguir realidade de fantasia. Esse é o principal sintoma de psicose.

65. "Centro de explosão" (*blowout center*, em inglês) refere-se à casa em Sycamore Canyon (Califórnia) onde Dick Price (1930-1985), cofundador do Instituto Esalen, refugiou-se na tentativa de enfrentar sozinho, sem alarde, seu segundo surto psicótico. O sentido do termo foi ampliado para clínica psiquiátrica onde não se usam métodos tradicionais de tratamento. [N. T.]

Escarafunchando Fritz

Ao jogar, rever acontecimentos, devanear com realizações e catástrofes futuras, uma pessoa sã *sabe* que está num estado de "como se", do qual pode voltar rapidamente à presente realidade.

Há uma exceção, que em sentido mais profundo não é exceção: o sonho. Qualquer sonho se caracteriza por ser real. Qualquer sonho é uma alucinação. Qualquer sonho parece natural. Não se está *aware* do absurdo quase sempre extremo das situações e dos acontecimentos.

Qualquer sonho parece real, o que se justifica porque o sonho *é* uma realidade. É uma mensagem existencial, embora codificada em linguagem cifrada.

Qualquer sonho é um acontecimento espontâneo. A fantasia, ao contrário, pode ser intencional em grau muito alto. Parece não existir limite para a fantasia, desde que não a avaliemos nem a comparemos com os limites da realidade.

Ir para Eilat agora implicaria muito planejamento, tempo, dinheiro, cancelamento de compromissos etc.

Ir para lá na fantasia é fácil, desde que eu não tenha bloqueado a minha memória. Quando vou lá, ou, como gosto de dizer, quando pego minha máquina do tempo, vejo-me a meio caminho entre Bersheika e Eilat. Algumas ruínas, uma lanchonete e uma bomba de gasolina.

Encho o tanque do meu Fusca, que eu trouxe da Alemanha meses antes. A ideia de precisar explicar como isso aconteceu me incomoda, pois interfere na situação interessante do lugar no meio do caminho. O fato é que dirigi esses 500 quilômetros sozinho pelo deserto e duvido que ousaria fazer isso não fosse num carro com motor refrigerado a ar, como o Fusca.

Contrariando minhas expectativas, a viagem pelo deserto não foi nem um pouco monótona. A estrada era muito pequena, mas pavimentada e, em sua maior parte, em bom estado. Com a exceção de alguns beduínos com seus camelos e barracas, não encontrei ninguém, embora tenha visto um *kibutz* e um acampamento militar à distância. Eilat foi uma decepção — mais cortiços de lata do que casas, empoeirada e muito quente. E isso foi no inverno. Eu poderia muito bem acreditar nas histórias de quão insuportável seria no verão.

Hospedei-me num hotel atrás do luxuoso Eilat Hotel. Detesto os hotéis cheios de cromados em que sempre há alguém querendo atender aos hóspedes. Muitas vezes me sinto meio paranoico em hotéis pequenos e elegantes.

Os mensageiros, os ascensoristas e as camareiras parecem abutres que pairam sobre mim, muito agradáveis e simpáticos em troca de uma gorjeta.

Tudo parecia sem graça e decidi voltar uns dias depois a Ein Hod, colônia de artistas, onde me senti à vontade. Mas...

Ali havia catadores de objetos, e a terra, e a vista para o mar.

Em vez de me ater àquela decisão, fiquei por mais de quatro semanas. Não havia nenhum caso de amor, nenhuma atração cultural; a praia era de seixos, e não da linda areia de Haifa, mas...

Achei fascinantes os catadores de objetos, na maioria estadunidenses. Hoje nós os chamamos de *hippies* e topamos com eles aos milhares. Claro, na nossa turma de boêmios em Berlim surgia às vezes uma figura cuja profissão era não fazer nada, mas em geral se tratava de cabeludos loucos para se tornar importantes e ser algo na vida, e muitos conseguiram.

Também conheci *beatniks* que haviam desistido de tudo — gente zangada batendo a cabeça nas regras de ferro da sociedade.

Alguns meses antes, conheci alunos de zen-budismo que tinham desistido de tudo sem rancor e estavam em busca de redenção.

Encontrar catadores de objetos lá foi um acontecimento e tanto.

Encontrar gente que estava de bem com a vida, sem objetivos nem conquistas.

Encontrar gente de todos os países em Israel, onde todos davam duro para construir um lar duradouro.

Encontrar gente que nem sequer estava ocupada tirando férias — sabe, aquele negócio de pegar um bronzeado, melecar a pele, usar óculos escuros, ir a coquetéis, fofocar sobre os outros na praia, falar de dietas e dos preços e de tentar parar de fumar.

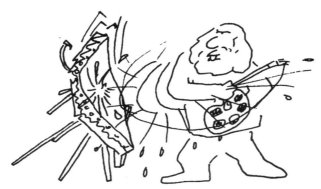

Vez ou outra eu pedia a um dos catadores de objetos que posasse para eu pintar. A pintura tornou-se minha obsessão em Israel. Até Eilat, eu nunca pintara com tanto entusiasmo e comprometimento. Pintores como Van Gogh tiveram estímulo e saíram em busca de paisagens. As solteironas perdidas buscavam "assunto". Lá estava a cor viva, lá onde o deserto do Neguev amordaça o Mar Vermelho, ladeado pelas montanhas da Jordânia e do Egito; lá onde o sol desperta cor após cor do cume das montanhas e penetra na vida subaquática de corais e peixes de colorido maravilhoso; lá os olhos podiam deleitar-se com cores e formas que se transmutavam a cada hora do dia.

No fundo do Mar Vermelho havia uma criatura parecida com uma enguia, de cerca de um metro e vinte a um metro e oitenta de comprimento e pelo menos trinta centímetros de largura, uma escultura viva abóbora e carmim. Onda? Tapete mágico? Serenidade materializada? Só a vi uma vez, embora tenha ido atrás dela outras vezes num barco com fundo de vidro.

Não ousei pintar aquelas montanhas, mas enfim criei bastante coragem para me refestelar nos retratos. O porteiro do nosso hotel gostava de posar para mim. Ainda tenho dois retratos dele. Também fiz retratos com aquarela. Se fosse a óleo eu poderia trapacear e pintar por cima, mas com aquarela eu tinha de me comprometer com uma expressão sutil.

Minha lembrança mais antiga de pintura é uma visita à Galeria Nacional de Berlim. Eu devia ter uns oito anos quando minha mãe me levou lá. Fiquei fascinado com os quadros de mulheres nuas; minha mãe se envergonhou e corou. Reconheci as pinturas sacras pelo que eram: propaganda de Jesus Cristo. Algumas pinturas me pareceram lindas — uma grande madona azul de Rafael com belos anjos bebês e o *Homem de capacete dourado*, de Rembrandt. Na escola, desenho era uma das minhas matérias prediletas. Mesmo que cabulasse todas as outras disciplinas, eu gostava da aula de desenho. Não, havia outra exceção: matemática, que me fascinava tanto que eu não conseguia faltar.

Como sempre, não me preparei para a escola. Eu já estava muito comprometido com o desejo de ser ator. Fui chamado à lousa para resolver um problema difícil. Olhei para ele e o solucionei, ao que o professor comentou: "Não foi assim que mostrei ontem. Dou-lhe A pela aptidão e E pela ousadia". Fiquei pasmo.

Em desenho, sempre se copiava alguma coisa — sombreado, perspectiva. Foi assim por muito tempo. Minha capacidade de julgar obras de arte

Frederick S. Perls

era fraca e ditada em grande parte pela fama do pintor. Levei muito tempo para identificar em Picasso o açougueiro que ele é, Gauguin como produtor de cartazes, Rousseau[66] como um "coisificador". Meu gosto por alguns pintores aumentou: Klee, Van Gogh, Michelangelo e Rembrandt. Sinto um carinho crescente por Klee. A extravagância de Van Gogh me fascinou e me derrubou. O teto da Capela Sistina, de Michelangelo, é como um parente próximo querido, que estimo com lealdade inabalável. Mas Rembrandt, para mim, é como Goethe — um indivíduo único, um centro transcendente que transborda vitalidade intensa. Certa vez me sentei por mais de uma hora na frente do seu *Ronda noturna*, no Rijksmuseum, em Amsterdã.

Às vezes ambiciono intensamente uma pintura, e então preciso comprá-la. Claro, nem sempre isso é possível — talvez o pintor seja famoso e eu não sou rico nem colecionador de arte.

Claro, "se" eu tivesse sido ganancioso e esperto, poderia ter comprado pinturas com os 500 dólares que ganhei em Bremerhaven, mas talvez não quisesse deixá-las para trás e acabaria num campo de concentração, ou os quadros teriam sido queimados como arte degenerada. Então, voltamos a: "Se a minha tia tivesse rodas, ela seria um automóvel".

Comecei a levar a pintura mais a sério depois que vim para os Estados Unidos. A vida ao ar livre e os esportes na África do Sul pareciam virar fumaça em Nova York, a cidade de pedra, da pressa e da cultura. Lore escreveu alguns artigos, poemas e contos. E ela tinha um piano. É uma boa pianista, e na juventude estava atrozmente dividida entre estudar Direito e depois Psicologia ou ser pianista clássica.

Tornei-me um escravo profissional dos horários, exceto nas longas férias de verão em Provincetown, Cape Cod.

Íamos lá todo verão, e Lore ainda vai. Para mim, estragaram o lugar depois que "eles" roubaram a inocência do lugar e pagaram com feiura. Na verdade, estou exagerando.

A população de verão era de pescadores, artistas e psicanalistas. Logo me dei a velejar e pintar. Como ocorria quando pilotava, eu preferia velejar sozinho. Assim como pilotando, eu adorava o enorme silêncio depois de desligar o motor e descer planando até o chão.

---

66. Henri Julien Félix Rousseau (1844-1910), pintor pós-impressionista francês de estilo *naïf*. [N. T.]

Nunca me apeguei à pescaria; só peguei uns peixinhos e um linguado.

A pintura passou a significar um envolvimento intenso, uma vaga proximidade com a obsessão. Logo tive um professor atrás do outro. Em Ein Hod, Israel, fiz o mesmo.

Gosto do ambiente da sala de aula, com alunos invejosos competindo, orgulhosos do seu trabalho. Gosto de mergulhar no isolamento que acompanha a relação objeto-pintor-tela. Gosto desse precursor dos grupos de encontro, com elogios e críticas mútuas às "obras-primas" de cada um. Gosto do fato de que a tela é o único lugar em que se pode cometer qualquer crime sem ser punido.

Eu gostava de quase todos os meus professores, cheios de frases estereotipadas: "Só quero que vocês se expressem", ocultando a segunda parte, "desde que seja do meu jeito".

Só passei a ser pintor poucos anos atrás. Eu aprendera muitos truques, técnicas, composição, mistura de cores. Tudo isso contribuiu apenas para reforçar o Fritz sintético, da abordagem deliberada, automatizada e observadora da vida. Raramente conseguia algo que se aproximasse da projeção da realidade do *self* na tela.

Claro, vendi alguns quadros; muitos estão hoje pendurados nas minhas paredes. Muitos podem competir facilmente com um pintor estadunidense mediano que queira ser diferente de seus colegas pintores e exiba a mesma necessidade enfadonha de ser diferente, de ter seus truques, que ele talvez chame de estilo.

Então, há alguns anos, "ele" se deu bem com algumas aquarelas. Um dia — *mañana* — vou pintar de novo.

De certo modo, comparo isso com a minha escrita atual, que de repente, depois de tantas décadas, deu certo. Em ambos os casos, pintura e escrita, sei que superei a condição de amador e progredi de sintoma para vocação.

Enfim voltei para os Estados Unidos, ainda arrastando o desânimo com a minha profissão como um fardo pesado nos meus ombros curvados. Houve um encontro da Academia Americana de Psicoterapeutas, com três acontecimentos que se destacaram. Eu estava bem deprimido e tive um ataque de angina do peito bastante perturbador, o que me deixou de cama por um dia.

O segundo acontecimento foi o início de uma amizade com a bela, determinada e intensa Irma Shepherd[67] — brilhante, calorosa, obstinada e receosa da própria vitalidade.

O terceiro foi uma explosão de desespero que tive durante uma sessão de grupo. Essa explosão foi para valer. Soluços violentos, sem me importar com a presença de estranhos, *de profundis*[68]. A explosão fez isso. Depois pude reavaliar minha posição e me dispus a retomar a profissão.

Ao escrever isso, fiz uma *des*coberta: deixei de lado o desespero na minha teoria da neurose. Pela primeira vez quero ser sistemático. Os cinco níveis da neurose não são estritamente separados, mas vale a pena separá-los para uma melhor compreensão:

---

67. Irma Lee Sheperd (1927-2010), psicoterapeuta estadunidense considerada um ícone da Gestalt-terapia. [N. T.]
68. Primeiras palavras do Salmo 130 da Bíblia: "Das profundezas clamo a ti, Senhor". [N. T.]

a) clichês;
b) papéis e jogos;
c) implosão;
d) impasse e explosão;
e) autenticidade.

Os clichês são rígidos e também um campo de provas: "Tudo bem com você?" "Hoje o tempo está bom!" Aperto de mão. Concordar com a cabeça. Isso indica simplesmente o reconhecimento da existência da outra pessoa. Não significa aceitação, embora não dizer nada insinue uma afronta. Estou testando o outro. Será que ele vai discorrer sobre tempo e temperatura ou outro assunto neutro? Será que podemos partir daí para um tema um pouco mais incerto?

Ao fazê-lo, entramos no nível do jogo e dos papéis sociais. Podemos chamar esse nível de área de Eric Berne[69] ou Sigmund Freud. Dá-se preferência aos jogos do "mais que o seu": "Meu carro é mais novo que o seu", "Meu sofrimento é pior que o seu". A quantidade de jogos é menor que a de papéis, embora estes sejam relativamente poucos na categoria freudiana: papai, mamãe, bruxa, bebê etc. Berne parece ter afinidade com os papéis freudianos, mas também com sapos feios que se tornam príncipes.

Os papéis são, em geral, formas de manipulação — o valentão, o desamparado, o educado, o sedutor, o bom menino, o bolinador, o adulador, a mãe judia, o hipnotizador, o chato etc. etc. Todos querem influenciar alguém de um jeito ou de outro. Os papéis inanimados também são muito frequentes: pedra de gelo, meteoro, trator, gelatina, rochedo etc.

---

69. Eric Berne (1910-1970), psiquiatra canadense criador da análise transacional e autor do já citado *Jogos da vida*, entre outros livros. [N. T.]

Frederick S. Perls

Hoje à tarde tive uma conversa filmada com o *swami* indiano Maharishi[70]. O negócio dele era um contato com o "infinito" um tanto estereotipado, para a pessoa desenvolver seu maior potencial. Como ele se fazia de surdo ou, na melhor das hipóteses, dava um cacarejo que talvez pretendesse ser uma risada, não consegui descobrir qual era esse potencial e se essa meditação podia ser comparada com a nossa técnica mais simples de enfrentamento-retraimento. Ainda assim, ele tem um olhar bacana e belas mãos. Para mim, ele é um saco e eu não gostaria de bancar um santo nem por toda a fama e todo o dinheiro do mundo. O jogo e o papel dele são imutáveis, embora eu suspeite que deva haver situações em que ele conseguiria representar outros papéis.

Às vezes encontramos algumas pessoas do outro lado da balança. Helene Deutsch chamou-as de tipo "como se", pessoas que têm uma centena de papéis no repertório.

O exemplo clássico de representação de papéis limitados é Dr. Jekyll e Mr. Hyde ou as três faces de Eva[71]. Ambos os casos já estão além do comportamento "como se", pois mostram uma dissociação real. Ambos os casos são diferentes da dicotomia comum, por exemplo, um funcionário de banco que faz o papel de puxa-saco no escritório e de tirano em casa.

Jerry Greenwald me enviou uma monografia que de alguma forma se relaciona com o nosso tema. Ele diferencia dois tipos humanos: pessoas T e pessoas N. T significa tóxicas e N, nutritivas. Consigo comprovar as descobertas de Greenwald, embora também saiba de outras formas de destrutividade. A compreensão do ritmo de enfrentamento-retraimento costuma poupar muita tensão; a compreensão dos tipos T e N pode melhorar muito a vitalidade do indivíduo e até poupá-lo de certa infelicidade. Basta ter algum interesse nesse fenômeno.

A exceção seria você mesmo ser do tipo T, e mesmo assim poderia encontrar alguém mais nocivo que você.

---

70. Mahesh Prasad Varna (1918-2008), conhecido por Maharishi Mahesh Iogy, divulgador da meditação transcendental no Ocidente. [N. T.]

71. O autor refere-se a três personagens de obras literárias depois adaptadas para o cinema que enfocam o transtorno de identidade dissociativa, antes chamado transtorno de personalidade múltipla: *O estranho caso do Dr. Jekill e Mr. Hyde*, de Robert Louis Stevenson (Hedra, 2011), e *As três faces de Eva*, livro dos psiquiatras Corbett H. Thigpen e Hervey M. Cleckley. [N. T.]

Escarafunchando Fritz

O primeiro passo é encontrar os extremos de T e N. Que tipo de pessoa ou situação provoca exaustão e irritação, e qual causa satisfação e entusiasmo? Qual lhe dá uma dose de veneno açucarada? Preste atenção especial às perguntas, a quem dá conselhos, aos enlouquecedores, às vozes estridentes ou soníferas.

Quando adquirir confiança, observe cada frase, tom de voz, cacoetes. Casos extremos: gaguejo, maneirismos. O que incomoda? Você tem compulsão para responder a *todas* as perguntas?

Pode-se fazer um jogo excelente entre conhecidos próximos. Observe e examine por uns dias cada frase e todas as outras formas de comportamento dos outros. Quando "encaixar", você nunca mais perderá o instinto da preferência pelo tipo T ou N.

Arthur Schnitzler[72] diz em seu *Paracelso*: "Estamos sempre num jogo, mas só os sábios têm consciência disso".

Correto. Muitas vezes precisamos desempenhar papéis — por exemplo, portar-se da melhor forma possível intencionalmente —, mas a representação compulsiva, manipulativa, que toma o lugar da livre autoexpressão pode e deve ser superada se o indivíduo quiser evoluir.

Os polos extremos da representação de papéis são a vocação e o fingimento. No primeiro caso, usa-se o papel como veículo para transmitir a própria essência. A pessoa sustenta-se na aptidão, nos sentimentos genuínos e na sensibilidade próprios. Essa pessoa é do tipo N.

Quando se finge, perde-se o comprometimento. Finge-se uma emoção que não existe; não se tem confiança na capacidade dessa pessoa. Em suma, ela é falsa.

---

72. Arthur Schnitzler (1862-1931), médico, escritor e dramaturgo austríaco tido como um dos maiores representantes do modernismo vienense. O livro citado por Perls, *Paracelso*, é de 1897. [N. T.]

Frederick S. Perls

Do ponto de vista do psiquiatra, os papéis mais importantes e interessantes são os introjetados. Freud não distingue introjeção de enfrentamento, que é um aprendizado.

O introjetado é um *dybbuk*[73], um possuído. Alguém se apodera do paciente e existe por meio dele. Como qualquer verdadeiro introjetado, o *dybbuk* é um corpo estranho no paciente. Em vez de estar na zona externa, como alguém com quem se pode encontrar, ele ocupa grande parte da zona intermediária. O paciente, em vez de se autorregular, entrar em sintonia com esse domínio figura-fundo, é controlado por necessidades e exigências do *dybbuk*. Ele não consegue ficar bem enquanto o *dybbuk* não for exorcizado.

Encontrei um caso extremo de *dybbuk* cerca de dez anos atrás, durante um congresso da Associação Americana de Psicologia, em São Francisco. Um dos membros de um grupo de *workshop* tinha um rosto que parecia feito de cera. Podia ser um caso de encefalite, mas sem os sintomas de inflamação cerebral. Todo o comportamento e cheiro dele me transmitiam a sensação de um cadáver. Estou acostumado a confiar na minha intuição, muitas vezes tétrica, e perguntei a ele se tinha perdido uma pessoa amada. E realmente houvera uma morte súbita, mas não trabalho de luto — para usar um excelente termo de Freud —, nem lágrimas, nem "adeus", nem separação, nem enterro. Essa pessoa continuou a existir não nos traços de caráter, nos maneirismos e no modo de pensar, como tantas vezes ocorre, mas como cadáver.

Eu o fiz encontrar-se com o seu *dybbuk*, mobilizar seu luto e dar adeus a ele. Não poderíamos, é claro, completar o trabalho de luto naquela sessão, obter o encerramento completo, extrair o sintoma, mas ele se tornou mais vivo, embora não totalmente. As bochechas perderam o aspecto de cera, embora ainda não tivessem uma cor saudável, e o seu andar tornou-se mais elástico, embora ele ainda não estivesse pronto para dançar.

Um dos psicólogos que participaram desse grupo foi o existencialista Wilson van Dusen[74]. Ele me sugeriu que eu fosse para a Costa Oeste dos Estados Unidos para trabalhar no Hospital Estadual de Mendocino. Gostei da sugestão. Eu queria sair de Miami. Marty rejeitara a ideia de nos casar-

---

73. No folclore judaico, alma penada de um morto que se apodera do corpo dos vivos. [N. T.]
74. Wilson M. Van Dusen (1923- 2005), psicólogo clínico estadunidense, criador de um método terapêutico experimental que propõe dialogar com as vozes alucinatórias dos pacientes. [N. T.]

mos. Eu era muito velho. Ela não queria abandonar a segurança do seu casamento nem arriscar a pseudossegurança dos filhos.

Aluguei um apartamento em São Francisco. Dois dos meus parasitas habituais me acompanharam; não fosse assim, eu não teria exatamente um consultório. Fiz minhas coisas no hospital e não me importei de dirigir 150 quilômetros pelo lindo campo das sequoias. Lá eu me aproximei de Paul, psiquiatra que adorava cultivar e criar filhos. Acredito que agora ele tenha onze. Jogamos muitas partidas emocionantes de xadrez.

No início, eu era próximo de Wilson. Nós nos respeitávamos. Eu gostava dos filhos dele e muitas vezes passei a noite na casa da família. Às vezes eu ia na garupa da motocicleta dele. Quando jovem, tive duas motos, mas o assento da garupa, na minha idade (eu tinha então cerca de sessenta e cinco anos), era bem diferente. No começo eu estava com medo e tenso, mas logo consegui relaxar e aproveitar os passeios. Uma vez (não me lembro quando), a mulher de Wilson jogou uma coisa em mim e quebrou meu relógio de pulso.

Durante meu trabalho no hospital, passei a conhecer o LSD e fiz muitas viagens, sem perceber que lentamente eu me tornava bastante paranoico e irritável. De todo modo, Wilson e eu ficamos bastante afastados e logo me mudei para Los Angeles. Voltei a vê-lo recentemente, e depois de uns dias ele quebrou o gelo e de novo nos sentimos bem e calorosos um com o outro.

Uma das contribuições dele é a descoberta de que o paciente esquizofrênico tem buracos na personalidade. No mesmo artigo, ele menciona que a psiquiatria e a teoria existencialista carecem de uma técnica prática apropriada e que a minha abordagem proporcionava isso. Mais adiante, segui a ideia dele dos buracos e descobri que o mesmo fenômeno se aplica ao neurótico. Um neurótico não tem olhos, muitos não têm ouvidos, outros não têm coração, nem memória, nem pernas para se apoiar. A maioria das pessoas neuróticas não tem um centro.

Na verdade, essa tese é um desdobramento da ideia limitada de Freud de que o neurótico não tem memória. Em vez de memória, ele tem um branco ou amnésia. Freud diz que essa amnésia se deve não apenas ao desenvolvimento incompleto do paciente, mas também à sua "encenação". Wilson e eu afirmamos que existem muitos outros buracos responsáveis pela incompletude do paciente. A pessoa pode ter boa memória e não ter confiança alguma, nem alma, nem ouvidos etc. Esses buracos podem desaparecer não sendo preenchidos com "supercompensações", mas transformando o vazio estéril em vazio fértil. A capacidade de fazer isso depende, repito, da compreensão do *nada*. O vazio estéril é sentido como um *nada*; o vazio fértil, como *algo* emergente.

Na juventude, acolhi Freud como meu salvador instantâneo. Eu estava convencido de que danificara minha memória com masturbação, e o sistema de Freud centrava-se no sexo e na memória. Eu também estava convicto de que a psicanálise era a única forma de cura.

Chamamos de charlatão o indivíduo que promete uma cura e não a leva a cabo. Freud era um cientista sincero, escritor brilhante e descobridor de muitos segredos da "mente". Nenhum de nós, provavelmente com a exceção do próprio Freud, percebeu a prematuridade de aplicar a psicanálise ao tratamento; nenhum de nós viu a psicanálise num contexto pertinente. Não a vimos como ela realmente era: um *projeto de pesquisa*.

Hoje, gastamos anos e milhões testando a segurança e a eficácia de cada medicamento que chega ao mercado. Não se fez muito disso com a psicanálise por não existirem testes na época nem hoje, ou porque os pró-

Escarafunchando Fritz

prios analistas tinham ou têm medo de verificar o seu método. O governo [dos Estados Unidos] é muito rigoroso com as drogas; os estados são extremamente rigorosos na concessão de licenças aos profissionais de psicoterapia. No entanto, a psicanálise, em todas as suas formas e nomes, escapou do escrutínio oficial por meio de algum privilégio estabelecido antigamente.

Um neurologista queixou-se comigo de estar com a memória ruim. Descobri que ele não conseguia recordar o que ocorrera num período de três anos. Esses três anos coincidiam com a duração de um casamento infeliz.

Agora, eis o ponto decisivo: a *causa* da amnésia dele não foi a repressão, mas *o modo como* ele instituiu sua atitude fóbica em relação à memória dolorosa. Para se assegurar, ele teve de apagar tudo que acontecera naqueles três anos. Agora, Freud concordaria comigo em que a recuperação não basta, embora também tenha declarado que a integração cuida de si mesma. Nesse caso, ele diria que o paciente deve "resolver" sua situação.

É claro que, enquanto bloqueia lembranças, o paciente deixa a Gestalt incompleta. Se ele se dispuser a passar pela dor da infelicidade e do desespero, chegará ao encerramento; aceitará seus ressentimentos e restituirá a memória, inclusive todas as experiências que não estejam diretamente ligadas ao casamento infeliz.

Como Goethe, Lore tem memória eidética. Quem é eidético precisa apenas fechar os olhos e se concentrar em imagens que contam a história daquele momento com precisão fotográfica. Eu fico com esse tipo de memória com psilocibina, droga psicodélica de um cogumelo.

A maioria das pessoas tem essa memória antes de adormecer. Acontece comigo só depois de passeios de carro ou experiências semelhantes. A maior parte da minha memória visual é embaçada, e minhas alucinações hipnagógicas (imagens que surgem antes de adormecer) ainda são principalmente de natureza esquizofrênica. Elas estão em uma linguagem cifrada, como nos sonhos, e desaparecem assim que eu tento captá-las com o intelecto desperto. Acho que essa névoa e o meu tabagismo estão relacionados. Além de vagas especulações, até agora não fiz nada a respeito, mas sei que vou solucionar esse problema também. Desde que comecei a escrever este livro, aconteceram três coisas.

Primeiro, o tédio inicial, principal estímulo para escrever, transformou-se em excitação. Então, vejo muito mais e melhor. Grande parte da excitação que entrou no sistema motor (*acting-out*), como masturbação e agressão às pessoas, não fluía para o sistema sensorial. Agora estou cada vez mais satisfeito por olhar e ouvir.

Por fim, notei durante os últimos meses um aumento nas minhas crises de cansaço. Por ser terapeuta, eu me retirava para uma soneca, raramente para um sono completo, sempre que um paciente me inundava com uma voz hipnótica ou não estava em contato comigo. Ultimamente tenho me retirado um pouco menos e permanecido mais no meio-termo, e nos últimos dias tenho mantido contato com o cansaço *e* o mundo. Ambos se integram numa escuta muito mais aguçada do que antes.

Quanto à minha deficiência de memória na puberdade, ela na verdade não existia. Eu cometia os mesmos erros que cometeria tantas vezes depois. Culpei-me, quando deveria ficar ressentido com outra pessoa. Minha memória era ruim para guardar datas históricas e palavras em latim. Ambos estavam fora de contexto; eram coisas estranhas, desconhecidas. Em outras palavras, minha memória ruim foi boa. Aprender essas palavras etc., demandaria exercício e repetição; isto é, artifícios. Comprovei que dentro de um contexto significativo não tenho dificuldade para absorver um material interessante. Dei como exemplo a maneira como aprendi inglês. Meu vocabulário não é fabuloso, mas adequado e prático.

A situação em Los Angeles não tinha nada de difícil. Eu estivera lá uma vez, em 1950. Já havia uma pitada de interesse nos círculos profissionais. Jim Simkin se estabelecera como o primeiro Gestalt-terapeuta da Califórnia.

O interesse de Jim pela abordagem gestáltica remonta à sua época de faculdade. Ele se formou em Nova York comigo e com Laura (Lore americanizou o nome dela). Agora que se encerrou a formação, e ao me encon-

Escarafunchando Fritz

trar muito mais no contexto social e profissional, apareceram diversas dificuldades. Ele era quadrado, tenso, supermeticuloso, adorava um círculo íntimo pequeno. Ele e Ann, sua mulher, têm uma forte ascendência judaica e continuam envolvidos no judaísmo. Sei que ele respeitava meu gênio e desprezava o meu desleixo e o meu jeito descontraído. Com o passar do tempo, ele se tornou muito mais espontâneo e franco e usou do rigor no seu estilo específico e bem-sucedido da Gestalt-terapia. No fim, nós nos tornamos amigos bons e sinceros.

O interesse pelo meu trabalho aumentou, mas não me senti aceito. Mesmo os profissionais que trabalharam comigo com sucesso tiveram o cuidado de não se identificar com a Gestalt-terapia ou com aquele doido, Fritz Perls.

Num dos meus grupos havia um cara que estava envolvido numa série de coisas insólitas: ioga, massagem, terapia, a consciência sensorial de Charlotte Selver[75]. O nome dele é Bernie Gunther. Bom empreendedor, não muito criativo, mas capaz de sintetizar e colocar em prática o que coleta em fontes diferentes. Como Bill Schutz, ele sem dúvida empolga as pessoas. Tenho quase certeza de que ascenderá ao topo.

Gunther organizou umas palestras para mim em Los Angeles. Fiquei surpreso com o excesso de público. Não tinha percebido que a Gestalt-terapia começara a criar raízes.

No Natal de 1963, ele sugeriu minha participação num *workshop* num lugar no meio da Califórnia chamado Esalen.

O alvo Esalen acertou na mosca com a flecha de Fritz Perls. Uma paisagem comparável a Eilat; pessoas lindas na equipe, como em Kyoto. Uma oportunidade de lecionar. O cigano encontrou um lar e a seguir uma casa.

Encontrou outra coisa também. Pausa para um coração doente.

O homem moderno vive e transita entre os polos extremos da concretude e das abstrações.

Geralmente a palavra concretude significa coisas, fatos e processos que em princípio são acessíveis a todos, pertencem ao *Umwelt* de todos — ambiente, mundo pessoal, zona de *alteridade*, zona *externa*.

---

75. Charlotte Selver (1901-2003), musicoterapeuta alemã centrada na experiência pessoal por meio dos sentidos, fundamento da sua teoria da consciência sensorial.

Frederick S. Perls

Se tivermos duas ou mais pessoas juntas, o mundo pessoal de cada uma coincidirá em grande medida; o *Umwelt* torna-se um *Mitwelt* — um mundo comum, um ambiente compartilhado. Na superfície, elas lidam e se identificam com os mesmos fatos e coisas.

Assim que nos aprofundamos um pouco mais, percebemos a falácia dessa grande simplificação, pois muitos fatos e coisas têm significados bem diversos para cada um de nós, de acordo com nossos interesses e necessidades específicas para concluir a situação inacabada do desequilíbrio de cada indivíduo.

Para ilustrar, peguemos o exemplar do jornal de domingo ansiosamente aguardado por uma família. Haveria uma luta livre pelo jornal se os interesses não fossem diferentes. Assim, o pai fica com o primeiro caderno, a mãe com as páginas femininas, a filha sofisticada com o caderno literário, o irmão mais velho com a seção de esportes, o pobre de espírito com os quadrinhos, o político com as notícias internacionais.

Esse não é um exemplo de *abstração*. O jornal foi separado *concretamente* e distribuído aos membros da família.

Agora vamos dar uma olhada nos anúncios classificados. Alguém, com exceção dos revisores, já leu todos os anúncios?

McLuhan[76] diz que todos os anúncios são boas notícias; vai-se com esperança ao local que promete realização. Dessa vez, os membros da família deixam essa seção intacta e só abstraem o que lhes interessa. Existe uma opção. Pode-se recortar o anúncio; nesse caso, existe uma *subtração*; o jornal fica menor do que era antes. Ou se pode *abstrair*, copiando ou lembrando, e deixar o jornal inteiro.

Se você copiar o anúncio, essa cópia ainda pertence à ZE; se você se lembra dele, ele entra na ZM e, se você está feliz com o achado, ele chega à ZS, a zona do *self* ou interna.

Nesta altura, não quero falar dos níveis e da economia da abstração. Já temos o suficiente para o nosso próximo passo, mas quero mencionar que o grau mais alto de abstração é o número, em que toda concretude está entre parênteses, qualquer característica é excluída e só resta o número da coisa, do fato ou do processo.

No jogo dos números, o impossível torna-se possível. Por exemplo, uma pessoa que vive na África do Sul pode levar 1,2 picadas de mosquito por dia, e essa quantidade aumenta consideravelmente se ela mora no Quênia.

Vou repetir mais uma vez o nosso jogo de letras. Temos T de tóxico e N de nutritivo. Temos Z de zona ou *locus* ou local onde um fato ocorre. Essa localização chama-se topologia. Diferenciamos grosseiramente ZE (zona externa) e ZS (zona do *self* ou interna) — o lugar, por assim dizer, dentro da pele —, e mencionei que *dentro* da ZS há uma ZDM [zona desmilitarizada, terra de ninguém] que impede a comunicação direta entre o *self* e a alteridade, que impede estar "em contato". A ZDM é muitas vezes chamada de "mente" ou consciência, o que confunde, por não se saber o que realmente está acontecendo. Se eu sentir uma coceira, estou consciente dela, mas, se disser que essa coceira está na minha mente, posso ser acusado de louco. A Ciência Cristã faz um bom uso dessa confusão. Costumo identificar os praticantes da Ciência Cristã e seus filhos pelo tipo de confusão.

Um dos meus dois parasitas em São Francisco era uma mulher de meia-idade que me procurou em Miami em estado esquizoide. Fora criada num ambiente impregnado com a moralidade da Ciência Cristã. Cada sinal que ela captava era imediatamente distorcido e usado no seu sistema delirante.

---

76. Marshall McLuhan (1911-1980), filósofo canadense responsável pelo desenvolvimento da teoria dos meios de comunicação. Criou as famosas expressões "o meio é a mensagem" e "aldeia global". [N. T.]

Se chamarmos a "mente" de *fantasia* e usarmos a teoria da *awareness*, pisaremos no solo firme da realidade. O termo *fantasia* tem um posto fundamental na minha filosofia da Gestalt. É tão importante para a existência social quanto a formação da Gestalt para a existência biológica.

É bem comum contrapor fantasia e racionalidade, o que significa que qualquer fantasia ou imaginação é uma coisa "distante" e a racionalidade é chamada de epítome da sanidade. Uso fantasia e imaginação como sinônimos, embora imaginação tenha uma conotação um tanto mais ativa.

Quero viajar nas férias; então, faço planos. O planejamento é uma fantasia racional. Posso usar recursos da ZE, como mapas, conselhos de agentes de viagens etc., mas fantasio sobretudo com expectativas, necessidades e lembranças. Então, reduzo ou amplio a minha fantasia até que, por fantasia ou junto com o agente de viagens, chego a uma decisão condizente com o que pretendo, o período da viagem e o bolso.

Mencionei antes que todas as teorias e hipóteses são fantasias que têm valor somente se correspondem a fatos observáveis. Em outras palavras, fantasia racional equivale a dizer "ele tem uma mente sã".

Leitor — Tudo bem, Fritz, entendi até aí. E as lembranças? Parece que você as inclui. Se misturar fantasia e memória, ou você confundiu as coisas ou é mentiroso.

Correto. Falamos de uma memória confiável, o que já deixa uma dúvida quanto à aplicação geral. A tese é de que *toda lembrança é a abstração de um acontecimento*; não é o acontecimento em si. Se você lê um jornal, o papel em si permanece na ZE. Você não come, não engole nem digere o papel. Além disso, você seleciona o que lhe interessa. Além disso, as notícias são dadas com o viés das convicções políticas daquele jornal. Além disso, a quantidade de notícias que aparecem é selecionada pelo poder de observação do repórter, a oportunidade e talvez a necessidade dele de sensacionalismo.

Leitor — Concordo, mas, se eu vivenciar algo, consigo me lembrar disso com muita clareza.

De que parte da experiência você se lembra? Você é muito parcial? O que você se lembra do tom de voz, da hesitação? Você engoliu o acontecimento ou você se lembra dele e retorna a ele na realidade? — o que é impossível, pois o acontecimento passou, e a retomada dele ocorre agora. Esse retorno já nos dá muito mais material — e muito menos tendencioso — do

Escarafunchando Fritz

que as lembranças estáticas, que de fato são tendenciosas em razão da situação atual de gostar delas ou não.

Existem muitas investigações sobre a parcialidade e a seletividade da memória de, digamos, testemunhas de um acidente. Quem viu o filme *Rashomon*[77] deve saber das diferentes interpretações das pessoas a respeito dos mesmos acontecimentos, por causa das necessidades do sistema de autoestima de cada uma.

Em outras palavras, mesmo a observação mais fidedigna é uma abstração. Já consigo ver que teria de escrever muito mais páginas para esclarecer a posição fundamental da fantasia.

Na psicopatologia, as fantasias mais significativas são aquelas em que o paciente não consegue perceber a própria irracionalidade. O caso mais extremo pode ser o de um esquizofrênico paranoico que imagina e realmente acredita que o médico quer matá-lo. Para evitar isso, ele vai para a ZE. Ou seja, ele mata o médico de verdade.

Muitos têm fantasias catastróficas, não se incomodam de verificar a racionalidade delas — tornam-se fóbicos — e não se dispõem a correr riscos razoáveis.

Muitos têm fantasias anastróficas. Não se preocupam de examinar a racionalidade delas, tornam-se imprudentes e não estão dispostos a tomar precauções sensatas.

Para alguns, as fantasias catastróficas e anastróficas estão em equilíbrio; têm perspectiva e ousadia racional.

---

77. Filme japonês de 1950 que se desenrola em torno de versões da morte de um samurai contadas por pessoas diferentes. O filme foi dirigido por Akira Kurosawa (1910-1998), considerado um dos mais importantes e mais inventivos cineastas do mundo. [N. T.]

Os papéis e os jogos representados na fantasia são de uma variedade infinita, da autotortura extrema à realização ilimitada de desejos.

Eu gostaria de poder parar aqui. No entanto, tenho de passar àquela abstração que gerou a fantasia da existência de uma "mente".

Parei ontem à noite nesse ponto e acordei com uma espécie de rancor. "Não, não vou começar uma conversa fiada. *Não vou* entrar na derivação da 'palavra' como abstração de uma abstração. *Não vou* entrar nos detalhes do pensamento tido como fala subvocal, como falar da fantasia."

Vou dizer que me surpreende o fato de que, toda vez que tenho a fantasia de escrever sobre um tema, outro diferente aparece e puxa algum antigo conceito (dessa vez, admito que mental) da minha lata de lixo, e eu aprendo algo novo. Estou até disposto a reconhecer que a minha lata de lixo não existe, que só a inventei para fazer meu jogo de reorientação. Mais uma vez, olho em volta. Minha mesa está menos bagunçada do que antes — ondas quebrando, as montanhas. Será que eu quero escrever sobre Esalen ou me vestir e descer até a pousada para tomar o café da manhã?

"Vestir-me" soa engraçado. Estou de pijama e só preciso pôr um dos meus macacões, minha roupa favorita. Tenho vários. Os melhores são os atoalhados, bons principalmente para ir aos banhos quentes.

Raramente ando até a pousada. Vou com o meu fiatizinho, que é 46 centímetros mais curto que um Fusca. Eu o chamo de meu carrinho de bebê motorizado. Minha casa fica a cerca de 90 metros acima dos banhos, bem no penhasco. A maior parte dela está num corte na montanha, de modo que tem uma vista de milhares de quilômetros quadrados de mar e das falésias agrestes e suaves, que refreiam a implacável e irritante erosão

Escarafunchando Fritz

das ondas e se dispõem a conceder não mais que umas pedrinhas às ondas mais insistentes.

Não se sai pela porta. *Emerge-se* não na natureza intocada, como antes, mas numa mistura de vista magnífica, degraus naturais de pedra, que são uma extensão do muro circular de pedra, e chalés e automóveis mais abaixo.

Para a maioria das pessoas, não é difícil subir à pousada e depois descer. Para mim é. Eu costumo descer. Dela até os banhos é uma distância parecida, e vou caminhando. Aos poucos fica mais fácil para eu subir. Às vezes consigo não sobrecarregar os músculos das pernas ou o coração.

Quando cheguei a Esalen, meu coração estava lastimável.

Quero escrever sobre o meu coração. Estou procurando às cegas um começo, e compreensão. A lata de lixo se transforma em pesadelo recorrente. As viagens de psilocibina, seu teor: quase morrendo, quase morrendo, desistindo de tudo. Não! Volte à vida, volte!

O redemoinho para. Estou de volta às trincheiras. 1916. Não, não mais nas trincheiras. Estou num hospital do Exército. Longe do sofrimento do auge da guerra. Conheci um homem bom, nosso novo médico. Conversamos; ele quer informações sobre o antissemitismo, que se percebe muito, sim, mesmo nas trincheiras. Mas é principalmente dos oficiais.

Nossa companhia é transferida para outro setor da frente de combate. Pego uma gripe, com febre alta. Ele me manda para um hospital. Ganho uma cama de verdade. Ele me visita dois dias depois. Estou bem para ir com ele? A febre aumenta, e ela *é* real, não inventada nem fingida. No entanto, a febre cai quando estou fora da zona de perigo.

No dia seguinte, acordo de um sonho: minha família, em primeiro plano, Grete, a irmã que amo, de pé junto ao meu túmulo, implorando que eu volte à vida.

Eu me reteso, me agito, faço um esforço tremendo e consigo. Lentamente, lentamente, volto à vida, disposto — embora nem tanto — a desistir da morte, a morte que era muito preferível aos horrores da guerra.

Eu já conseguira me dessensibilizar, mas havia dois tipos de morte que eu mal podia encarar.

Escarafunchando Fritz

Um deles era a chegada dos comandos após o ataque. Depois que a nuvem de gás atravessara as linhas inimigas, eles saíam das trincheiras, armados com uma espécie de martelo flexível comprido, com o qual batiam em qualquer um que desse sinal de vida e o matavam. Nunca descobri se faziam isso para economizar munição ou para não chamarem atenção ou por puro sadismo.

O outro aconteceu apenas uma vez. De manhã, testamos as máscaras antigás com gás lacrimogêneo. Elas pareceram boas. Naquela noite, fizemos outro ataque com gás. Última verificação dos frascos de aço. O meteorologista confere a velocidade do vento, a estabilidade do vento, a direção do vento. Passa uma hora após a outra. Ontem à noite o ataque foi cancelado.

Que tal hoje à noite? Passa uma hora atrás da outra. Não estou muito tenso, sentado no meu abrigo e lendo coisas intelectualizadas. Enfim, as condições do vento parecem corretas. Abram as válvulas! A nuvem amarela rasteja na direção das trincheiras inimigas. Em seguida, um redemoinho repentino. O vento muda de direção. As trincheiras são no formato de zigue-zague. Talvez o gás volte para as nossas trincheiras! E é isso que acontece, e as máscaras falham com muitos. E muitos, muitos, são envenenados de leve a gravemente e eu sou o único paramédico e disponho de apenas quatro pequenos frascos de oxigênio, e todos os soldados estão desesperados por um pouco de oxigênio e tentam agarrar o frasco; sou obrigado a puxá-lo com força para dar algum conforto a outro soldado.

Mais de uma vez fiquei tentado a arrancar a máscara do rosto suado.

Em 1914, quando eclodiu a guerra, eu já estudava medicina. Meu exame médico no Exército me declarou "apto para tempestade terrestre", o que me pôs abaixo até de "apto para a reserva". Eu era bastante encurvado e tinha uma doença no coração, alongado e pequeno. Para mim, era difícil manter o esforço em esportes que exigiam resistência, e eu preferia todos os esportes de equilíbrio.

Frederick S. Perls

Eu não tinha intenção de ser soldado nem um herói ensanguentado. Então me ofereci para soldado da Cruz Vermelha, para trabalhar fora da zona de combate. Passava a maior parte do tempo em Berlim, para continuar meus estudos. Depois de uma viagem de quatro semanas a Mons, na fronteira com a Bélgica, cansei e desertei, só que eu não sabia que estava desertando, pois, na minha opinião, a Cruz Vermelha era uma organização semiprivada.

Quando fui preso, fingi ter uma perna ruim e manquei de um jeito nada convincente. Enviaram-me ao professor Schleich, que eu já admirava por ser um dos poucos, antes mesmo de Groddeck[78], que se interessava pela medicina psicossomática. Ele me deu uma injeção subperitoneal tão dolorosa que eu quase me senti curado.

Fizemos a viagem até Mons num trem muito lento, que sempre parava para deixar passar tropas da frente de combate e munições. Nada de comida. Eu estava tão exausto e adormeci tão profundamente que, quando me acordaram, levei vários minutos para me orientar. Foi estranho. Eu ficava olhando para os outros, para as paredes da carroça — foi uma despersonalização completa, ausência de qualquer sensação ou sentido.

Em Mons, meu trabalho na estação era distribuir café e lanches aos feridos, que lotavam os trens que voltavam do fronte. Quando eu quis dar um pouco de água aos soldados britânicos feridos, os alemães não me deixaram. Foi meu primeiro gostinho e choque da desumanidade da guerra.

Uma moça belga se apaixonou por mim e enfrentava o desprezo dos vizinhos. Apaixonada, sempre me implorava: *"N'allez pas à la guerre, cherie!"*[79] Naquela época eu conhecia bem a língua francesa e costumava servir de intérprete, principalmente um tempo depois, no Exército.

Em 1916, as frentes da guerra estavam congeladas. Cada vez mais homens eram convocados. Eu tinha um amigo. Em algum momento terei de falar mais sobre ele. Agora não me lembro do primeiro nome dele. O nome da família era Knopf. Decidimos ser voluntários no Exército antes de nos convocarem. Ele escolheu a brigada de suprimentos e morreu num

---

78. Carl Ludwig Schleich (1859-1922), cirurgião e escritor alemão, reconhecido por suas obras populares e seu pioneirismo na anestesia por infiltração, além do citado por Perls.
Georg Groddeck (1866-1934), médico e escritor suíço, reconhecido justamente pelo pioneirismo na psicossomática. [N. T.]
79. Em francês no original: "Não vá para a guerra, querido!" [N. T.]

Escarafunchando Fritz

acidente. Eu escolhera o batalhão Luftschiffer[80], cujo pessoal trabalhava com os zepelins, dirigíveis que na verdade tiveram um papel insignificante na guerra.

O sargento do meu pelotão gostava muito de mim. Eu lhe causava uma boa impressão porque estudava medicina. "De todo modo, você não vai ficar muito tempo aqui. Será transferido para o corpo médico." Mas eu o impressionei mais com a minha competência no tiro. Quando o capitão veio nos inspecionar, o sargento me colocou no estande de tiro. A verdade é que, deitado, com apoio, sou um bom atirador, mas não tenho muita firmeza em pé.

Aconteceu uma coisa horrorosa com o nosso tenente. Para ajudar a financiar a guerra, o imperador criou o lema "Troquei ouro por ferro". Prometeram um dia de folga para cada moeda de ouro que entregássemos. Afinal, consegui quatro moedas de ouro de dez marcos. Quando quis tirar a minha licença, fui enviado ao tenente, que me respondeu: "Não seja impertinente, seu porco. Você deveria estar satisfeito por servir à Pátria. Meia-volta, marche!" Tive várias situações como essa com os oficiais alemães. Não há raça no mundo que se equipare a essa arrogância de monóculo.

---

80. Em alemão no original: "aeronauta", nome dado então aos aviadores que manejavam os zepelins. [N. T.]

Já me cansei de falar da guerra. Eu queria que aparecesse algo emocionante. Alguma teoria, alguma poesia, mas estou cumprindo a minha promessa de escrever apenas sobre o que surgir. Afinal, ninguém consegue determinar a ordem em que a merda sai.

No entanto, existe lei e ordem na natureza. As fezes são o excedente acumulado ou não aproveitado dos alimentos, e elas saem mais ou menos na ordem da ingestão. O organismo utiliza a diferença entre o alimento consumido e as fezes para alimentar o corpo. Alimento assimilado, tornou-se parte do *self*. Está concluída a transição da ZE para a ZS.

Uma das razões por que o sistema freudiano não funciona é a omissão da assimilação alimentar. Freud está preso à mentalidade dos canibais, que fantasiam que comer um guerreiro valente lhes dá coragem.

Freud tem uma zona oral e uma zona anal e nada no meio.

Acordo cedo, dou uma olhada no texto anterior. Não gostei dele. Parece congestionado, como uma composição escolar — zona oral e anal —, congestionado, congestionado, congestionado. Por que você não diz simplesmente: Freud, você tem uma boca e um cu. E uma boca grande; eu também. E você é um cuzão, e eu também. Somos cuzões pomposos, que se levam muito a sério. Precisamos elaborar grandes teorias para a humanidade.

Estou farto. Vamos jogar a lata de lixo inteira numa superlata de lixo e suspender todo o resto.

Dominador — Fritz, você não pode fazer isso. Mais textos inacabados! Com leitores ou não, com editores ou não, você se divertiu, teve novos *insights* e descobertas. E se outras pessoas aproveitarem isso?

Dominado — A questão não é essa. Estou ficando obcecado e muito seletivo com as palavras. O que vejo, penso e recordo transforma-se em palavras do ponto de vista de um escritor. Hoje de manhã me senti à beira da loucura. As palavras subiam por mim como formigas.

Dominador — Mais uma razão para continuar. Houve momentos em que as palavras, os sentimentos e os pensamentos se juntaram em poemas. Se você está travado entre o verbal e o não verbal, verifique o seu impasse, use a sua teoria.

Dominado — Me disciplinar e me forçar não é o meu credo.

Dominador — Quem falou em credo? Você mesmo sempre declara que qualquer doença mental resulta de um comportamento fóbico. Você sempre declara que Freud não conseguiu terminar o trabalho dele, apesar de todas as descobertas, porque ele tinha fobias graves. Agora você está ficando fóbico. Agora você evita a dor do tédio ou uma possível ofensa à sua vaidade.

Dominado — Você está certo e errado. Claro que sou fóbico quando se trata de insanidade. Não quero enlouquecer.

Dominador — Pare já com essa bobagem! Você sabe que é quase um caso de *borderline*. Sabe que teve coragem de estar à beira da loucura algumas vezes. Sabe que seus sonhos são esquizoides. Você quer investigar a esquizofrenia. Sabe, com toda a sua patologia, que conseguiu se tornar uma pessoa da qual muitos, muitos têm inveja. E, acima de tudo, o seu papel na Terra não está terminado! Você mal começou a conquistar um lugar na história, pelo menos a da psicologia, talvez da filosofia.

Dominado — Blá-blá-blá, bláááááá.

Dominador — Fritz, não me deixe zangado. E não banque um pirralho vingativo.

Dominado — Rá-rá! Peguei você. Posso bancar o professor, posso bancar o gostosão, mas não devo bancar o pirralho vingativo.

Dominador — Bem, você é perspicaz demais para mim. Então, faça o que quiser.

Frederick S. Perls

Não se preocupe; farei mesmo. E me sinto melhor depois dessa conversa. Vou fingir que não existe bomba atômica por aí e que viverei para sempre. Pelo menos isso vai aliviar a pressão sobre os meus textos.

E vou começar com um ataque ao pilar dos behavioristas, que veem tudo fragmentado — o famoso arco reflexo, ou aquela coisa de estímulo-reação, ou a mecânica de máquina caça-níqueis. Com o arco reflexo — um sistema de mão única em que o sensorial entra e o motor sai —, somos transformados em robôs sem reação, prontos para ser controlados por botões. Sem dúvida, temos muitas respostas prontas nos escalões inferiores e, quando nos dá coceira, nós nos coçamos. Mas só o fato de podermos suprimir o ato de coçar mostra que aí existe *awareness*.

Quanto aos reflexos condicionados, está demonstrado com clareza que desaparecem com o tempo se não forem utilizados.

Quero que você participe de um experimento. Temos três caixas: uma pequena (P), uma média (M) e uma grande (G).

Agora, pegamos a P e a M e um animal. Colocamos um tanto de comida na M todos os dias. Pouco tempo depois, o animal não se incomoda mais de espiar a P e vai direto para a M.

Agora, substituímos a *P* pela *G* e esperamos que o animal vá para a sua caixa de alimentação habitual, *M*.

Contudo, ele não vai. Vai para a *G*. Disso concluímos que ele tem uma orientação, além do que ele tem uma orientação comandada pela Gestalt: vai para a caixa maior; vai para uma constelação.

Agora podemos não apenas abandonar a teoria do arco reflexo: podemos substituí-la por um conceito organísmico holístico.

Cada indivíduo tem dois sistemas para participar do mundo e interagir com ele. Os sentidos são um deles, o sistema sensorial, a *awareness*, os meios de descoberta — um sistema que existe para fins de orientação.

Esse sistema não conduz para dentro por reflexo; as imagens ou os sons do mundo não entram em nós automaticamente, mas *seletivamente*. Nós não *vemos — procuramos, averiguamos, rastreamos* algo. Não ouvimos todos os sons do mundo: *escutamos*.

Se a figura do primeiro plano é muito forte, se a cena ou alguns sons nos fascinam, o segundo plano cai no esquecimento.

O mesmo se aplica ao sistema motor, muscular, com o qual nos aproximamos, captamos, destruímos, jogamos e enfrentamos o mundo.

Ambos os sistemas são cooperativos e interdependentes. Ao olhar, movemos os globos oculares e a cabeça. Ao ouvir, inclinamos e viramos a cabeça na direção do som; podemos até nos esforçar para ver e ouvir.

Leitor — Isso parece bem plausível, mas descobri uma incoerência na sua teoria. Primeiro, você diz que tudo é *awareness* e agora reserva a *awareness* para o sistema sensorial.

Não, não há incoerência. Os sentidos servem à orientação no meio ambiente, na ZE. Todo organismo tem muitos sentidos internos de orientação dentro dele próprio. Quando enfrentamos, testamos a quantidade de contrações musculares, o esforço necessário em ações diferentes. Captamos os sinais e o estado de cada órgão, até mesmo dos ossos, embora o tecido cerebral pareça ter um mínimo de *awareness*.

Nossa pseudodivisão — porque, na verdade, lidamos com uma cooperativa — dos sistemas de orientação e enfrentamento nos dá agora uma orientação melhor para a nossa relação com a cultura. O ser humano expandiu ambos os sistemas. Para melhorar a orientação, inventamos microscópios e telescópios, mapas e radares, a filosofia, as enciclopédias etc. Para melhorar o enfrentamento, inventamos símbolos e a linguagem, instrumentos e máquinas, computador e esteiras rolantes.

A teoria do arco reflexo não atinge o centro. Ao nos aproximarmos do mundo com orientação e enfrentamento, obtemos um centro. A responsabilidade pela nossa existência substitui a mecânica incoerente.

A extensão mais importante do potencial do ser humano é, de longe, a descoberta da racionalidade, inclusive a lógica, a mensuração e outros jogos de números. Também são importantes o uso e o mau uso da fantasia: invenções usadas construtiva e destrutivamente — arte para enriquecer e degradar as relações do ser humano com a beleza. As religiões e os códigos morais para liberar e restringir a interação dos humanos apresentam-se como uma mistura de fantasia e racionalidade. O caráter absoluto do bem e do mal deve ser desmentido categoricamente.

Dominador — Por que você está quieto aí matutando? Eu sei que você tem uma carta na manga sobre a ética.

Dominado — Sim, tenho. Mas é meia-noite e estou cansado. Não quero continuar. Fiquei contente com a minha exposição do sistema sensório-motor.

D[81] — Tudo bem, vá para a cama.

---

81. A seguir, o autor passa a usar letras para identificar o dominado*r* e o dominado. Nesta edição, usamos respectivamente as abreviaturas D e d. [N. E.]

d — Sou muito preguiçoso. Quero comer um lanche à noite.

D — Então, agora você percebe o que fez quando deixou Teddy levar a geladeira.

d — Foi numa época em que os ruídos repentinos da geladeira interferiam no sistema de som. Passamos por maus momentos com o zumbido nas linhas, o barulho das ondas, o eco na sala do meio. Comprei muitos equipamentos caros para as minhas aventuras de vídeo e pelejamos constantemente com as dificuldades técnicas. Senti na pele muitas vezes o homem sendo escravo da máquina. Muitas vezes, justo quando mais precisávamos da filmadora, ela pifava.

D — Pobre Fritz. Se eu tiver tempo, vou sentir pena de você amanhã.

d — Pedante. Sei que eu não *precisava* me envolver nisso tudo, mas imagine se tivéssemos fitas e filmes de Freud, Jung e Adler. Não seria interessante? Não precisaríamos adivinhar e confiar apenas nas descrições verbais. Sabe de uma coisa, dominador? Começo a me sentir mais à vontade com você. De agora em diante vou chamá-lo de *Dezão* e a mim de *dezinho*, e teremos muitas conversas.

D — Aceito. E quanto aos seus "leitores"?

d — Eu poderia dizer de você muito do que eles dizem de mim. De todo modo, você é eu e talvez seja também o leitor, que vive mais na minha imaginação.

D — Bom. A partir de agora vou ficar de olho em você. Você reclamou das filmadoras; não parece gostar de aparelhos.

d — Pelo contrário. Basta revirar a minha lata de lixo. Aqui estão os rádios que construí, estão as filmadoras e as câmeras de cinema, os equipamentos de câmara escura. Esta é uma beleza da África do Sul: um modelo de avião com envergadura de dois metros e dez e um motorzinho. Voou de verdade. E este é o modelo de uma invenção que me orgulhou muito.

D — Tem hélice. É um motor para voar?

d — Não é bem isso. É um motor de tempos variáveis. É muito simples e tem poucas partes móveis. Põe-se um motor de dois tempos em cada lado do eixo da hélice. Então, manda-se o pistão para cima com um motor e para baixo com o outro, e gira-se a hélice pela curva senoidal da manga.

D — É técnico demais para mim. Funciona?

d — O modelo mecânico funcionou. Mandei fazer o desenho do motor a gasolina, mas não o construí.

D — Você registrou a patente?

d — Não. Nunca me preocupei com isso. Quando vi que funcionou, dei-me por satisfeito.

D — Você *é* burro. Poderia ter ganhado muito dinheiro.

d — E me enrolar em toda aquela burocracia e negociação e me tornar fabricante e perder a liberdade? De jeito nenhum!

D — Alguma outra invenção na sua lata de lixo?

d — Sim, uma boa, mas não dá para tirar patente.

D — O que é?

d — Um aquafiltro.

D — Não é uma invenção sua. Os filtros de água já são fabricados.

d — Sim, mas é sempre preciso fazer trocas, que é outro incômodo.

D — E os cigarros Waterford? Eles têm um glóbulo no filtro que você esmaga e o filtro passa a filtrar água.

d — Você está chegando mais perto. Há muito tempo não vejo anúncios do Waterford. A única desvantagem é que não há alternativa a ele. Só existe essa marca.

D — Agora você me deixou bem curioso. Qual é a sua invenção?

d — Eu inventei uma maneira de fazer um aquafiltro de qualquer filtro de cigarro.

D — Como você fez isso?

d — Eu sopro um pouco de saliva no filtro.

D — Eu *achava* que você fosse me fazer de bobo. Vocês, dominados, sempre nos ridicularizam quando não têm medo de nós.

d — Não, não, não agora. Reconheço que somos bons adversários. Quando vocês, dominadores, tentam nos controlar com intimidações e ameaças, nós controlamos vocês com "*mañana*; me esforcei demais; esqueci; prometo para amanhã". Admita que o oprimido vence mais vezes.

Escarafunchando Fritz

D — Então, qual é o valor dessa invenção?

d — Eu mesmo a uso. Não se deve soprar muita saliva, porque o papel do cigarro fica encharcado e você perde o filtro. A água esfria o ar quente, os gases que carregam as coisas mais venenosas. Fica mais suave fumar. Experimente você mesmo.

D — Por que essa parafernália toda? Basta parar de fumar. Você disse que tem um coração ruim e sabe que fumar faz mal.

d — Deus todo-poderoso! Temos de falar disso novamente? Todo desgraçado que não consegue encontrar mais nada para me incomodar me ataca porque eu fumo. Não, eu não disse que *tenho* um coração ruim; disse que *tive*. Estou bem melhor.

D — Por onde vamos começar? Pelo seu tabagismo, se você acha que vai me interessar.

d — Pare de me gozar. Agora estamos casados por pura diversão e para dançar até que o editor nos separe.

Quando meninos, tínhamos um ponto de encontro secreto no porão do quintal. Lá só fumávamos, falávamos um monte de besteiras e declarávamos a nossa independência dos adultos. Eu tinha oito anos na época, e parei de fumar até o fim da guerra. Meus camaradas, é claro, aprovavam que eu não fumasse; eles podiam pegar a minha ração. Quando veio a paz — não, quando veio o armistício, eu estava metido numa baita confusão. Eu me sentia feliz que a coisa tinha acabado, embora estivesse em posição relativamente sossegada. Eu me tornara subtenente médico, e nós, oficiais, comíamos bem, à custa do resto da companhia. O porco do meu capitão era alcoólatra. Tínhamos em casa um bom estoque de vinho palestino. Todo mês me mandavam a Berlim para buscar umas garrafas para ele.

"Isso não parece ser muito plausível. Quer dizer que você tinha de viajar de lá da frente de batalha até Berlim só para pegar umas garrafas de vinho?"

Não *tinha*, mas gostava. Ainda mais porque transformei isso numa licença de uma semana. Sendo oficial, eu podia levar um pouco de comida para a minha família faminta, à custa dos soldados. Por ser oficial, viajava em carruagens com estofamento.

Quando voltei para casa pela primeira vez depois de nove meses nas trincheiras e fui para a cama, levei um susto. Achei que estivesse caindo pelo

Frederick S. Perls

meio da cama. Era macia demais, comparada com o pouco de palha a que nos acostumamos nas trincheiras infestadas de ratos.

De outra vez, consegui um ingresso para uma apresentação do *Fígaro* na Ópera de Berlim. Fiquei tão emocionado com a beleza, em contraste com a sujeira e o sofrimento nas trincheiras, que tive de sair do teatro chorando aos borbotões. Essa foi uma das dezenas de vezes na vida em que fiquei profundamente emocionado.

"Você disse que esteve bem durante a segunda metade da guerra."

Idiota. A cama e o choro na ópera foram muito antes disso. Aconteceram na minha primeira licença. Eu ainda era soldado raso de primeira classe.

Depois da derrota, marchávamos mais de vinte horas por dia. Quase nada para comer. Foi então que comecei a fumar e nunca mais parei.

Dr. Leuschke, professor universitário que me tratou dois anos depois de um ataque de pleurisia, me disse que dez cigarros não tragados eram o mesmo que um tragado profundamente. Desde então, raramente traguei.

Em 1963, em Los Angeles, meu coração me deu muitos problemas. Tive ataques de angina tão agoniantes que pensei seriamente em suicídio. Dr. Danzig, meu cardiologista lindo, caloroso e humano, encontrou uma descompensação cardíaca. O tratamento com medicamentos surtiu alguma melhora, mas a agonia persistiu. E prefiro me matar a deixar de fumar.

Então descobri Esalen e o meu coração melhorou tremendamente. Os dois fatores principais foram: eu estava longe da poluição de Los Angeles e fiz tratamento com Ida Rolf[82].

Agora fumo sem parar, sobretudo durante as sessões. Fumo cigarros leves, às vezes até Bravo, aquela coisa de alface, e raramente trago. Sei que, assim que me livrar da minha autoimagem, conseguirei abandonar esse hábito imundo. Sei que escrever aqui acabará me levando a essa questão. Sei que para mim não é medo de morrer, porque eu não me importo tanto com a vida. Sei que existe ainda mais de mim atrás da cortina de fumaça. Preciso ser a prova viva da minha teoria.

"Você mencionou um nome novo: Ida Rolf. Como ela o ajudou?"

---

82. Ida Pauline Rolf (1896-1979), bioquímica estadunidense, criadora da terapia que ela chamou de integração estrutural, logo rebatizada de *rolfing*. [N. T.]

Com o recondicionamento físico que ela criou. Não estou pronto para discutir o trabalho da "dona Cotovelo". Deixe-a esperar um pouco mais na lata de lixo. Muitas vezes ela também me fez esperar meses.

"Você diz que ela faz um recondicionamento físico. Parece que você subitamente concorda com a dicotomia mental-físico."

Não, não concordo. O organismo é um todo. Já que é possível abstrair as funções bioquímica, comportamental, experiencial etc. e fazer de uma delas um campo específico de interesse, então se pode abordar o organismo como um todo partindo de aspectos diferentes, desde que se perceba que qualquer mudança em qualquer campo produz uma mudança em todos os aspectos correlatos.

Tive bastante sucesso com termos como orientação, que são essenciais, unificados e, portanto, funcionais em muitas esferas. Espero que um dia tenhamos uma linguagem e uma terminologia digna e condizente com a perspectiva holística. Enquanto isso, precisamos nos contentar com circunlóquios quase sempre ruins.

Um desses termos complacentes é "psicossomático", como se psique e soma existissem separadamente e se juntassem em certos casos.

Por exemplo, na Alemanha, usávamos o termo neurose cardíaca com relação a uma síndrome de taquicardia, sudorese e tremor leve. Alguns consideravam que essa síndrome resultasse de hiperatividade da tireoide; outros, de um estado de ansiedade.

"De acordo com a sua perspectiva holística, é o resultado de ambos."

Não, não é *resultado*, mas *identidade*.

Tenho muitos motivos para discorrer agora sobre ansiedade, sobretudo seus aspectos fisiológicos, fantasiosos e de enfrentamento.

Chamamos o nosso tempo de era da ansiedade. A definição de Freud de cura do neurótico é libertar-se da ansiedade e da culpa. Muitos psiquiatras têm medo da ansiedade e evitam produzi-la nos pacientes.

Goldstein diz que a ansiedade resulta de expectativas catastróficas.

Quanto às explicações, voltamos a ver os psicanalistas em primeiro plano. O Freud pas-

Escarafunchando Fritz

sadista surge com o trauma do nascimento e a repressão da libido; Reich e Adler, com a repressão da agressão; outro — esqueci-me de qual dos discípulos freudianos —, com a repressão do instinto de morte. Então, faça a sua escolha.

Rejeito qualquer tentativa de explicação que vise a intelectualizar e impedir a compreensão.

Para mim, a discussão da ansiedade é especialmente importante porque abre as portas para os aspectos dinâmicos do funcionamento do organismo.

"Não entendo seu raciocínio. Para mim, a ansiedade é um mau funcionamento, um fator perturbador, sendo às vezes uma doença, como você mesmo disse."

Paciência, meu caro. Reconheço que a expressão "abre as portas" foi mal escolhida. Você ficaria satisfeito se eu dissesse que isso me dá uma oportunidade ou desculpa para...

"Sim, meu caro."

Você está virando amigo do peito? Fique calado um pouquinho e ouça o que eu tenho para dizer sobre dinâmica "normal", está bem?

"Está bem, mas voltarei. Então, preste atenção nos seus modos. Só vou lembrá-lo da sua afirmação de que uma situação inacabada propicia a dinâmica, que qualquer situação inacabada levará à conclusão."

Sim, como?

"Bebendo água, quando se está com sede."

E de onde tiramos a energia? Não existe máquina ou organismo que funcione sem energia.

"Bem, a água não recebe uma catexia libidinal?"

Reconheço que esse é um bom termo de Freud para a formação da figura-fundo. Os gestaltistas chamam a isso *Aufforderungscharakter* — caráter exigente ou de pedido. A água exige que a bebam.

"Para mim, isso é um absurdo. A água não diria uma coisa dessas."

Não particularize tanto. Claro que o termo é uma projeção poética, mas está correto do ponto de vista fenomenológico.

"Então você aceita a libido nesse caso?"

Sim, *se* você tiver um desejo sexual por essa água.

Não é mais razoável reservar a libido para sua conotação original de energia sexual?

Frederick S. Perls

"Então ainda precisamos dizer: de onde vem a energia para caminhar até a fonte da água?"

Agora você fez sentido, e a minha resposta é: não sei. Só posso teorizar e defender um termo intermediário. E fazer outra coisa ao mesmo tempo: incluir a minha teoria das emoções.

Eu disse antes que não concordo com a teoria da defecação de Aristóteles e Freud. Não considero as emoções um incômodo que se deva eliminar. Quer você considere ou não a ansiedade uma emoção, ela terá um lugar nessa teoria.

"Então você está recorrendo ao artifício da explicação?"

Em parte sim, mas você verá que isso também proporcionará uma compreensão real da natureza da ansiedade.

"Tudo bem, vamos lá."

Ao dizer isso de um modo tão brando, você me deixa inseguro para começar. Você até me deixa um pouco envergonhado.

"Agora posso rir de você. Então vamos lá. O que existia no começo?"

No começo havia alguns termos, termos gerais criados por pessoas que conheciam a definição de energia organísmica tão pouco quanto eu. Elas não queriam se comprometer a dizer: "É energia elétrica, química, libidinal ou sei lá o quê". Assim, deram-lhe um nome trivial, como o *elã vital* de Bergson[83], ou bioenergia — energia vital.

---

83. Henri Bergson (1859-1941), filósofo francês influente na filosofia analítica, criador do conceito de *elã vital*, que tenta explicar a evolução dos organismos e apareceu primeiro em seu livro *L'évolution créatrice*, de 1907. Edição brasileira: BERGSON, Henri. *Evolução criadora*. Trad. de Adolfo Casais Monteiro. São Paulo: Unesp, 2010. [N. T.]

Gosto de usar o termo *excitação*. A excitação pode ser sentida e tem afinidade com uma propriedade específica do protoplasma, a excitabilidade. Essa excitação é propiciada pelo metabolismo do organismo: aquela Gestalt que, do ponto de vista da sobrevivência, tem a maior significação, obtém mais excitação e, portanto, é capaz de emergir e usar a excitação na orientação e no enfrentamento.

Em muitas situações, esse enfrentamento requer uma quantidade extraordinária de excitação, o que se vivencia na forma de emoção. Nesse caso, a excitação sofre uma transformação hormonal que converte a excitação indiferente generalizada em excitações específicas.

Já sabemos que a raiva e o medo se interligam pela adrenalina, e o sexo, pelas glândulas reprodutoras. Ainda não sabemos quase nada da situação hormonal no luto, na alegria, no desespero etc.

Próximo passo. Essas emoções não são apenas descarregadas, mas transformadas principalmente em energia motora: na raiva, em bater e chutar; na tristeza, em soluçar; na alegria, em dançar; em sexo... bem, não preciso falar desses movimentos ridículos.

Depois que a excitação disponível é totalmente transformada e vivenciada, temos uma boa conclusão, satisfação, paz temporária e nirvana. Uma mera "descarga" mal provocará uma sensação de exaustão e esgotamento.

Em suma, a excitação é tanto uma vivência quanto a forma básica de energia organísmica.

"Fritz, parabéns. Sua exposição foi boa. Sua teoria é coerente com os fatos. Talvez a sua teoria da transformação até seja inédita. Tem só um defeito."

?

"Você se esqueceu da ansiedade. Ou mistura medo e ansiedade? Se for isso, a ansiedade estaria ligada à adrenalina e não à tiroxina."

Você é um cara bem esperto. Estou feliz que faça parte de mim. Mas às vezes você também é burro. Poderia ter percebido que eu, e não apenas eu, vejo na ansiedade um estado doentio, enquanto as emoções que acabei de descrever são o metabolismo emocional normal.

"Você quer dizer que a tireoide é anormal e produz ansiedade?"

Não seja palerma. Ouça. Chega de besteira e fale sério. Estou escrevendo um livro científico sério.

"Concordo que você está escrevendo um livro. Se está falando sério é outra questão. Então, onde entra a tireoide?"

Imagino que a tireoide desempenhe um papel de um excitador geral, algo que transforma certas substâncias químicas, como carboidratos, em excitação.

"Agora você está pulando de um aspecto a outro, do bioquímico para o psicológico."

Eu sei. Estou tateando. Formulemos deste modo: o hormônio da tireoide — se a glândula for mesmo essa — transforma material bioquímico em bioenergia, como ocorre numa bateria de automóvel, cuja energia química se transforma em energia elétrica.

"Gostei disso. Então a tireoide não tem relação alguma com ansiedade?"

Pode ter. Digamos por enquanto que uma pessoa que produza muito hormônio tireóideo — uma pessoa do tipo Basedow[84], que é superexcitada — seja mais propensa à ansiedade do que uma pessoa normal.

"E o que é normal?"

É o ponto zero da secreção ideal da tireoide. A baixa secreção produz o tipo cretinoide, que é pouco excitado, néscio e preguiçoso. O oposto desse é o tipo Basedow, que é vai, vai, vai!

"De onde vêm as substâncias químicas?"

Vêm da assimilação dos alimentos, que se transformam em tais substâncias.

"De onde vem a comida?"

Do supermercado.

"O que faz você ir ao supermercado?"

Minha fome.

---

84. O autor refere-se ao fenômeno *Jod-Basedow* (iodo-Basedow), identificado pelo médico alemão Karl Adolph von Basedow (1799-1854). Ele descobriu o surgimento do hipertireoidismo em pacientes após a administração de iodo ou iodeto. [N. T.]

"O que faz a sua fome aparecer?"
A falta dessas substâncias químicas.
"De onde vêm essas substâncias químicas?"
Da assimilação dos alimentos.
"De onde vem a comida?"

Do supermercado. Ei! Pare com isso! Você está dando uma de burro.

"Não, estou aplicando a sua teoria da galinha e do ovo. Olhe, pare de desperdiçar nosso tempo e apresente algo concreto!"

Está bem. Consegue perceber que a ansiedade existe sempre em relação ao futuro?

"Você fala da definição de Goldstein de que a ansiedade é o resultado de expectativas catastróficas?"

Você está chegando lá. Concordo com *expectativa*. "Estou ansioso para ver o meu amigo." Isso parece positivo, nada catastrófico.

"Sim. Noto a sua ansiedade para terminar o livro."

Agora, o que *sabemos* do futuro?

"Quase nada. Bem pouquinho."

O que sabemos do presente?

"Bem mais, se deixarmos acontecer."

Sim. Dou um passo adiante e volto à filosofia do nada. O futuro oferece muitas possibilidades, mas não sabemos *nada* da realidade desse futuro. Para dizer o mínimo, não estamos *aware* de nada, a não ser consultando uma bola de cristal, se você acredita nisso. E mesmo com a bola de cristal não estamos *aware* do futuro, mas sim de uma *visão* do futuro, assim como não podemos estar *aware* do passado, mas só das *lembranças* do passado.

Agora, esta é a minha primeira tese: *ansiedade é a tensão entre o agora e o depois*. Essa lacuna é um vazio que geralmente se preenche com planejamento, previsões, expectativas sensatas, apólices de seguro. É preenchido por repetições habituais. Essa inércia nos impede de ter um futuro e se apega à *mesmice*. Para a maioria das pessoas, o futuro é um vazio estéril.

Passemos à forma mais frequente de ansiedade, o medo de palco. Estou inclinado a dizer que toda ansiedade é medo de palco. Se não se trata de medo de palco (isto é, se não está relacionado a uma apresentação), o fenômeno em questão é o pavor. Ou a ansiedade é uma tentativa de superar o pavor do nada, manifestando-se muitas vezes na forma de nada = morte.

Quando pediram a Schneider [veja na p. 72], o soldado com lesão cerebral atendido por Gelb e Goldstein, que realizasse uma tarefa abstrata, ele ficou profundamente ansioso.

"Por que ele não podia simplesmente dizer que não conseguia ou não queria fazer?"

Porque ele estava *ansioso* para fazê-la. Se não estivesse *ansioso*, e sim empolgado com a possibilidade de fazê-la, não teria havido motivo para criar ansiedade.

Agora fazemos a ligação com o segundo plano da minha teoria da neurose — o plano da interpretação de papéis. Sempre que não temos certeza de certos papéis nossos, sentimos ansiedade.

E ligamos *fantasia* à máxima de Freud de que pensar é ensaiar. Ensaiamos os nossos papéis se não estamos seguros deles.

E ligamos isso ao fato de que a realidade é o *agora*, e perdemos o apoio da nossa orientação assim que deixamos a situação segura de estar em contato com o presente e pulamos para o futuro na fantasia.

E ligamos autorrealização ao *autoconceito* da realização, fonte permanente de ansiedade.

E ligamos a dinâmica da excitação; a transformação da excitação em emoções e enfrentamento é bloqueada, estagnada. Recebemos uma enchente de emoção.

Agora entendemos o papel do tranquilizante na psiquiatria moderna. Com a lobotomia, extirpamos a vida fantasiosa do paciente; com o tranquilizante, extirpamos dele a vitalidade, que se avariou por causa da má distribuição da excitação.

A conotação da palavra ansiedade veio da palavra latina *angustia*, estreito. A excitação não flui livremente pelo gargalo que leva à transformação. Também se refere ao aperto no peito.

Com isso chegamos ao aspecto fisiológico da ansiedade. A superexcitação mobilizada necessita mais oxigênio. Então, o coração começa a se acelerar para fornecer mais oxigênio, porque prendemos a respiração quando estamos na expectativa.

Isso aplica uma tensão adicional no coração; os médicos geralmente avisam aos pacientes cardíacos que evitem o excesso de excitação.

A teoria de Freud de que a ansiedade advém do trauma do nascimento é uma projeção para o passado. A respiração se desajusta com a ansiedade. A repressão da libido, da agressividade etc. é o bloqueio da excitação.

Tenho filmes para mostrar que qualquer medo de palco desaparece assim que o paciente entra em contato com o presente e abandona a preocupação com o futuro.

Não apresse o rio; ele corre sozinho.

Começo a perceber que sou muito mais complicado do que supunha.

Começo a perceber a tremenda dificuldade que terei para terminar ou até mesmo continuar a escrever.

Começo a perceber o tamanho da luta entre a necessidade de relatar e planejar, de um lado, e um fluxo espontâneo, do outro.

Está cada vez mais difícil ser sincero e falar de pessoas vivas.

Comparado com isso, é fácil viver de abstrações, elaborar teorias e jogar jogos convenientes e corretos.

Essa palavra se adéqua ao fato? Esse vestido se adéqua à ocasião? Esse cinto se adéqua ao vestido? Essa teoria se adéqua à observação? Esse comportamento se adéqua aos desejos da mãe?

Esse cartucho se adéqua à arma? Esse presidente, a esse Estado? Esse programa, ao meu potencial? Adequar, adequar, adequar. Adequando e

Escarafunchando Fritz

comparando. Quais outros jogos existem? Minha vida se adéqua às suas expectativas? Compare-me com seus outros amantes. Eu sou o máximo? Caleidoscópio da vida. Fui à pousada. Café da manhã. Nixon ganhou no primeiro turno.[85] Alguém aí interessado em política?

Vivemos em outro mundo.

Manhã muito peculiar. Fiquei desesperado — exigências tolas e desnecessárias. Fumei muito; faltaram muitos batimentos cardíacos. Quis me isolar; mandei Teddy passear. O pessoal de cinema que filmou o encontro Fritz-Maharishi voltou para filmar mais para outra cena. Era um encontro com John Farrell, que interpretava um jovem que procurava uma solução para a juventude estadunidense. Tínhamos filmado essa cena num mergulho nos banhos.

Fiquei contente porque isso me tirou do turbilhão. Era uma coisa bem simples de fazer.

Foi um exemplozinho do que senti quando me alistei como voluntário no Exército. Inesperadamente, o treinamento me deu um grande alívio por me afastar de responsabilidades. Ensinaram-me a saudar um oficial, marchar, arrumar a cama etc. Nada de opções, nada de decisões.

Como na minha época de ensino médio, revivi diversas vidas ao mesmo tempo.

Meus dias no Mommsen Gymnasium chegaram ao fim. Aquele colégio foi um pesadelo para mim. No ensino fundamental, eu estava certo de que era o melhor da classe. Eu gostava da professora e a escola era moleza. Aliás, eu já sabia ler e conhecia a tabuada de multiplicação antes de entrar na escola.

Noto que estou indo rápido para trás, da filmagem para o Exército, para o ensino médio, para o ensino fundamental e para a educação infantil.

Será que quero começar do começo?

Na verdade, estamos bem errados quando dizemos olhar para o futuro. O futuro é um vazio e, por assim dizer, caminhamos cegamente *de costas* para ele. Na melhor das hipóteses, vemos o que deixamos para trás. Agora olho para um passado distante. A maior parte dele está enevoada; algumas abstrações parecem corretas. Estão, como diriam os dianéticos, no arquivo da minha memória. Algumas são réplicas exatas, sem sombra de dúvida:

---

85. Richard Nixon (1913-1994), candidato republicano à presidência dos Estados Unidos, eleito em 1968 e reeleito em 1972. Renunciou em 1974 após a descoberta de crime eleitoral no que se chamou de escândalo Watergate. [N. T.]

pai, mãe, duas irmãs mais velhas, parentes conhecidos por parte de mãe e outros desconhecidos por parte de pai; a casa para a qual nos mudamos quando eu tinha uns quatro anos e onde moramos por cerca de doze anos.

Quando visitei Berlim pela primeira vez após a Segunda Guerra Mundial, vi com um assombro simbólico que todo o quarteirão fora arrasado, com exceção daquela única casa: *Ansbacher Strasse 53*.

Minha lembrança mais antiga é a da minha concepção.

"Ei, isso é o máximo! Sei que você às vezes tem boa imaginação, mas isso é tão doido que ninguém vai acreditar."

Eu disse minha *lembrança*. Não posso garantir que foi assim. Não sou dado a interpretações fáceis, mas, se você quiser entender isso como sintoma da minha loucura, esteja à vontade.

Tomei muito LSD, e psilocibina só uma dúzia de vezes. Para mim, a psilocibina é sobretudo uma droga que me ativa a memória e o senso de integração. As primeiras três experiências começaram com a confluência de duas energias opostas, que diminuíram de intensidade e não estavam presentes após a terceira. Uma força era de um colorido intenso e parecia *me* invadir. Em ritmo muito lento, em ondas de cerca de um minuto de duração, essa força espalhou-se por um eu muito relutante e anuviado.

"E como você conclui que essa é a sua concepção? Você não se sentiu como se fosse um espermatozoide ou um óvulo."

Está correto. Você poderia chamar a isso *yin* e *yang* ou substância masculina e feminina, no sentido dado por Weininger[86]. Ele diz — e creio que está certo — que cada um de nós tem as substâncias masculina e feminina, e

---

86. Otto Weininger (1880-1903), filósofo austríaco, autor de *Geschlecht und Charakter* (*Sexo e caráter*), publicado em 1903, ano do suicídio do autor aos vinte e três anos. [N. T.]

são raros o homem macho puro e a mulher fêmea pura. Minhas observações tendem a confirmar isso. Em muitas neuroses e também em muitas psicoses, constatei um conflito grave entre a substância masculina e a feminina; nos gênios, os opostos me parecem integrados. A separação direita-esquerda é pronunciada na neurose, e a ambidestria é pronunciada no gênio.

"E nesse caso eles estão equilibrados?"

Noto um equilíbrio perfeito em Leonardo da Vinci. Michelangelo tem mais masculinidade, e Rainer Maria Rilke[87], mais feminilidade.

"E onde você entra?"

Levei muito tempo para entender por que as pessoas me chamavam de gênio. Levei mais três meses para não me importar com nada disso.

Contudo, acredito fortemente na integração. Unifiquei algumas das minhas forças opostas, e ainda vem mais por aí. Penso que até agora ficou claro que a Gestalt-terapia não é uma abordagem analítica, mas integrativa. Isso ficará ainda mais claro quando estivermos prontos para discorrer sobre terapia.

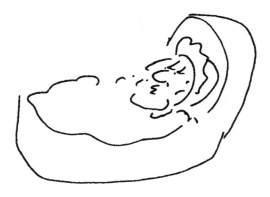

"Você se lembra do seu nascimento?"

Não. Levei vários pacientes a passar por uma experiência parecida com o parto. Em *Louise*, um dos meus vídeos, pode-se presenciar um caso assim. Trabalhamos com um sonho e um grito, que eram indicações claras de um parto incompleto. Um dos fatos curiosos foi a transformação dos gritos de Louise, de sons como os de um recém-nascido para os de uma

---

87. Rainer Maria Rilke, nome artístico de René Karl Wilhelm Johann Josef Maria Rilke (1875-1926), poeta e escritor austríaco, reconhecido por escrever em verso e prosa com um lirismo intenso, tanto em alemão como em francês. [N. T.]

criança faminta e brava. Interessante, não notamos nenhuma ansiedade. Esse vídeo fará parte de um livro multimídia, *Testemunha da terapia*[88].

Minha lembrança do nascimento restringe-se a uma sessão com dióxido de carbono em que acordei na posição e com os movimentos de um recém-nascido. E ainda tenho o bocejo de um hipopótamo ou de um bebê prematuro. Disseram-me que o meu parto foi com fórceps, que não fui amamentado como se esperava, por causa de uma infecção no mamilo da minha mãe, e que posteriormente tive *Brechdurchfall* — vômitos e diarreia — quase fatal. Nunca me lembrei de nada disso.

"Você diria que teve uma infância feliz?"

Sem dúvida, até a época do *gymnasium*. Eu gostava da escola e da patinação no gelo. Eu era próximo da minha irmã Grete. Ela era uma moleca, uma gata selvagem com cabelo encaracolado indomável. O homem com quem ela se casou, chamado Soma Gutfreund, era uma espécie de joão-ninguém, *luthier* e negociante de violinos e violinista. Ele não devia tocar tão mal, porque Piatigorski[89] ia à loja dele para tocarem quartetos. Não consegui gostar do Soma, que tinha a capacidade de dizer banalidades como se fossem pérolas de sabedoria. Eles também, como tantos outros judeus, só saíram da Alemanha quando a SS entrou na loja e quebrou a maior parte dos instrumentos.

---

88. A edição estadunidense definitiva não é multimídia e reúne duas obras de Perls, tal qual a edição brasileira: PERLS, Fritz. *A abordagem gestáltica e Testemunha ocular da terapia*. Trad. de José Sans. São Paulo: LTV, 1978. [N. T.]
89. Gregor Piatigorsky (1903-1976), violoncelista russo que fugiu da União Soviética para o Ocidente; instalou-se em Berlim e depois definitivamente nos Estados Unidos. [N. T.]

Escarafunchando Fritz

Naquela época, os abrigos para refugiados judeus já eram escassos, mas eles conseguiram chegar a Xangai, onde sofreram com o calor e um pouco da guerra, e de lá para Israel, onde sofreram com a escassez de alimentos, até que os levei para os Estados Unidos, onde ao menos ele padecia de problemas de linguagem.

Soma morreu há alguns anos, mas Grete se deu bem. Está muito nervosa, muito falante e muito preocupada. Apesar disso, nós nos amamos e ela se orgulha muito do fato de que o seu irmão ovelha-negra está ficando famoso. "Se a mamãe visse isso..." Ela sempre me manda os mais caros e deliciosos doces europeus.

Mamãe realmente se orgulharia. Tinha uma grande ambição para mim e não fazia nem um pouco o tipo "mãe judia". Mas meu pai a deixava com pouco dinheiro, e nos contentávamos se tivéssemos o suficiente para comer. Ela era uma boa cozinheira, mas nunca nos obrigou a comer. O pai dela fora alfaiate e, considerando a formação da minha mãe, era impressionante seu interesse pela arte, sobretudo o teatro. Economizou centavos para que pudéssemos ter lugares em pé no Teatro Kroll, anexo à Ópera e Teatro Imperial. Ela também queria que eu tivesse aulas de violino e natação. Meu pai não nos deu dinheiro nem para um, nem para o outro. Ela não conseguia arcar com um violino, mas sim com as aulas de natação. Tornei-me um rato d'água de verdade.

Eu não gostava de Else, minha irmã mais velha. Era grudenta e eu sempre me sentia incomodado na presença dela. Teve um problema grave nos olhos. Eu não gostava nem de pensar que um dia teria de cuidar dela, talvez ficar sobrecarregado com ela na minha casa — grilhões pesados demais para um cigano.

Quando soube da morte dela num campo de concentração, não lamentei muito.

"Nem se sentiu culpado?"

Não — sempre estive ressentido com ela.

"O que uma coisa tem que ver com a outra?"

O ressentimento está por trás de todo sentimento de culpa.

"Como o ressentimento se transforma em culpa?"

Confie no que eu digo. Eu teria de esmiuçar toda a topologia para explicar isso.

"Vamos lá!"

Não, não vou.

"Culpa e ressentimento são emoções. Como se livrar delas? Batendo no peito e dizendo 'Pater pecavi'[90]?"

Não, não ajuda.

"Mas você precisa se livrar disso para ser saudável. Não é que Freud disse que um indivíduo é saudável quando não tem ansiedade e culpa? Você está fazendo terapia. Então, explique!"

Chatice, chatice, chatice.

"Você não pode fazer isso comigo. Está se esquecendo de que somos um só e estamos num jogo. Você adia a explicação, e eu me *ressinto* disso."

E você não se sente *culpado*?

"Não, mas *você* deveria."

Parece muito mais nobre sentir-se culpado do que ressentido, e é preciso ter mais coragem para expressar o ressentimento do que a culpa. Expressando a culpa, espera-se pacificar o oponente; expressando o ressentimento, pode-se instigar a hostilidade dele.

Relendo esse parágrafo, tenho a clara impressão de outra vez desempenhar um papel, o de professor. Não me importo de interpretar papéis. Não gosto dessa secura, dessa falta de envolvimento. Gosto muito mais de mim quando penso ou escrevo com paixão, quando estou ligado.

"Deixe a excitação pegar a caneta
Rugir como trovão
Não importa que às vezes
Você cometa um equívoco.

---

90. Citação de trecho em latim do Evangelho de Lucas, 15, 21: "Pai, pequei". [N. T.]

Escarafunchando Fritz

"Melhor estar vivo e frustrar
Toda a sua cara ambição.
Jogue direto na lata de lixo
Tudo que não alimenta.

"Deixe-me dançar e me alegre
Faça sol ou faça chuva.
Não seja ansioso nem tímido,
Vamos dançar juntos!

"Seu tédio me magoa.
Isto não posso admirar:
Foder como puta frígida
E não com fogo ardente.

"*Eu* me magoo se você
Não me dá tudo direito.
Exijo que você invista
Em si mesmo por inteiro.

"Exijo que você esteja aqui
No agora e com franqueza!
Com paixão e transparência!
Quero que você seja perfeito!!!"

Frederick S. Perls

Seu filho da puta! Você só fica aí fazendo exigências absurdas. E quer que eu me sinta culpado se não as cumprir. Por isso estou magoado com você; estou furioso e odeio você. Deus todo-poderoso. Você está me confundindo, como Freud fez. Superego e ideal do ego são a mesma coisa! Não, senhor! Você é a consciência honrada, o superego, e quer que *eu* seja o ideal do ego. Primeiro você me ludibria com "seja você mesmo", e depois, "seja você mesmo como *eu* quero que seja". Você usa o artifício de toda religião, fazendo exigências inviáveis e depois me cortando na carne "como se" eu tivesse uma dívida, "como se" eu lhe devesse algo.

Agora sou o guia de um grupo de turistas.

Senhoras e senhores, estamos saindo agora do país do organismo e de sua nítida recuperação de desequilíbrios. Deixamos o organismo concluir suas situações inacabadas.

Entramos agora no país do comportamento social, com seu desequilíbrio e suas situações inacabadas. Esse é o país do "deveriísmo", das exigências; o país dos imperativos.

"Você se acha engraçado?"

Não, não mesmo. Tentei ser. Às vezes consigo ser muito engraçado, um artista realmente bom. Não consigo se faço de propósito; precisa existir uma situação.

Eu queria criar uma transição para a discussão das "relações interpessoais", como Sullivan chamou sua abordagem, mas acabou sendo um truque falso.

"Se você está travado, sugiro que volte e faça uma faxina."

Por exemplo?

"Você deixou muita coisa sem terminar."

Não aparece nada empolgante. Nenhuma situação inacabada.

"E Ida Rolf? Quero saber se ela o ajudou. Ou será que você poderia falar da função organísmica do ressentimento e da culpa?"

Não, eu não conseguiria abordar a culpa. A culpa é um fenômeno social e o ressentimento é um fenômeno organísmico. A mistura das funções organísmicas e sociais é um dos pontos fracos da teoria freudiana.

As fases oral e genital são organísmicas; a fase anal é social. É produto de um aprendizado prematuro de limpeza. Por isso a teoria organísmica de Freud é incorreta. A libido, seu termo pomposo para excitação, não salta da boca para o ânus e para os genitais. No entanto, são inestimáveis suas observações sobre a sexualidade infantil e as dificuldades anais, nas quais se inclui a tese de Abraham[91] sobre o caráter anal.

"Vi você bocejando. Não parece empolgado com o assunto. Não consegue deixar Freud de lado? Ele fez a parte dele e você está fazendo a sua."

Não percebe? Faço isso para esclarecer as minhas ideias. Além disso, a maioria dos psiquiatras acredita em Freud. Quando Darwin elaborou a teoria da evolução, não pôde evitar o envolvimento com aqueles que acreditam na Bíblia.

Parei aí e fui até a máquina de escrever para continuar meu aprendizado de datilografia, que retomei há alguns dias. Pela primeira vez datilografei uma frase relacionada a este livro.

Estou bocejando, bocejando. Evito falar das minhas dificuldades anais e da briga com a minha mãe sobre a minha constipação. Só sei que ela me

---

91. Karl Abraham (1877-1925), psicanalista alemão, fundador da Sociedade de Psicanálise de Berlim (1910) e presidente da Associação Psicanalítica Internacional (1915-1918 e 1925). Colaborador próximo de Freud, que o chamava de seu "melhor aluno", estudou, entre outros temas, os traços de personalidade e a psicopatologia resultantes das fases oral e anal do desenvolvimento. [N. T.]

Frederick S. Perls

deu supositórios feitos de sabão e por isso fiquei com raiva dela. O resto é conjectura.

Estou bocejando, bocejando, bocejando. Ainda é cedo, nem onze horas da noite. Costumo escrever até as duas horas ou mais tarde.

Dominador, você tem razão. Precisamos fazer uma faxina. As peças que surgem — Freud, Ida Rolf, constipação, perda de excitação, abordagem prematura das relações sociais — ainda não formam uma Gestalt.

Teddy disse que os textos anteriores estavam em zigue-zague, em associações quase esquizoides.

"Ela está certa. Vamos descobrir onde estamos."

Assim que você disse isso, comecei a tatear, procurar, bocejar indolentemente, embora tenha dormido nove horas. Preciso esperar até que algo surja, ou, em linguagem fecal, que algo saia.

Bocejando, bocejando. Isso começa a ser um sintoma. Tédio? Comecei este livro para que fosse um antídoto contra o tédio. Eu me empolguei, liberei muita energia. Estou ficando animado com esta ideia: será que a nova onda de tédio anuncia outra fonte de energia? Este estado de tédio é um estado implosivo?

"Pode ser. É compatível com o tema da limpeza. Você não falou de implosão. Lembra-se da sua teoria da neurose?"

E como! O impasse. O *ponto doente* russo? O centro da neurose? Sim, está mais do que na hora de abordar isso, deixar de lado as elucubrações e mantê-las longe. Implosão. Boa palavra. Explosão: poder incondicional que voa centrifugamente pelo espaço. Explosão emocional: deglutição do mundo com fúria e amor. Poder assustador: contenham-no! Desviem-se dele, sublimem-no! Nem sempre se pode fazer isso. Tudo ou nada; explodir ou implodir!

Implosão: o poder de contrair; o poder da gravidade. Sem esse poder, a Terra se estilhaçaria, flutuaria, se desintegraria. Implosão, nova palavra no vocabulário do homem médio. Li recentemente que o submarino Scorpion[92] implodiu — 3.650 metros de pressão da água. O casco não resistiu mais, rompeu-se. A embarcação, que diminuiu de tamanho, jaz compacta-

---

92. Em 22 de maio de 1968, o submarino nuclear USS Scorpion, dos Estados Unidos, deixou de enviar sinais. Seus destroços só foram encontrados em outubro do mesmo ano, a cerca de 740 quilômetros a sudoeste do arquipélago dos Açores. A tripulação era de 83 militares, entre eles oito oficiais. Até hoje se desconhece o motivo preciso do naufrágio. [N. T.]

Escarafunchando Fritz

da com sua tripulação no fundo do mar. Nossas implosões emocionais não são tão fortes, pois não têm essa magnitude.

Num motor a diesel, o pistão comprime, implode o gás, gerando calor suficiente para a explosão, para uma explosão *controlada*. Em outros motores é preciso desencadear a explosão. É provável que tenhamos milhões de miniexplosões nas nossas células, quantidade imensuravelmente pequena de explosões controladas. A soma dessas miniexplosões é a força da vida, a excitação.

O dia em que formos capazes de domar a explosão atômica poderá ser o dia da paz mundial. Haverá energia mais que suficiente para qualquer país do mundo. As guerras pelo controle dos recursos energéticos serão obsoletas.

Enquanto isso, temos de compreender melhor o ritmo da explosão e da implosão.

Enquanto isso, temos de aprender a distinguir as implosões verdadeiras das pseudoimplosões.

As implosões verdadeiras são *não coisas*.

As pseudoimplosões são o *nada*.

As implosões verdadeiras são a petrificação, a morte.

As pseudoimplosões são uma violência potencial, como uma balança que chega a um equilíbrio precário — como aquela guerra de trincheiras em 1916, com milhões presos uns aos outros num impasse, como um cabo de guerra com forças opostas exatamente iguais, como o catatônico profundamente retraído que pode explodir com uma violência inacreditável.

Enfrentar e recuar, contrair e expandir, implodir e explodir — como o coração implodindo, contraindo-se e depois explodindo, abrindo-se para ser preenchido. A contração permanente leva rápido à morte, assim como a expansão permanente.

A pseudoimplosão no neurótico é paralisia, pseudomorte. É preenchida com a excitação de dois antagonistas, um cancelando o outro.

A pseudoimplosão é *alucinada* como a morte.

A pseudoimplosão manifesta-se no homem oco, no chato mortal, no burocrata.

A pseudoimplosão aparece nos sonhos na forma de deserto, edifícios e coisas. Sem vegetação, sem pessoas.

A pseudoimplosão é para Freud o instinto de morte, com apenas uma explosão possível: a agressão.

Frederick S. Perls

A pseudoimplosão é para Reich e Lowen[93] a couraça aberta a explosões ou descargas emocionais momentâneas.

A pseudoimplosão ganha uma trégua com Bill Schutz[94] e outros "incitadores". Inibições lançadas em ventos violentos.

"Parece que você só vê defeito nos outros."

Se alguém tivesse acertado o alvo na mosca, já teríamos encontrado "a" cura. De qualquer forma, os Reich e os Schutz estão muito mais próximos da realidade do que os "fodedores de mentes".

"?"

Esses intelectuais, os criadores de verborragia.

Você já foi àquilo que chamam de terapia de grupo? Todos dão opinião sobre uma vítima, todos interpretam a todos. Argumentações, pingue-pongues verbais, na melhor das hipóteses um ataque: "Você está projetando, meu caro", ou um teatrinho choroso de "pobre de mim". Que tipo de crescimento se pode esperar nesses "clubes de autoaperfeiçoamento"?

"Você critica mesmo essas pessoas. Elas são bem-intencionadas."

Eu sei. É tão intransigentemente difícil entender que as introspecções e as descargas de emoções não são suficientes, que a chamada cura faz parte de um processo de maturação, que o objetivo da cura é, para usar a expressão de Selig, ensinar as pessoas a limpar o próprio cu. A esse respeito, alguns dos professores de "autoexpressão" — sobretudo os engajados na produção em massa — podem até ser prejudiciais se não começarem de *onde* o paciente está, mas preferem dar-lhe ordens a respeito do que ele *deveria* vivenciar. Para agradar o professor, o participante do *workshop* apresenta um arremedo dessa experiência e não faz mais que reforçar sua neurose.

"Pode dar um exemplo?"

Sim. Já vi um professor forçar um participante a mostrar raiva, quer ele a sentisse ou não, batendo num colchão e gritando "não, não". Esse "não" verbal e a obediência do participante, que é um "sim" à ordem do professor, são contraditórios e só confundem. Tudo bem se o "não" estiver logo abaixo do limite da autoexpressão, se o *self* estiver envolvido e a coisa

---

93. Alexander Lowen (1910-2008), psiquiatra e psicoterapeuta estadunidense, ex-cliente de Reich e criador da bioenergética. [N. T.]

94. William (Bill) Schutz (1925-2002), psicólogo estadunidense, integrante da equipe do Instituto Esalen nos anos 1960. Em 1958, denominou sua teoria de orientação fundamental para relações interpessoais, a qual se baseia na crença de que, nas interações sociais, os indivíduos procuram atender a três necessidades principais: afeto, controle e inclusão. [N. T.]

toda não for apenas artifício de um professor insensível. Muitos terapeutas, em vez de superarem sua loucura por controle, preferem transmiti-la aos participantes que querem se aperfeiçoar.

"Você está muito doido e agora está dando um sermão! E o que você diz de si mesmo?"

Essa é uma área em que não consigo encontrar falhas em mim. Eu não estaria onde estou sem a minha sensibilidade, a minha noção de oportunidade e a minha intuição. Mesmo quando promovo experimentos em grupo, eles são formulados para levar em conta o lugar onde cada um está naquele momento.

"Dê um exemplo."

Eu pedia a cada membro do grupo que dissesse uma frase iniciada por "eu me magoo com…" e depois descobrisse se essa é uma declaração verbal vazia, com o intuito de me agradar, ou uma experiência real. Nesse caso eu dava o passo seguinte: "Suas exigências devem ser explícitas". Ou representar um encontro com essa pessoa até que a mágoa se solucione.

"Como se soluciona um ressentimento?"

A mágoa faz lembrar uma mordida persistente. Quando a pessoa se magoa, está presa à mágoa. Muitas vezes se tem uma implosão na boca, mandíbula rígida e cerrada. Não se consegue deixar para lá, nem esquecer e perdoar, nem atravessá-la com a mordida — ficar agressivo e atacar a origem da frustração, real ou imaginária. Tal qual a vingança, a mágoa é um bom exemplo de situação inacabada.

"Então não basta relaxar a mandíbula?"

O relaxamento da mandíbula é tão unilateral quanto "falar sobre" o ressentimento.

"Fritz, obrigado pela palestra. Já tenho uma boa noção de implosão, aprendi um pouco mais sobre as mágoas e, acima de tudo, começo a perceber algumas complicações na terapia. Concordo com a ideia de que qualquer abordagem parcial, como romper a couraça ou falar de experiências, é unilateral e, portanto, ineficiente."

Sim. E eu condeno especialmente os "unilateralistas", que acreditam que sua abordagem parcial é uma panaceia, a cura de tudo.

"Você diria que essa abordagem unilateral também se aplica ao recondicionamento 'físico' de Ida Rolf? O que ela tem feito? Algo parecido com o rompimento de couraças dos reichianos?"

Às vezes sim. Prefiro chamar isso de subproduto acidental do trabalho dela, sobretudo quando a lembrança é de uma abstração muscular.

"Não entendo nada disso. Para mim parece não haver sentido: abstração muscular numa lembrança!"

Falei de ratos condicionados cujo cérebro foi pulverizado e dado a outros como alimento. Essa substância tinha uma memória real, ou *mneme*, memória organísmica.

Pois bem, qualquer incidente tem vários aspectos: as palavras que são ditas, as emoções que sentimos, as imagens que vemos, os movimentos que observamos, pensamentos e associações que temos, uma dor que sentimos etc. De todos esses milhares de impressões, abstraímos determinado número, que é arquivado no nosso banco de lembranças e serve de representante oficial daquele incidente. Essas lembranças costumam tornar-se uma espécie de estereótipo. Podemos até enfeitá-lo ou apagar parte dele.

Agora, se uma abstração emerge, é comum o contexto total tornar-se disponível. Não se trata de uma associação linear, embora seja chamada assim muitas vezes, mas sim uma Gestalt abrangente.

Portanto, se Ida toca um ponto dolorido, que é aquilo que os músculos lembram, todo o contexto, inclusive as emoções e as imagens não expressas, pode emergir e ficar disponível para assimilação e integração.

Por si mesma, essa memória recuperada tem tão pouco valor quanto as lembranças recuperadas de Freud ou Reich. Contudo, se um paciente mantém uma postura errada — "como se" ainda sentisse a dor original —, ele tem a mesma chance de reajustar-se à postura correta que a do paciente apegado à mãe morta — "como se" ainda tivesse de agradá-la; ele pode perceber que não precisa mais agradá-la, que foi vítima de uma alucinação. Os dois casos são um processo de "despertar".

"E Ida realmente o ajudou com seu problema cardíaco?"

Isso não sei dizer. Ela certamente me ajudou com o principal sintoma: aquelas dores de angina do peito, que tornavam minha vida tão miserável que eu estava disposto a acabar com tudo. Nesse sentido, ela salvou minha vida.

"Ela destravou algumas lembranças?"

Não. Isso eu fiz com psilocibina. Não, o trabalho dela foi diferente. Aquelas revelações são só um subproduto, não um item essencial. Como fez comigo, ela trabalha no desequilíbrio da pessoa. Os reichianos têm uma abordagem *heurística*. Eles quebram a couraça onde esperam encontrar repressões. Ida tem uma visão holística; ela procura no corpo todo e tenta realocar o que está fora do lugar. Ela rasga a bainha em volta dos músculos para dar a eles espaço para respirar, como diz, e estimula músculos atrofiados.

"Esse rasgar deve ser doloroso."

Às vezes é aflitivo. Eu costumava fazer um intervalo para fumar um cigarro depois de vinte minutos.

"Por que ela não usa um anestésico para isso?"

Ela diz que precisa de cooperação. Em alguns lugares, o tecido muscular é implodido, e ela trabalha até o cliente superar o espasmo.

Passei por um tratamento de cinquenta sessões. Ela costuma dar uma série planejada de dez.

"Agora acabou?"

Não. Considere primeiro a minha idade e o fato de que muitas das minhas implosões são em locais profundos. Só uma pequena porcentagem da melhoria é retida. Ela agora tem alguns bons alunos. Um dia vou fazer uma travessura e tentar me submeter a uma sessão de *rolfing* sob efeito de óxido nitroso, o gás do riso.

"E qual é a ligação com seu problema cardíaco?"

Na angina do peito, os músculos em torno do coração e no braço esquerdo ficam muito doloridos. Deve ser uma arma da natureza para impedir o indivíduo de sobrecarregar o coração doente. Então, Ida abriu as contrações em todos esses músculos, e eu consegui respirar livremente. Às vezes também tinha dores paralisantes nas costas, muito fortes, que melhoraram de 80% a 90%. No geral, você vê que tenho todas as razões para ser profundamente grato.

"Que tipo de pessoa ela é?"

Um grande anjo muito poderoso. Estamos agora associando a Gestalt-terapia aos métodos dela. Desde que eu a trouxe para a Califórnia, o interesse pelo trabalho dela só cresce.

"Quantos anos ela tem?"

Deve ter a minha idade.

"Se ela é tão boa, por que não é famosa?"

É a velha história de anunciar como panaceia uma coisa boa. É claro, ela tem seu viés e é mais persuasiva que factual, assumindo os créditos, ocasionalmente, por alguma coisa que não é resultado direto do trabalho dela. Agora está surgindo algo bom na coordenação com o nosso trabalho. Pessoas com distorções mentais profundas não se beneficiam totalmente da terapia dela, e pessoas com distúrbios posturais crônicos limitam a eficácia da nossa terapia. Vamos investigar até se a nossa cooperação funciona com esquizofrênicos.

Estrutura e função são idênticas: mude uma estrutura e você muda a sua função; mude uma função e você muda a sua estrutura.

"Você disse que recuperou algumas lembranças com psilocibina. Lembrou-se de como você contraiu o problema cardíaco?"

Não, não exatamente. Essa é uma história muito mais complicada que gira em torno de Marty. Queria poder dizer simplesmente que Marty partiu meu coração, mas isso seria simplificar demais. O fato é que passei por um período de sofrimento comparável ao tempo nas trincheiras. A diferença era que nas trincheiras eu podia me sentir uma vítima das circunstâncias; com Marty, a responsabilidade era minha.

Escarafunchando Fritz

O que me trouxe a Miami Beach, onde Marty morava, é algo que não sei dizer exatamente. Quando morávamos na África do Sul, eu adorava passar férias em Durban. Costumávamos ficar no Hotel Balmoral. Um quarto de frente para o mar custa um guinéu, que na época equivalia a uns quatro dólares. Isso incluía comida boa, com dezenas de saladas deliciosas. Uma praia larga de areia branca e, puxa, aquele oceano Índico! Ondas mornas gostosas de mergulhar. Muito tempo para ler. Passeios de carro ao distrito de Zululândia, o vale das mil colinas. Passeios com o Zulurriquixá, um negro forte com trajes de guerra que pulava e inclinava o riquixá como se fosse um cavalo se divertindo.

É claro que não encontrei nada disso na plastificada Miami Beach, mas nadar, o único esporte que me resta, me fez sair de Nova York e ir para lá.

Nunca gostei de Nova York com sua umidade quente no verão e neve derretida no inverno, com as dificuldades para estacionar e as sirenes, com suas apresentações teatrais normalmente atrozes e viagens de longa distância em metrôs barulhentos, superlotados. Acima de tudo, me sentia cada vez mais desconfortável com Lore, que sempre me colocava em desvantagem e, na época, nunca tinha uma palavra boa para me dizer.

Isso, por sua vez, aumentou minha propensão para ter casos amorosos sem nenhum envolvimento emocional profundo. Esse envolvimento finalmente aconteceu em Miami, com Marty.

Big Sur, Califórnia

Querida Marty,

Quando a conheci, sua beleza era indescritível. Um nariz grego reto e forte, que você mais tarde destruiu para ter um rosto "bonitinho". Quando modificou seu nariz, você se tornou uma estranha. Tinha tudo em excesso — inteligência e vaidade, frigidez e paixão, crueldade e eficiência, imprudência e depressão, promiscuidade e lealdade, desprezo e entusiasmo.

Quando digo *era*, não digo a verdade. Você ainda é, e está muito viva, embora mais consistente. Eu ainda a amo e você me ama, não mais com paixão, mas com confiança e reconhecimento.

Quando penso nos nossos anos juntos, a primeira coisa que surge não é a ferocidade do nosso amor físico nem as brigas ainda mais ferozes, mas sua gratidão: "Você me devolveu meus filhos".

Eu a conheci desanimada, quase suicida, desapontada com o seu casamento, acorrentada por dois filhos com quem perdera o contato.

Foi um orgulho colocá-la em pé e adaptá-la às minhas e às suas necessidades. Você me amava e admirava como terapeuta e, ao mesmo tempo, tornou-se minha terapeuta, cortando fundo a minha falsidade, as tolices e as manipulações com a sua honestidade. Nunca houve uma troca mais igual entre nós do que naquela época.

Então eu a levei à Europa. Paris, um insano ataque de ciúmes da minha parte, algumas orgias loucas, excitantes, mas não realmente felizes. A felicidade chegou-nos na Itália. Eu me sentia muito orgulhoso por mostrar a você a beleza verdadeira, como se a possuísse, e por ajudá-la a superar o seu gosto artístico mediano. É claro, nos embebedamos em Veneza e...

Aquele espetáculo da *Aída* em Verona! Um antigo anfiteatro romano abrigando vinte, trinta mil pessoas. O palco? Não havia palco. Uma extremidade do teatro construída com gigantescos objetos cenográficos em tamanho natural, tridimensionais, uma fatia do Egito transportada para outro continente.

É noite, quase escuro. Trechos da plateia iluminados com centenas de velas. E a apresentação. Vozes flutuando com intensidade cativante acima de nós e através de nós. O final: tochas ardendo no espaço infinito e vozes morrendo, tocando a eternidade. Não foi fácil despertar ante o movimento e o tumulto da multidão se retirando.

Em comparação, a ópera ao ar livre em Roma foi artificial, não deixava esquecer que se estava assistindo a um espetáculo.

Nossas noites. Nenhuma pressão para ir para casa, nenhum receio de dormir pouco. Experimentamos um ao outro até a última gota. "Essa noite foi a melhor" tornou-se uma frase repetitiva, mas era verdade — uma intensidade sempre crescente de estar ali um para o outro. Não há poesia para descrever aquelas semanas, só uma indecisão de amadores.

Nesta vida nada é de graça. Tive de pagar caro pela minha felicidade. De volta a Miami, fui me tornando cada vez mais possessivo. Meu ciúme alcançou proporções realmente psicóticas. Sempre que estávamos separados — e era como passávamos a maior parte do dia — eu ficava inquieto, entrava em contato com você, passava de carro pela sua casa várias vezes ao dia. Não conseguia me concentrar em nada, exceto: "Marty, onde você está agora, com quem está agora?"

Escarafunchando Fritz

Até que Peter entrou na nossa vida e você se apaixonou por ele. Ele não se interessava muito por você. Para você, ele era umas férias de mim e da minha tortura. Era relaxado, um *raconteur*[95] divertido. Era impossível ficar entediado na presença dele. Peter era jovem e bonito, e eu, velho e cruel. Para complicar ainda mais as coisas: eu também gostava dele, e ainda gosto.

O céu desabou sobre a minha cabeça. Por fora, eu me diminuía; por dentro, alimentava fantasias selvagens de vingança.

Todas as tentativas de romper com você fracassaram. Então fiz algo que, pensando agora, parece ter sido uma tentativa de suicídio, sem o estigma de tamanha covardia.

Sobrevivi àquelas operações. Sobrevivi à nossa separação. Sobrevivi às nossas últimas brigas e reconciliação. Estou aqui e você está aí. Sempre que nos encontramos novamente, a sensação é boa e sólida.

Obrigado por ser a pessoa mais importante na minha vida.

Fritz

Olhando para trás, vejo na minha vida vários períodos suicidas. Em alemão a palavra é *Selbst-morder*, assassino de si mesmo; e um suicida é exatamente isso. É um assassino; um assassino que destrói a si mesmo, não ao outro.

95. Em francês no original: contador de histórias. [N. T.]

Assassino e suicida têm mais uma coisa em comum: uma *impotência* para lidar com determinada situação — e escolhem o jeito mais primitivo: explodir violentamente.

E um terceiro fator: eu supero você. Eu me mato antes que você me mate.

E frequentemente: eu pago a minha dívida.

E também o contrário: faço você se sentir culpado. "Olha o que você fez comigo."

E o moralismo mostra sua cara feia: punição.

Eu me puno, eu puno você. A igreja vai me punir. Um suicida não merece o descanso eterno entre os mortos respeitáveis.

E, por trás de tudo isso, a fantasia de redenção do suicida: "Que milagreiro vai me salvar?" "O *deus ex machina* chegará a tempo?

Por sorte e conhecimento, tenho um registro raro para um psiquiatra: trinta anos sem um único suicídio entre meus pacientes.

Trinta anos atrás, em 1938, tratei um jovem judeu por sua homossexualidade. Como acontece com muitos homossexuais, a mãe era uma bruxa perversa. Um dia, ele chegou contando que a mãe tinha sido assassinada, provavelmente pelo empregado doméstico negro. Pouco depois — era *Yom Kippur,* o dia da expiação para os judeus — ele se matou.

Ele matou a mãe? Tinha tanta compatibilidade com mãe que quis juntar-se a ela no céu? Que papel teve a expiação?
Especulações vãs! Comecei a entender algo novo. Ao longo de dias, tive episódios repentinos de cansaço, perda de sentidos, de ZE. Retraimento. Não completamente. Não adormecia. Não percorria todo o caminho até o esquecimento.
O vazio fértil ferve. O vazio estéril, o mundo do tédio acabou. Como dominar a riqueza do vazio fértil? Isso é mais que uma lata de lixo, mais que apenas coisas arcaicas vindo à tona.

Mas é demais: pensamentos, emoções, imagens, julgamentos. Muita excitação. A formação da Gestalt está em perigo; a fragmentação esquizofrênica, manifestando de maneira caótica seu direito de ser, me engole.
Mantenha contato, use seu cansaço para amenizar a histeria de muitas vozes gritando por atenção. Baixe a fervura. Fique com o princípio de Heisenberg: fatos observados mudam quando observados!
Cansaço, tomei você, como o tédio, por meu inimigo. Eu o tomei por algo que quer me privar de uma parte da minha vida. Sabe quanto sou ganancioso. Mais, mais e mais.

Vazio fértil, fale *por meio* de mim
Deixe-me estar em graça
Deixe um abençoado eu real
Ver você cara a cara.

Mil páginas escrever
Cem mil palavras
Deixar de se engaiolar
Isso é com os pássaros!

Enquanto a caneta desliza
Sangrando alegria e dor
Não posso tolerar mais
Do que vivi em vão.

Enfim percebo
Tenho muito que dizer!
O que descobri
Chegou pra permanecer.

Rum tura tatitá
Vamos dançar e pular
Ratatitatutá
Não me sinto mais sufocar.

Não me queixo do que sou,
Sou *watakuká*
Usa pusa roma tom
Qual o sentido de oiá?

Irrááááá! Fiquei maluco!!!

"Agora você se declarou insano. Onde isso o coloca? Quer se eximir de toda a responsabilidade?"

Puxa, você é muito rígido! Isso foi uma explosão de alegria. E algo mais. Não canto muito bem. Ouvi música e sons ali e não senti necessidade de pôr uma letra. Sei que existe música no vazio fértil.

Tenho uma relação peculiar com o canto, como se temesse desaparecer quando estou sintonizado com outra voz ou som. Às vezes sustento bem o grave, e uma vez, quando Alma Neumann, uma amiga dos meus tempos de faculdade, tocou uma cantata de Bach, eu cantei toda a cantata corretamente só de cabeça e de ouvido. Esse milagre aconteceu uma única vez, mas indica que existe em mim, em algum lugar escondido e trancado, um grande potencial musical.

"Por favor, não me engane. Você quer escapar do problema sério da sua insanidade."

Ah, não, de jeito nenhum. Só quero que você entenda que esse "se sentir maluco" tem pouca relação com insanidade. Se você chama meus ataques de ciúme de psicóticos, eu concordo. Eles eram compulsivos. Eu os tinha com Lore, eu os tinha com Marty e em grau bem menor em outras ocasiões. Eu os entendo muito bem e posso explicá-los, o que só mostra que os *insights* têm pouco valor.

Normalmente, há quatro fatores nisso — projeção, curiosidade sexual insaciável, medo de ser excluído e homossexualidade.

De repente percebi que excluí outra pessoa, Lucy, que também foi uma mulher importante na minha vida.

Também vejo como é difícil ser escritor, mesmo que me restrinja a meros fatos. Preciso fazer uma escolha. Mas puxa vida! Não tenho de criar um livro bom. De qualquer maneira, sei que o meu motivo primeiro era e é me entender e fazer a minha terapia. Não há mais ninguém. Havia Paul e Marty, e há Jim Simkin, e por algum motivo não estou preparado para me render a ela. Lore não é uma boa terapeuta para mim. Somos muito competitivos. Ela é muito opinativa, virtuosa, e não ouve. Não tenho dúvida de que ela frequentemente está certa, mas comigo, pelo menos, é sempre agressivamente certa.

A coisa do livro tem outro atrativo. Estou ansioso para que algumas pessoas leiam os meus originais na minha frente, para que eu sinta o envolvimento delas. Preciso de muita aprovação. Se eu escrevesse exclusivamente para mim, deixaria de fora muito do material teórico e me faria entender.

Aparentemente, à medida que vejo mais, aparece de novo a minha voracidade. Sou voraz em dois sentidos: quero ter cada vez mais experiências, conhecimento e sucesso e dar tudo que tenho — e mesmo assim parece nunca ser suficiente.

Em nada a voracidade se exprime mais do que no tabagismo. Prego após prego no caixão. Bum, bum, bum. Você morre por causa do cigarro, morre por causa da masturbação. Morre-se de fumar, morre-se de masturbação. Vi muitas mortes na guerra, e mortes de doença, de acidente. Não vi nenhuma por tabagismo e sexo.

"A questão não é essa, diria Lore."

Então, qual é?

"Você sabe muito bem, como diria Lore, escondendo a própria ignorância atrás de um rostinho de sabichona."

Não quero falar sobre Lore ainda, embora Lucy aponte para isso. "Se" eu não tivesse tido problemas com Lucy, não teria ido a Frankfurt e não teria conhecido Lore. "Se" eu tirar Lucy do caixão, eu também terei de tirar o tio Staub de um caixão mais honrado.

Tio Staub era o orgulho da família. Foi o maior jurista da Alemanha. Tinha uma barba longa e andava com dignidade. A mulher e os filhos dele eram esnobes e tinham muito pouca afinidade conosco. Também moravam na rua Ansbacher, enquanto Grete e eu morávamos na rua mesmo. Minha irmã Else era agarrada com a mãe.

Consegue imaginar? Ainda não havia automóveis. A rua pertencia a nós, crianças, exceto as das classes mais nobres, como os filhos de Staub, que viviam muito ocupados com o ensino dado pelas governantas.

Tio Staub atravessou a minha vida como símbolo, interpretação e descoberta psicológica.

O *status* de símbolo era óbvio, e era óbvio que eu devia seguir os passos dele. Mas eu me rebelei e adentrei furtivamente as ciências humanas pela via doentia da medicina.

A interpretação foi Wilhelm Reich quem deu. Nunca me contou como chegou àquela conclusão: disse que eu era filho de Hermann Staub, o que mexeu com a minha vaidade e nunca me convenceu.

Escarafunchando Fritz

A descoberta psicológica veio por meio de Lucy, que contou que ele tinha transado com ela quando ela tinha treze anos. Quando ela me disse isso, eu ainda não havia avaliado a credibilidade dela e acreditei. Recebi de outra fonte, bem depois, a confirmação de coisa semelhante.

No momento, sinto uma confusão semelhante à daquele tempo.

Eu notara em meu pai muita lascívia, mas era esperado que ele fosse mau em qualquer situação. E lá estava a principal autoridade jurídica da Alemanha cometendo o crime de seduzir uma menor de idade. E toda aquela fachada de respeitabilidade! E ainda havia os ensinamentos de Freud, que aparentemente diziam sim ao sexo.

"De repente você está se tornando moralista."

Já tive meus acessos de indignação moral. Tive o primeiro aos quatro anos. Eu estava brincando na rua. Uma garotinha saiu correndo de casa até uma árvore e fez xixi na minha frente. Incrível! Por que ela não podia fazer isso em casa no penico?

"Se você escrevesse o seu caso como o de um pervertido sexual, onde você se colocaria com relação a Lucy?"

Eu diria que aí minha situação mudou. Até então eu tinha uma vida amorosa um tanto promíscua, mas fundamentalmente saudável.

"Então você culpa Lucy?"

Não, certamente não a *culpo*. Acompanhei com alegria seus ensinamentos e suas explorações inconsequentes. E a imagem da vida secreta de Hermann Staub acrescentou uma licença, quase uma exigência, para seguir seus passos — se não na lei, pelo menos em suas façanhas contrárias às leis, fossem elas reais ou produto da imaginação de Lucy.

"Ela também era sua parente?"

Parente distante.

"Como você a conheceu?"

De um modo bem peculiar. "Eles" se mudaram para um apartamento perto do nosso, num bairro "melhor" que o da rua Ansbacher.

Lucy e minha mãe se conheciam. Eu já tinha aberto meu consultório. Lucy estava num hospital para tirar um rim. A mãe dela me pediu que visitasse a filha.

Então eu vi uma loira linda, uma daquelas que eu poria num pedestal e adoraria como deusa. Depois de dez minutos de conversa, ela disse: "Você é lindo. Me beije!" Fiquei pasmo: O quê?! Isso acontecendo comigo? Com raras exceções, eu me achava feio, e não é que lá estava uma deusa saída do Olimpo para abençoar um mortal? E uma mulher com filhos e marido?

Meu constrangimento inicial derreteu-se rapidamente com beijos tão apaixonados que ele nem parecia operada. Fui fisgado com gosto.

Já amei algumas vezes. A primeira foi Katy, a loira filha do padeiro. Eu tinha oito anos. Mais tarde, amei Lotte Cielinsky e, mais do que qualquer outra, amei Marty. Com Lore, tive períodos de amor intermitente, mas basicamente somos companheiros de viagem que têm vários interesses em comum.

Lucy me fascinava e excitava. Era muito possessiva e me amava tanto quanto conseguia. Para mim, ela era só uma gloriosa aventura.

"Você está fazendo fofoca. Falando *sobre* ela. Fale *com* ela."

Não posso falar com você, Lucy. Você morreu. Morreu. Quando me afastei em 1926, você deixou de existir para mim. Sua morte real não significou muito para mim. Ouvi dizer que você se viciou em morfina e se suicidou.

"O que o fez ir para Frankfurt?"

Um dos irmãos da minha mãe morava lá, tio Julius, uma pessoa despretensiosa e calorosa de quem eu me sentia próximo quando criança. E Karen Horney, minha analista em Berlim, me aconselhou a ir embora de Berlim e continuar minha análise com Clara Happel, uma das alunas dela. E o trabalho de Goldstein me atraiu *e* atraiu grupos existenciais *e* a própria Frankfurt, que naquela época era uma cidade linda e culta.

"Você quer dizer mais alguma coisa sobre Lucy?"

Sabe, dominador? Hoje não estou gostando nada de você. Você é chato, prosaico, quase um terapeuta profissional ou um professor de catecismo. Você não está ajudando em nada para resgatar aqueles momentos doentios e excitantes com Lucy.

"Cale a boca. Que imagem aparece primeiro?"

Escarafunchando Fritz

Uma fresta na porta de correr entre o meu consultório e a sala de fisioterapia. Lucy e uma moça fazendo amor no consultório. Espio pela fresta e fico cada vez mais excitado, quase explodindo de ansiedade. Quando a amiga começa a chupar os genitais de Lucy eu explodo, salto para a sala, empurro a garota para o lado e tenho um orgasmo curto e forte com Lucy.

As garotas então arranjam um quarteto comigo e com o marido da amiga. Estou ansioso para a minha primeira aventura homossexual. Antes disso, na minha puberdade, tive uma coisa sem importância com um menino, uma masturbação com Ferdinand Knopf, sem nunca tocar nele. Eu me lembrei do primeiro nome dele há pouco tempo e de alguns sentimentos de carinho pelo meu superior quando eu era subtenente paramédico.

Na verdade, o marido e eu nos estranhamos, nos entediamos e não tivemos nenhuma excitação, quanto menos ereção, mas nós dois gostamos de ver o desempenho das meninas.

"Como você se sente revelando tudo isso em público?"

Sinto como se essa fosse a tarefa mais difícil que já empreendi. "Se" eu tiver coragem de passar por tudo isso, é provável que ultrapassarei o grande impasse. "Se" eu puder enfrentar o desprezo real ou imaginário e a indignação moral, serei ainda mais verdadeiro — mais livre para encarar as pessoas e talvez desistir da minha cortina de fumaça. Sei que nesse aspecto sou como Wilhelm Reich, descarado, reprimindo muita vergonha.

Ontem fiz uma sessão de trabalho com sonhos com a turma de Jim. Como sempre, correu tudo bem. Trabalhei com cinco ou seis pessoas de cada vez e consegui chegar à essência de cada uma em dez ou vinte minu-

Frederick S. Perls

tos, até mesmo recuperar elementos rejeitados. Isso se tornou rotina, brincadeira de criança. Nunca fico satisfeito.

Uma dessas pessoas era uma terapeuta cega. Perguntei-lhe quando ficou cega. Ela disse que foi ao nascer, por falta de vitaminas. Seu sonho continha imagens e ela disse que sentia um *vermelho* no rosto, e foi quando expressei minha suspeita sobre a cegueira. Como ela consegue ter imagens nos sonhos, como sabe o que é vermelho? Sei que, com a minha suspeita, plantei nela uma semente. Essa semente vai crescer e, se eu estiver certo, um dia ela vai enxergar de novo. Quem sabe?

Aconteceu outra coisa notável. Durante uma sessão de grupo, há cerca de duas semanas, uma gatinha branca entrou com o grupo. Hoje apareceu uma gatinha branca semelhante. É parecida com Mitzie, mas tem o pelo menos fofo, mas a faixa cinza-clara na testa é a mesma. Ela ficou depois que o grupo foi embora. Dei-lhe um biscoito de figo, única coisa comestível que havia em casa, e ela o comeu com gosto. Será que vai ficar?

Ela me segue até o quarto, anda curiosa mas com familiaridade por todos os lados. Não quer passar pela porta do terraço, que está aberta; acomoda-se confortavelmente na cama; aconchega-se na minha mão. Devo ficar com ela e me incomodar novamente com todos os cuidados? Não decidi ainda. Vou deixá-la no corredor. Ela poderá dormir no quarto do meio se insistir em ficar.

"Noto que você fez um desenho da sua casa. Está fugindo do assunto outra vez? E a sua vida sexual com Lucy? E seus ataques de ciúme?"

Estou pensando nisso. Você quer que eu escreva um livro sensual, talvez até pornográfico?

Escarafunchando Fritz

"Bem, talvez você ganhe muitos leitores."

Não quero entrar nessa conversa. Quero escrever sobre as imagens e as ideias que surgirem, do modo como surgirem. Algumas ideias e acontecimentos já começam a se interligar. O que ficar inacabado emergirá. Sim, queria escrever sobre a minha casa, mas você interferiu e me pôs de novo na defensiva.

Pingue-pongue, pingue-pongue, pingue-pongue. De novo o fodedor de mentes. Na verdade, eu jogava bem pingue-pongue, melhor do que tênis. Na África do Sul eu tinha uma boa parceira, nossa governanta. Ela, o marido e um menino de cabelo cor de cenoura moraram um tempo conosco. O menino não era luminar, mas tinha um apetite e tanto. Quando lhe perguntava o que ia querer, ele sempre respondia: "Um pouco mais de tudo".

Importamos também uma babá para as crianças. Acredito que ela fosse noiva de alguém em outro país. Era retraída, mas, quando eu a levava para os banhos quentes, ela fazia amor comigo com alegria e paixão.

Banhos quentes e fontes termais: ambos de água mineral. A diferença é que temos tinas de 1m80 por 1m80 e 80 cm de profundidade, e lá havia três piscinas com temperaturas diferentes. Bem, não se pode ter tudo.

Para chegar lá, era preciso viajar mais de 160 quilômetros maçantes com parada numa cachoeira. Não havia muita água. Era preciso sair do carro e puxar uma corrente, o que sempre me lembrava uma latrina avantajada.

O vaso sanitário no meu banheiro é bem comum. Mas a banheira! Todo mundo me inveja. Ela é oval, revestida de ladrilhos, e tem degraus para descer. Embora eu sempre quisesse uma banheira grande para me deitar e ler confortavelmente, não dá para fazer isso nessa gigantesca. Tem pelo menos 1m80 de comprimento, e para enchê-la precisamos instalar um segundo aquecedor. Várias pessoas podem tomar banho juntas; às vezes fazemos exatamente isso, ou talvez não apenas isso.

"Vejo que agora você está fazendo associações livres."

Sim, e não me sinto muito bem com isso *e* me sinto bem fazendo isso — como uma foca, nadando, girando, virando, mergulhando num oceano de palavras e fatos. Não como as lontras-marinhas que nadam na nossa baía, boiando de costas e mostrando para nós como abrir conchas. Sim, quero mostrar a você como abrir sua concha. Não, não quero fazer isso. Quero que me deixem em paz. Sim, senhor, não, senhor, sim, não, sim, não sim não simnãosimnãosimnão.

Frederick S. Perls

"Talvez você esteja louco mesmo?"
Não, só com fome.
"Fritz, você precisa aprender a se disciplinar."
Pare de foder a minha mente.
"Fritz, não há necessidade de usar uma linguagem tão obscena. Aliás, o que você quer dizer com 'foder a mente'?"
Costumávamos chamar isso de bosta de touro. Teve algum efeito, mas não no senso comum. "Foder a mente", no entanto, ainda tem algum valor como terapia de choque só porque é obsceno.
"Você não consegue usar um termo mais aceitável?"
Sim. Posso chamar de palavrório, pingue-pongue de frases, bosta, mas de que adianta? As pessoas que se cercam de fortes defesas verbais aceitam tais termos, argumentam com eles e vomitam frases de volta, mas permanecem impenetráveis. São *sobre*ístas.
"Estou curioso. Por que você escolheu 'bosta de touro' para representar o produto da defecação animal?"
Poderia ser bosta de cavalo.[96] Não me oponho. Até classifico esses produtos da defecação animal de símbolos essenciais do sistema de comunicação do *Homo sapiens*. Que tal uma classificação assim? Esse tipo de palavreado específico agradaria a você ou o faria dormir?
"Talvez. Qual é sua classificação?"
a) titica de galinha: conversinha vazia, permuta de clichês.
b) bosta de touro: racionalização, explanação, conversa pela conversa.

---

96. O autor faz um jogo de palavras com *bullshit* ("conversa fiada", "besteira", mas, literalmente, "bosta de touro") e *horseshit* ("nonsense", "absurdo", mas, literalmente, "bosta de cavalo"). [N. T.]

c) bosta de elefante: discussão de alto nível sobre religião, Gestalt-terapia, filosofia existencial etc.

"Você parece tender para a classe c. Pelo menos agora assume a tarefa de um jeito mais científico e começa a classificar os fenômenos verbais."

Agora que está me aprovando, vou lhe dar outra classificação. 1) *sobreísmo*. 2) *deveriísmo*. 3) *seriísmo*. São palavras simples. Ao adicionar "ismo" a cada uma, nós as elevamos à classe de bosta de elefante. Ao adicionar algumas palavras pomposas, eu as faço aceitáveis para você.

Sobreísmo é ciência, descrição, fofoca, evitação de envolvimento, dar voltas e mais voltas no assunto.

"Por que você não consegue ser sério só uns minutinhos?"

Esta bem, está bem. Você acabou de dar um exemplo de *deveriísmo*. Eu *deveria* falar a sério. Exigências, exigências, exigências. Os dez mandamentos. Exijo isto ou aquilo de você. Se não me obedecer, eu me frustro e me ressinto de você. E vice-versa. E as exigências que fazemos a nós mesmos! E usando o "porque" como desculpa para um ataque de reprovação!

Seriísmo. Uma rosa é uma rosa é uma rosa. "Sou o que sou, sou Popeye, o marinheiro." Essa é a chamada abordagem fenomenológica ou existencial. Ninguém pode em dado momento ser diferente do que é nesse momento, incluindo aí o desejo de ser diferente. Tautologia: a experiência da autoevidência.

Moisés e Abel estão jogando cartas.

Moisés — Abel, você está roubando!

Abel — Sim, eu sei.

Fritz na pele de um *sobreísta*, um contador de histórias; Moisés na pele de um *deveriísta*; Abel na pele de um *seriísta*.

Não consigo resistir
Mesmo que me doa
A me tornar sobreísta
Brincando com termos longos.

Frederick S. Perls

Introjeção e Projeção
Retroflexão, ah, observe
Não sofrerá mais descaso
Ao desejar ser chamado.

Salte da lata de lixo.
Converse de um jeito
Que o leitor localize
Onde você está.

Introjeção, qual é o seu lugar?
Onde você se encontra?
Retroflexão? Bem, diz ela,
Sempre autorrelacionada.

E Projeção? Você tem sido
A mais desprezada e esquecida.
Você é mais que só uma tela,
Venha para a vida, *self* potencial!

RETROFLEXÃO
(INVERSÃO)

SOU UM ORGANISMO
QUERO COMIDA

QUERO AVANÇAR NA COMIDA.
NÃO HÁ COMIDA NESTE MUNDO?

Escarafunchando Fritz

ENTÃO, VOU ME COMER
ME ATACAR, ME TORTURAR
ME MATAR
ME ALIMENTAR DE MIM MESMO

SOCORRO! SOCORRO!
(VOCÊ-EU) ME COMA
(VOCÊ-EU) ME DEIXE EM PAZ

PROJEÇÃO

TENHO MEDO DE VOCÊ
VOCÊ ME ENCOLHEU, VOLTE
VOCÊ FAZ PARTE DE MIM

VOCÊ ME PROTEGEU. MEU
NOME AGORA É PROJEÇÃO

AGORA VOU PEGAR VOCÊ DE VOLTA.
VOU ME REAPROPRIAR DE VOCÊ.
ESTOU REMEDIANDO A SEPARAÇÃO.

SIM, MAS NÃO
ME ASSIMILE
SIMPLESMENTE.
NÃO ME
INTROJETE.

INTROJEÇÃO

SOU UM INTROJETO. SOU UM ESTRANHO NO SEU ORGANISMO. ESPERO QUE NÃO CONSIGA ME ENGOLIR E ME DEIXE INTACTO.

PELO CONTRÁRIO! VOCÊ É SUBSTANCIOSO. VOU MASTIGÁ-LO E ASSIMILÁ-LO. ESTOU FAZENDO EU MESMO DE VOCÊ PARA QUE EU CONSIGA CRESCER.

Aula de assimilação

Sou de opinião que...
Agora precisamos considerar o fato de que...
Agora vou atrair a sua atenção para o seguinte fenômeno...

Escarafunchando Fritz

"Você está colecionando puxadores de cortina?"

Algo dessa espécie. Sabe de uma coisa? Até uns quinze anos atrás, eu era acanhado demais para falar sem um roteiro. Hoje não me importo com isso, mesmo que fale numa convenção e tenha de me dirigir a mil pessoas. Em 1950, passei um breve período em Los Angeles. Havia uma faculdadezinha, a Faculdade de Psicologia do Oeste, ou algo assim. Esse lugar teve um duplo significado para mim. Por causa dos meus livros, recebi um doutorado honorário em filosofia. Creio que foi o único diploma de pós-graduação que eles deram. O outro significado foi que descobri o que era autoconsciência e a superei bem depressa.

"Muita gente sofre disso. Será que você pode ajudá-las com um parágrafo curto ou é segredo do ofício?"

De jeito nenhum. Na verdade, é a forma mais branda e mais disseminada de paranoia. Autoconsciência é diferente de medo de palco, mas muitas vezes está entremeado nela. O termo "autoconsciente" é enganoso; devia ser "consciente da plateia crítica". O orador não percebe realmente sua plateia, que a seus olhos se torna uma unidade turva. Essa plateia turva torna-se uma tela de projeção. O orador imagina que a plateia seja crítica ou hostil. Ele projeta nela o seu criticismo, em vez de observar o que acontece de verdade. Também projeta sua atenção na plateia e se sente foco da atenção dela.

A cura é simples: identificar-se com a projeção; ser crítico para com a plateia; prestar atenção e observar a realidade; acordar do transe de expectativas catastróficas. Esse, então, é o primeiro exemplo de projeção.

Já deparamos algumas vezes com retroflexão ou inversão. Kierkegaard[97], um existencialista, fala da relação do *self* com o *self*. E isso é exatamente o que é *retroflexão*, curvar-se para trás. A comunicação não vai do *self* para o outro, ou do outro para o *self*, mas do *self* para o *self*.

Suicídio, autotortura, insegurança são bons exemplos. A cura: fazer com os outros o que está fazendo com você mesmo. "Isso parece horrível."

Não é tão terrível quanto parece. Na verdade, é suficiente, até necessário, que você faça essas coisas ruins com os outros na fantasia e no psicodrama. De qualquer maneira, uma pessoa que se tortura na sua presença tortura você ao mesmo tempo.

---

97. Søren Kierkegaard (1813-1855), teólogo, filósofo, poeta e escritor dinamarquês, considerado a primeiro teórico do existencialismo. [N. T.]

Uma vez escorreguei feio. Um colega me pediu que fizesse uma sessão com uma paciente dele, suicida. Concordei, e descobrimos rapidamente que ela queria matar o marido. E matou.

"Então, sua terapia pode ser perigosa?"

Sim. Mas é bem raro. Nunca presenciei muitos problemas, mas sim vários benefícios para as centenas de pessoas com quem tive um rápido encontro terapêutico. Aprendi muito com aquele caso.

"Como você previne contratempos desse tipo?"

Costumo dizer ao grupo que não assumo responsabilidade por ninguém, exceto por mim mesmo. Digo que, se querem enlouquecer, cometer suicídio, se esse é o "barato" deles, prefiro que saiam do grupo.

Também aprendi a ser muito prudente com patologias graves. Se uma pessoa me conta um sonho angustiado, sem pessoas, sem vegetação, ou se mostra sinais de comportamento bizarro, eu me recuso a trabalhar com ela. Em geral sou então atacado por ter sido crueldade e por indisponibilidade para ser "útil". Nesses seminários curtos de fim de semana, não tenho tempo para entrar em contato com pessoas dissociadas.

"E você não percebeu isso no caso da assassina?"

Não, não havia patologia grave perceptível. Tempos depois ouvi e entendi o caso dela do ponto de vista da introjeção. O *dybbuk* era a mãe dela, que havia matado o marido e ficara impune. Talvez ela esperasse o mesmo.

"Então você concorda ao menos uma vez com Freud? Ou também o ataca pelas descobertas de projeção e introjeção?"

Concordo inteiramente com a teoria da projeção de Freud. Só que agora estamos indo muito além. Contamos com boa parte da transferência, muitas lembranças e sobretudo todo o material de sonho. A teoria da introjeção de Freud são outros quinhentos.

"E essa teoria é monetária?"

Cale a boca.

Escarafunchando Fritz

"Você disse que uma pessoa que vive no *agora* é automaticamente criativa. Você traz uma metáfora obsoleta."

Tem razão. Isso é uma introjeção. É material estranho.

"Então, não gosta de dinheiro?"

?

"Você disse muitas vezes que qualquer metáfora é um minissonho."

Algo como "um pensamento me *assaltou*" é agressivo, certo? Como um pensamento pode assaltar?

"E você não gosta do dinheiro de Freud?"

Ah, entendi aonde você quer chegar. Se não consigo engolir a teoria da introjeção de Freud? É isso? Não, pelo contrário. Eu a mastiguei minuciosamente e cheguei a algumas conclusões interessantes:

a) É um conceito organísmico. Põe-se para dentro, ingere-se algo, real ou imaginário.

b) Introjeção total. Engole-se uma pessoa inteira; o *dybbuk*. Não se pode engolir essa pessoa de verdade: é preciso engoli-la na fantasia. Essa é a fase de sugar, engolir.

c) Introjeção parcial. São assimiladas partes da pessoa: maneirismos, metáforas, traços de caráter. Essa é a fase do mordedor, que usa os dentes da frente.

d) Cópia. Não se trata de uma introjeção, mas de um processo de aprendizado e imitação.

e) Destruição, a tarefa dos molares. Freud ignorou essa etapa decisiva. Ao desestruturar o alimento mental ou real, nós o assimilamos, nós o tornamos nosso, nós o tornamos *self* em meio ao processo de crescimento.

f) Não se introjeta o objeto *amor*. Assimila-se a pessoa que está *no comando*. Esse é em geral um objeto de *ódio*.

g) Voltemos à discussão de *ego* e *eu*. O *eu* saudável não é um conglomerado de introjetos, mas um símbolo de identificação.

h) A agressão não é uma energia mística nascida de um instinto de morte. A agressão é uma energia biológica necessária para morder, mastigar e assimilar substâncias externas.

i) As necessária *elaboração* de Freud equivale à mastigação.

j) A agressão pode ser sublimada em brigas e guerras.

k) l) m) n) podem ser preenchidos por um leitor criativo.

Frederick S. Perls

    Tenho um problema sério. Componho frases no papel, mando datilografá-las, fotocopiá-las, revisá-las. E o tempo todo não sei com quem falo.
    Estou ansioso para receber algum comentário.
    Quando "penso", também estou na fantasia. Falo com alguém e não sei com quem estou falando. Não me ouço pensar, exceto em verso.
    Às vezes me sinto diferente. Quando me divido em dominador e dominado, percebo alguma comunicação. Quando interpreto um palestrante e demonstro as minhas teorias, dirijo-me a uma turma de alunos. Quando ataco alguém, seja Freud, seja um tenente prussiano, tenho o leitor por testemunha da minha coragem e crueldade. Nos dois casos não estou sozinho.
    Quando escrevo essas frases, estou sozinho e...
    Acabo de ter uma experiência repentina. Eu ditava essas frases para mim mesmo e também fazia as vezes do gravador, que precisa estar atento à gramática e à ortografia.
    Consigo aludir a objetivos e outras justificativas: escrever um livro, me exibir, satisfazer a curiosidade de amigos, me organizar. Continuo sozinho e perdido.

Escarafunchando Fritz

Onde está você? Quem é você com quem eu quero falar? Nenhuma resposta.

Também não posso parar. Não consigo largar a ideia de que faço algo importante para você e para mim.

Se alguém estivesse aí, será que se interessaria? Eu costumava me gabar compulsivamente para impressionar as pessoas com o meu brilhantismo; isso agora diminuiu muito. E, quando sou indelicado e grosseiro, também quero impressionar com a minha indelicadeza e grosseria.

Prefiro tocar e beijar a falar. Estou fazendo o jogo da confissão verdadeira? Que perguntas bobas!

Um bobo espera uma resposta.

Quero experimentar o jogo da projeção. Sr. X, quero lhe mostrar como sou brilhante e também como sou malvado.

Acontece, meu leitor, que eu/você não estou/não está convencido de nenhum dos dois e tento e tento de novo faz setenta anos me/te convencer de que eu/você sou/-é brilhante e malvado.

Hermann Hesse, Goethe e Mozart[98] encontraram uma saída. Projetam o bem e o mal num romance, numa peça, numa ópera. Goethe não admitia para si mesmo que ele fosse o sedutor, o espírito que tudo nega, que busca a onipotência, a contrapartida dos anjos. Ele pôs tudo isso em Mefistófeles.

---

98. Wolfgang Amadeus Mozart (1756-1791), compositor austríaco do período clássico, tido como um dos mais geniais de todos os tempos, responsável por mais de oitocentas obras de todos os gêneros musicais; morreu com apenas 35 anos. [N. T.]

Frederick S. Perls

Mozart, ou seu libretista, não reconhece que se gaba de suas conquistas, sua covardia, sua corruptibilidade. Ele põe tudo isso em Leporello[99].

Hesse faz o mesmo em *O lobo da estepe*, mas ele também é Sidarta, o santo. O Don Giovanni de Mozart pode ser o paradigma do charme e da coragem; Fausto, o nobre que busca a verdade.

Encontro algum consolo nesses parágrafos. Ou preguei uma peça em você e em mim escolhendo o brilhantismo e a maldade?

Olho para você, meu leitor, com olhar inquiridor. Meu coração está pesado, temendo que você me jogue na sua lata do lixo.

Orgulho e confiança, onde estão vocês? Eu me dirijo a vocês? Será que a minha demonstração de estar firmemente ancorado em mim mesmo é um papel falso, artificial? O meu tabagismo esconde a minha insegurança?

Essas ruminações podem me aproximar da investigação do sintoma do tabagismo, mas ainda não sei com quem estou falando.

Com quem falar?
Não tenho escolha.
Com quem andar?

Uma voz chorosa
Que está sozinha
E não é encontrada.

Todos se foram
Nenhum ruído.
Nenhum som.

O fato da fala é a mensagem. Verdadeiro, no que diz respeito à voz. A voz é a mensagem. Persona, *per sona*, através do som. *Per* = através; *sona* = som; *sonare*, cantar. Tente dizer disparates. Sua voz, aliviada por transformar noções abstratas em sons, fica raivosa ou lamentosa ou apertada ou ansiosa. Liberto de noções abstratas, quero espremer o som numa poção

---

99. Leporello, empregado de Don Giovanni na ópera de mesmo nome, composta por Mozart e apresentada pela primeira vez em 1787. [N. T.]

de amor — olhando, não escutando, procurando relações sólidas com o som, para que eu possa terminar o verso.

Relações sólidas também significam relações saudáveis.

Isso é verdade, disse ele, estalando os dedos.

É verdade, digo eu, acendendo outro cigarro.

Estou superando o impasse. Ouço a sua voz. Tenho um relacionamento sólido.[100]

Você canta ou serra?

Você acaricia ou esfrega?

Sua voz está morta ou encharcada de lágrimas?

Você está me metralhando com a rapidez e a explosão de cada uma das suas palavras?

Você me põe para dormir com a suavidade das cantigas de ninar?

Você me rouba o fôlego com o e... e... e... da sua ansiedade?

Você grita comigo, a bruaca que fala por cima da cerca com um vizinho surdo?

---

100. No original, "*sound relations also mean healthy relations* [...] *I have a sound relationship*". O autor faz um trocadilho com a dupla acepção da palavra "*sound*" em inglês, que pode significar "sonoro" e também "sólido, firme, estável, saudável". [N. T.]

Você me tortura com resmungos baixos para me levar ao limite e ir até você a fim de receber suas mensagens estúpidas?

Ou me deixa em suspense gaguejando, como se contasse piadas infindáveis em troca de uma risadinha no final?

Sua voz estrondosa enche a sala, sem dar espaço a mais ninguém?

Ou você choraminga, choraminga, choraminga, fazendo de mim o seu muro das lamentações?

Você desperta tensão franzindo o cenho para enfatizar um sussurro conspirador?

Você me castiga com as adagas dos guinchos acusatórios do seu professor de catecismo?

Afoga-me com a sufocação grudenta de um padre?

Ou me envolve com amorosas vibrações sonoras,

Derretendo-me e gerando fantasias extravagantes, envolventes?

Não é preciso ouvir o conteúdo.
O meio é a mensagem.
Suas palavras mentem e convencem
Mas o som é verdadeiro...
Veneno ou alimento.
E eu danço à sua música ou fujo
Me encolho ou sou atraído.
E encontro um consolo
Nesta investigação:
Não posso ser tão malvado, porque muitos
Estão apaixonados
Pela minha voz.

E consegui encontrar
Minha rima para *som*.[101]

Ontem tive de levar uma noiva ao altar. Ben se casou. Peter e Marya querem que eu seja o padrinho do filho deles. O que está acontecendo com a minha imagem de "vagabundo"?

---

101. Apenas esses dois versos rimam em inglês: *And I found / My rhyme to sound*. Não há tradução que mantenha a rima e o sentido dado pelo autor. [N. T.]

A cerimônia é realizada à beira da piscina. É um daqueles dias lindos de Big Sur. O sol está quentinho demais. Todo mundo veste suas melhores roupas psicodélicas de passeio. Eu estou com uma bata da Rússia, presente de Jennifer Jones[102]. Caminhar por um gramado alto é como atravessar um minipântano. Cada passo é pesado. Marya é corajosa. Está grávida, mas anda de queixo erguido diante de dezenas de *flashes*.

É minha primeira função desse tipo. Estou dividido entre depreciar a cerimônia, por ser uma apresentação corriqueira do pastor (que, creio eu, é ateu), invocando o nome de Deus como eternidade vazia, e me comover com a dificuldade de Ben para conter a emoção ao declarar seus votos. Parece que ele acredita mesmo no seu comprometimento.

O pastor é despretensioso, bem-humorado e tranquilo. A simplicidade da cerimônia, embora realizada com rigor ritualístico, transmite uma sensação de realidade.

Poucos meses atrás, Ed Maupin[103] se casou com a mesma sinceridade, mas...

Alan Watts[104] encenou a cerimônia de inspiração zen — eu disse *encenou*. Ele roubou o espetáculo, que pairou entre o sublime e o ridículo. Foi

102. Jennifer Jones, nome artístico de Phylis Lee Isley (1919-2009), atriz estadunidense. Indicada cinco vezes ao Oscar, ganhou em 1944 o de melhor atriz por seu papel no drama *A canção de Bernadette*. Interessou-se por questões relacionadas à saúde mental depois de perder uma filha, que se suicidou. [N. T.]
103. Edward Maupin (1935-), psicólogo americano doutorado pela Universidade de Michigan com dissertação sobre zen-budismo, residente de Esalen (1966-1970), aluno de Ida Rolf e praticante da integração estrutural (*rolfing*). [N. T.]
104. Alan Watts (1915-1973), filósofo britânico radicado na Califórnia, interpretou e difundiu o pensamento oriental no Ocidente. [N. T.]

Frederick S. Perls

uma cópia com objetos cenográficos falsos e improvisados. Até o casal de noivos parecia ser cenográfico e deslocado do centro da ocasião.

Amo Alan e sua admissão franca, que contribui para sua missão de artista. É muito difícil encontrar quem já tenha falado com tanta elegância e generosidade sobre o não verbal. Senhoras de todas as idades, com a mais elevada ambição de redenção, quase desfaleceram diante da sabedoria de Alan. Ele tem um gosto requintado. Na Roma antiga, estaria na elevada posição de um *arbiter elegantiarum*[105].

Querido Alan, um dia você acreditará no seu ensinamento. Sua sabedoria intelectual penetrará o seu coração e você *será* um sábio, em vez de apenas interpretar um sábio. Estará aqui não só por sua glória, mas pela glória da não coisificação.

Ben é um dos remanescentes do segundo programa de residência de Esalen. De certa forma, ele é o redentor de Esalen, embora qualquer semelhança com Cristo seja meramente acidental. Quando Esalen passava por uma crise e parecia naufragar, ele assumiu a administração do instituto e pôs as pessoas certas nos lugares certos.

O primeiro programa foi malsucedido. Sua diretora era Virginia Satir[106]. Ela não se adequava à função; não era "a pessoa certa no lugar certo", o que é fundamental para o bom funcionamento de qualquer sociedade ou comunidade.

Virginia, você tem o meu amor e a minha admiração irrestrita. Somos parecidos em muitos aspectos. Cigana inquieta. Sedenta de sucesso e reconhecimento. Não condescende com a mediocridade. Você é uma grande mulher com um grande coração. Ávida por aprender. Imaginativa das coisas por vir. Sua maior qualidade é fazer as pessoas escutarem. Você sofre, como eu, de "sistematite" intelectual, mas o que pensa e o que faz não se coadunam inteiramente. Explanatória demais.

Você projetou sua necessidade de uma família transigente e, em consequência, tem fobia a família. Seus sonhos de se aquietar continuam sendo sonhos. Você queria uma casa em Esalen, uma casa maior que a minha.

---

105. Em latim no original: árbitro do bom gosto. [N. T.]

106. Virginia Satir (1916-1988), escritora e psicoterapeuta estadunidense reconhecida por sua abordagem da terapia familiar e seu trabalho com constelações sistêmicas. Uma de suas ideias mais inovadoras é a de "questão presente", isto é, sua compreensão de que a questão que se apresenta raramente é o problema real; a maneira como as pessoas lidam com a questão é que cria o problema. [N. T.]

Escarafunchando Fritz

Sonho não realizado. Queria ser a diretora do Programa Esalen. Outro sonho que malogrou.

De maneira geral, admito que os vadios do primeiro ano de Esalen formavam uma safra ruim. Na maioria, escapistas ou excluídos. Chegaram como forasteiros e continuaram forasteiros. Esperavam que os funcionários os servissem e esperavam ser "processados". Não sei se outra pessoa poderia ter feito melhor, mas eles se sentiram abandonados mesmo quando, depois de suas semanas de terapia intensa, você os abandonou.

Um dos remanescentes dessa safra era Bud, que passou a ser gerente por um tempo. Os funcionários, especialmente Selig, não simpatizaram com ele. Achavam a administração dele mais como necessidade de poder e controle do que envolvimento como se fosse um de nós. Quando partiu, por gastar demais ou outras razões quaisquer, Esalen estava à beira da falência. Então, os residentes do segundo ano entraram em cena e realmente arregaçaram as mangas. Eles e John Farrington, nosso contador, fizeram Esalen atravessar a salvo a enrascada financeira.

O outro remanescente foi Ed Maupin, que se tornou codiretor no segundo ano do programa. Desaprovei o fato de esse viciado crônico em meditação, constrangido e irrealista, assumir um cargo tão difícil. Ultimamente, porém, passei a rever a minha opinião. Ele está crescendo; é esforçado e começa a descobrir seu *Umwelt* (ZE).

Gostei de saber que Bill Schutz estaria na chefia. E estou falando em chefia. Ele é uma espécie de oficial prussiano, mas também é observador e habilidoso. É um parasita intelectual, mas, no fundo, desesperado e louco para crescer. Ele tenta ter um jeito meio *hippie*, mas está mais para quadrado. Se não se sente observado, parece meio moroso. Não é à toa que escreveu um livro sobre alegria, a habitual externalização psiquiátrica.

Na essÊncia, Schutz tem boa vontade, e é isso que conta. Ele se pôs a organizar o programa de residência para fazer dele um sucesso. E fez. Dessa safra saíram várias pessoas bonitas que se identificam com Esalen. O muro entre eles e os funcionários desapareceu. Além de Ben e Diana, meu amor vai também para John e Anne Heider[107], ambos extremamente sensí-

---

107. John (1936-2010) e Anne Heider (?-) integraram a equipe de Esalen de 1967 a 1971. Com nove colegas, John e Anne formaram o grupo conhecido por Flying Circus (Acrobacias Aéreas). [N. T.]

Frederick S. Perls

veis e bonitos. E também para o forte e realista Stephen e a despretensiosa, inteligente e amorosa Sarah.

Meia hora atrás, o radiologista sul-africano Neville e eu líamos o manuscrito. Ele me adora, e isso é compreensível. O *workshop* de quatro semanas fez mais por ele do que dez anos de terapia reichiana.

Ele viu primeiro. Do lado de fora da janela, aparentemente atraído pela luz, um guaxinim, o primeiro que eu já vira, olhava para dentro com seus grandes olhos castanhos, sem medo de nós.

Agora que a vegetação em torno da casa está ficando mais fechada, recebo mais visitantes. Meu favorito é um beija-flor que paira bem na frente da janela, depois voa apressado. Hoje encontrei três pássaros pequenos. Será que não voam como o beija-flor ou ainda não aprenderam seus truques de helicóptero?

Os gatos são abundantes. Um dia, no verão passado, T. J. estava deitado no terraço sofrendo, aparentemente morrendo. T. J. é um velho gato vira-lata, o chefe do clã. Com grande esforço, ele se arrastou para a beirada do terraço. Fui buscar Barbara, namorada de Selig, nossa mãe dos animais, mas T. J. tinha sumido. Eu o vi mais tarde outra vez, orgulhosamente sentado no parapeito da janela, jamais pedindo, mas aceitando com elegância a comida de sua preferência — não como gatos gananciosos, aqueles filhotes que sobem em você e na mesa, para desânimo das garçonetes, protetoras dos convidados.

Selig venera todas as formas de vida, algo de que não compartilho. Uma vez apareceu uma cascavel enorme no nosso muro de pedra inacabado. Eu a matei. Quando chegou, Selig ficou aborrecido comigo.

Escarafunchando Fritz

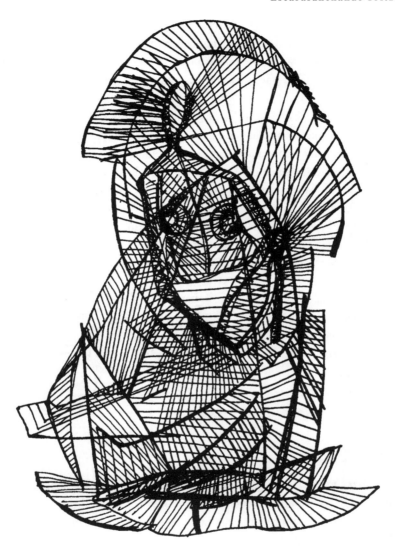

Um dos meus bens mais valiosos é uma escultura de arame, *Madona e o Menino*, feita por Selig. De início eu a deixei no terraço, onde se olhava para ela e para o céu azul através dela. Um dia, uma tempestade a jogou de lá para a encosta íngreme. Um dos meus alunos a resgatou, no que me pareceu arriscar a própria vida. Selig reparou a madona e agora ela está em segurança do lado de dentro — à frente de um profeta medieval comprado em Viena —, no peitoril superior direito da minha sala central, a sala onde conduzo meus *workshops*. Uma velha viga mestra se estende da entrada até a frente envidraçada. O teto, que também é mais elevado na entrada, é usado para pendurar quadros e uma escultura de arame emprestada por Selig.

Eu queria saber por que as pessoas usam só as paredes para pendurar quadros.

Meus seminários são realizados no alojamento; os *workshops*, naquela sala. Os seminários de fins de semana são agora minha oportunidade de contato com não especialistas e são, como todas as minhas "aparições", muito disputados e superlotados. Mesmo assim, hoje aceito de setenta a oitenta pessoas. Chamo esses fins de semana de meu *circo*.

Não seria de esperar que, com tanta gente no fim de semana, fosse possível realizar alguma coisa, mas é o contrário. Faço experimentos em massa, mas me restrinjo sobretudo a trabalhar com uma só pessoa diante da plateia. Para a minha apresentação, preciso de:

1. Minha habilidade.
2. Lenços de papel.
3. A cadeira quente.
4. A cadeira vazia.
5. Cigarros.
6. Um cinzeiro.

Minha habilidade: Acredito ser o melhor terapeuta para qualquer tipo de neurose nos Estados Unidos, talvez no mundo. Que tal isso no quesito megalomania? O fato é que quero e estou disposto a submeter o meu trabalho a qualquer pesquisa e exame.

Ao mesmo tempo, devo reconhecer que não curo ninguém, que aquelas chamadas curas milagrosas são espetaculares, mas não significam muito do ponto de vista existencial.

Para complicar ainda mais as coisas, não acredito em ninguém que diz querer ser curado.

Não posso lhe dar isso. Ofereço-lhe algo. Se quiser, pode pegar. Como diz Kierkgaard, você está desesperado, sabendo disso ou não.

Alguns fazem a longa viagem até Esalen e podem gastar um dinheiro suado só para rosnar para mim, mostrar que não posso ajudar, me fazer de bobo ou comprovar minha impotência para produzir curas instantâneas.

O que essa atitude faz para esses sujeitos? Torna-os maiores?

Sei que fazem isso para uma parte oculta de si mesmos, que não conhecem a mim, que sou só uma tela de projeção conveniente.

Não quero controlar esses indivíduos; não tenho de provar minha autoridade; não estou interessando em brigar.

Como não preciso fazer isso, estou no comando. Enxergo além das jogadas deles e, mais importante de tudo, tenho olhos para ver e ouvidos para ouvir. Eles não mentem para mim com os seus movimentos, postura, comportamento. Não mentem para mim com a sua voz.

Sou sincero com eles, embora isso doa.

Brinco com eles, desde que desempenhem papéis e joguem. Debocho das lágrimas de bebê chorão deles.

Choro com eles, se se lamentam, e danço com a alegria deles.

Quando trabalho, não sou Fritz Perls. Eu me torno nada, coisa nenhuma, um catalisador, e gosto do meu trabalho. Esqueço de mim e me rendo a você e à sua condição. E, quando terminamos, eu me volto para a plateia, prima-dona que exige reconhecimento.

Posso trabalhar com qualquer pessoa. Não posso fazer um trabalho bem-sucedido com todos.

O cenário de fim de semana é um seminário de demonstração com voluntários que sobem ao tablado. E muitos batalham por um encontro, e muitos aprendem indiretamente. Alguns se fecham e ficam desapontados, mas muitos outros levam algo para casa. Porque são poucos os problemas, com muitas variações.

Para um trabalho bem-sucedido, necessito um pouco de boa vontade. Não posso fazer nada por você, meu espertinho.

Nesse breve fim de semana, não tocarei em você, se estiver bastante perturbado. Tocá-lo despertaria mais do que você suporta sozinho.

Nesse curto fim de semana, não me abrirei com você, caso você seja um veneno que me deixará sem energia e esgotado, incapaz de atender àqueles que não merecem o ódio e o desgosto que eu transmitiria.

Se você é do tipo que monta armadilhas, me atraindo com questões "inocentes", lançando iscas, esperando que eu faça o movimento "errado" que me levará a perder a cabeça, vou deixar você jogar a isca, mas evitarei a armadilha. Vai ter de investir mais, até estar disposto a se render e ser você mesmo. Então, não vai mais precisar de mim nem de mais ninguém para sua coleção de escalpos.

Se você é do tipo que sorri como Mona Lisa e tenta esconder de mim o seu indestrutível "não caio nessa" e espera que eu me esgote para atraí-lo, vou ficar bem entediado.

Se você é do tipo "enfurecedor", logo vou desistir de segui-lo e parar de discutir com você, que tem parentesco com veneno.

Lenço de papel: chorar em Esalen é símbolo de *status*. "Menino não chora" deu lugar a "chore à vontade", mas...

Chorar não é chorar não é chorar.

Não sei quantas formas de produção de lágrimas existem. Tenho certeza de que um dia alguém vai ganhar um prêmio com uma pesquisa sobre lágrimas que abarque toda a gama de soluços desoladores, desde os de uma mãe que acabou de perder o filho único até os farsantes que conseguem ligar as lágrimas à vontade. Vi a noiva de um dos meus alunos dominá-lo com essa técnica aperfeiçoada.

Escarafunchando Fritz

Qualquer um com intuição intacta sente de imediato a diferença entre a tristeza autêntica, que provoca compaixão, e uma representação que não produz no observador mais que fria curiosidade.

Uma vez também fiz isso, desempenhando um papel para provocar piedade. Não me lembro da ocasião. Eu sabia que, se conseguisse despertar solidariedade, receberia complacência em vez de punição. Não sentia nada. Com calculismo frio, interpretei o funeral da minha avó. Levei alguns minutos, mas consegui. As lágrimas chegaram e escapei do castigo.

Aprendi na faculdade a contar com uma dieta sem sal ao prescrever brometos de sedativo. Isso significava que o sal agia como agente do metabolismo da excitação e que chorar é um processo de redução do sal. Seu resultado calmante e tranquilizador se assemelha à medicação com brometo. Uma "boa chorada" relaxa, e as crianças choram até pegar no sono. Vejo o choro autêntico sobretudo como um reajustamento ao arrefecimento e um pedido de ajuda.

Não chorei de verdade com muita frequência, talvez uma ou duas dúzias de vezes na vida. Essas ocasiões sempre foram experiências extremas de profunda comoção, e ao menos uma vez de dor insuportável.

Adoro o choro suave que acompanha o arrefecimento. Muito, muito frequentemente, o arrefecimento de uma couraça persistente e o surgimento de sentimentos autênticos no meu grupo provocam em mim uma entrega

Frederick S. Perls

amorosa. Às vezes há uma reação em cadeia no grupo todo quando o choro se torna tão contagiante quanto a risada.

Adoro os dramalhões de cinema que fazem chorar, se forem críveis. De vez em quando, admito que derramo umas lágrimas até com o sentimentalismo mais barato, mas acima de tudo se alguém transcende a média da bondade humana, se é bom demais para convencer.

Adoro ficar triste sem estar infeliz e até adoro o constrangimento que acompanha essa tristeza, como se me surpreendessem em meio a uma fraqueza proibida.

Uma das minhas duas entregas mais profundas foi a explosão de desespero na Casa Arden[108], depois da minha viagem pelo mundo. Eu não sabia dizer o que estava se desagregando. A barreira entre mim e outros seres humanos? Meu ódio à falta de reconhecimento? A pele grossa que eu tinha adquirido nas trincheiras? Ou devemos atentar para a semântica e lembrar que desespero é *désespoir*, desesperança? A esperança certamente foi incutida.

A outra ocasião aconteceu quando Lore e eu visitamos a Alemanha pela primeira vez, após a Segunda Guerra Mundial. Eu queria verificar tanto o meu profundo ódio contra a Alemanha nazista quanto uma possível mudança de disposição por lá.

Tínhamos comprado um Fusca usado em Paris, um excelente negócio. Não me lembro do valor exato, mas acho que paguei 600 dólares por ele. Dirigimos esse carro durante dois meses na Europa, três anos nos Estados Unidos e o vendemos por 700 dólares.

De todo modo, entramos na Alemanha com esse carro pela fronteira holandesa. Não fomos muito incentivados. Os oficiais da alfândega demonstraram a velha grosseria alemã. Seguimos acompanhando o Reno. O clima e o nosso humor começaram a mudar um pouco. Fomos a Pforzheim, onde Lore nasceu, e nos receberam bem. Visitamos o túmulo do pai de Lore e eu tive uma explosão de tristeza.

Eu disse explosão. Inesperadamente, pegando-me de surpresa, como a ruptura de uma caldeira. Lore também chorou um pouco. Vi através das lágrimas, durante os momentos em que recuperei o contato com o mundo,

---

108. Palacete privado nas redondezas de Harriman (estado de Nova York), primeiro centro de conferência dos Estados Unidos, com nove mil e trezentos metros quadrados e noventa e sete quartos de hóspedes. [N. T.]

Escarafunchando Fritz

a curiosa expressão dela, de quem não entendeu muito bem o que acontecia. Senti-me próximo dela.

Também não entendo a explosão. Meu sogro e eu nunca fomos próximos. Na verdade, se fui a ovelha negra da minha família na minha puberdade, fui a monstruosa ovelha negra como breu para a família Posner. Eles não tinham nenhuma confiança em mim.

"Será que agora você está discursando sobre a família Posner e se esquivando de suas operações novamente?"

E o que devo fazer?

"Decida de uma vez por todas encerrar um assunto."

Decidere, cortar. O significado semântico é claro.

"Pare de jogar essa areia semântica nos meus olhos."

Tive medo de que você dissesse essa merda semântica. Não fica muito bem o dominador de uma família judia da melhor estirpe, como os Posner, usar uma linguagem tão vulgar.

"Entendo, quer trazer de volta furtivamente os Posner por meio de uma associação generalizada."

Sim, eu poderia ter citado os Golden, e isso nos teria levado a Miami. Essa é a beleza das associações livres. Pode-se torcê-las para qualquer lado. Não existe veículo melhor para um comportamento fóbico.

"Bem, os Posner têm alguma coisa com o choro ou serão os Golden?"

Lore chora com facilidade quando está infeliz. Nunca a vi abusar das lágrimas. É claro que chorou efusivamente quando Liesel, irmã dela, foi morta com a filha. Elas conseguiram viajar em sigilo para a Holanda e foram capturadas por nazistas pouco antes do fim da guerra. Tive a impressão de que Lore chorou mais pela sobrinha do que por Liesel. Ela nunca conseguiu assistir ao filme *O diário de Anne Frank*.

"Desculpe se fui um pouco rude com você. E os Golden?"

Inventei o nome para fazer uma ponte com Miami.

"Houve alguma experiência extrema com choro?"

Certamente houve. Ah, não me refiro a uma emoção rotineira. Nem me lembro de chorar quando estava infeliz com Marty. Lembro-me muito nitidamente do meu choro de agonia e dor antes da segunda cirurgia.

"São ocorrências que se manifestam em lugar do suicídio?"

Quando Fausto fica aborrecido com Mefistófeles, ele o chama de paródia de sujeira e sangue, uma latrina, diríamos nós.

Frederick S. Perls

O carrossel volta a girar. Muitas recordações.

O prazer que senti nos meus anos de *maldade*, encenando e me imaginando Mefistófeles.

Tia Schindler. Uma mulherona gorda com o coração mais afetuoso que conheci, apreciando minha representação. Ela é a única que fica ao meu lado: "Vai dar tudo certo com ele".

O irmão do meu pai morrendo de câncer no reto. Uma cama de merda e sangue. Repulsivo.

Minha cama em Miami cheia de sangue. Marty canalizando a repugnância, limpando com eficiência. Um último teste de tortura. Ela vai me amar apesar desta feiura tão grande?

Sempre tive vergonha de ficar doente. Era como um estigma. Até nas trincheiras eu preferia esconder uma amidalite com febre alta a admitir essa "fraqueza".

Agora me envergonha admitir minhas hemorroidas sangrando e as consequentes cuecas sujas.

Naquela noite em Miami, quando acordei em meio à hemorragia, não senti vergonha. Fiquei calmo, curioso e decepcionado por não ter sangrado até morrer.

Decidi fazer uma cirurgia. Na manhã seguinte, quando acordei, a voz de um enfermeiro me disse: "Que bom que voltou". Soube que passara doze horas na sala de recuperação e praticamente desistiram de mim.

O que aconteceu? Medicação errada? Infarto? Isso explicaria o problema cardíaco dos cinco anos seguintes. Eu tinha uma vaga lembrança de querer alcançar alguma coisa e um enfermeiro me empurrando de volta.

A lembrança daquela noite voltou durante uma viagem de psilocibina. Foi uma recordação sinistra da minha luta contra a morte. Perder a consciência, lutar e acordar por um tempo, apagar e acordar, até que finalmente, como no sonho de 1917, a vontade de viver se impôs. Eu voltei daquela viagem com uma vontade intensa de viver. Não para agradar alguém, mas, com meu jeito egoísta, para o meu bem. A disposição existencial de ser "condenado a" viver mudou para a de ser "abençoado com" a vida. Completei a explosão de desespero que tinha começado na Casa Arden.

Sou abençoado com a vida.
Sou abençoado com uma vida plena e útil.
Estou vivo.
Sou.

"Mas a operação propriamente dita foi bem-sucedida?"
Muito.
"Você mencionou uma segunda cirurgia."
Sim, fui submetido a outra duas semanas depois. Alguns dias após a alta do hospital, acordei no começo da noite com uma dor forte na bexiga. Não conseguia urinar. A dor aumentava e aumentava. Se já existiu um superlativo, devo usá-lo agora. Em desespero agoniante, com lágrimas de sobra, gritei, muito peculiarmente, "oh, *mamma mia, mamma mia*". Sofri até o dia raiar. Outra peculiaridade. Nunca me ocorreu chamar um médico sem demora. Será que eu tive medo (?) de ser invasivo, deparar com uma cara furiosa, ser advertido?

Bendito catéter que me salvou. Diagnóstico: próstata aumentada. Tratamento: remoção.

Dezenas de exames clínicos e de imagem. Uma radiografia mostrou parte do intestino grosso caído. Seria outra cirurgia adiante. Eu já estava farto de cirurgiões. Nunca me incomodei e "isso" nunca me incomodou.

Então, removeram a próstata e me esterilizaram ao mesmo tempo. Gostei da ideia e gostei do elogio: "Nunca tivemos um médico que fosse tão bom paciente".

O período posterior à operação é nebuloso. Sei que fui de Miami a Columbus e voltei. Tenho a sensação de que algo aconteceu antes das cirurgias, mas não estou convencido disso. Marty me visitou e ajudou a arranjar um lugar para morar. Então, provavelmente foi antes daquele período.

Aqui em Esalen há muitos homens com quem me sinto afetuoso e amoroso. Não sei se a atmosfera atrai esse tipo especial de pessoa com quem me identifico ou se a minha capacidade de amar aumentou.

Os amigos que tive na infância e na juventude sempre foram garotos a quem eu podia me render. As amizades depois da Primeira Guerra e na África do Sul nunca foram profundas a ponto de gerar uma confiança plena e mútua. Aqui nos Estados Unidos, confiei em Paul Weiss e em Vincent O'Connell. Vince é meio voltado para o místico. É quase um santo: extremamente sensível e perspicaz. Sem filhos, ele e April adotaram várias crianças e cuidaram delas muito bem.

Ele foi psicólogo-chefe no Hospital Estadual Columbus, onde trabalhei como instrutor. Não desgostava do trabalho; o que me desagradava era a rotina de trabalho das 9h às 17h. Eu me demiti depois de nove meses. Foi um erro, como logo ficou evidente. Eu devia ter ficado um ano inteiro. Por acaso, soube mais tarde que o meu diploma alemão poderia ter sido reconhecido no Distrito de Columbia. Tentei e não consegui por causa desses três meses que faltaram.

Agora sou um não psiquiatra na Califórnia, o que não me incomoda muito, uma vez que não prescrevo nenhum remédio, apenas uso. Como me revelou um agente de Saúde Mental, a respeito do meu direito à livre expressão, uma característica redentora da Constituição dos Estados Unidos, em contraposição à sua exigência impossível, a busca da felicidade.

"Então você não acredita na busca da felicidade?"

"Não. Acho que é uma falácia. Não se pode *adquirir* felicidade. A felicidade acontece e é uma etapa transitória. Imagine como me senti feliz quando me livrei da pressão na bexiga. Quanto durou essa felicidade?

"Acha que alguém pode obter essa felicidade em estado permanente?"

Não. Pode-se passar quatorze anos sentado na mesma posição de ioga ou deitado no mesmo sofá ou ser um samaritano por quatorze anos. Pela própria natureza da *awareness*, é impossível ser feliz continuamente.

"Mas felicidade é uma questão de *awareness*. Não se pode ser feliz sem estar consciente. Ou você está se tornando freudiano dizendo: 'Sou feliz inconscientemente'?"

Bobagem. A *awareness* existe pela própria natureza da mudança. Se tudo é igual, não há o que experimentar, nada para descobrir. No linguajar behaviorista, não há estímulo para a felicidade.

Para criar um programa, "perseguir a felicidade" contém o paradoxo "a estrada para o inferno é pavimentada com boas intenções". Isso também implica que a infelicidade é ruim.

"De repente você está virando masoquista? Vai me dizer que infelicidade é bom? Está aderindo à virtude cristã do sofrimento?"

Frederick S. Perls

Por favor, compreenda. Afirmo apenas que a felicidade pela felicidade leva, na melhor das hipóteses, a uma diversão pré-fabricada *à la* Disneylândia.

Masoquismo é a dor pela dor. Buscar a dor e fazer dela uma virtude é uma coisa, entender a dor e fazer uso do sinal da natureza é outra.

"O que a dor indica?"

"Preste atenção em mim. Pare o que está fazendo. Sou a Gestalt emergente. Há alguma coisa errada. Preste atenção! Eu machuco."

A cadeira quente

Estou na cadeira
Para você ver.
Sinto bater o coração
E a mim mesmo.

Vejo você olhando
Quando me mexo
E vejo você me seguir
No meu ritmo.

Estou com dor
Não vou revelar:
Minha luta sem valor
Meu desejo de ocultar.

Minha dor a insistir
Vou correr, escapar
E continuar a resistir
É o preço que devo pagar.

Enfrento isso
Apesar de morrer de medo
Prefiro passar por isso
Com esperança de podê-lo.

Tornar-me *real*.

Durante dois dias, não tive o impulso de escrever, talvez porque vários eventos de ZE precisassem de prioridade, talvez por ter tido sucesso financeiro com o texto.

A continuação óbvia seria falar do que estou fazendo com/para a pessoa na cadeira quente: a abordagem do *agora* e do *como*, da responsabilidade e do comportamento fóbico.

Ultimamente adquiri o hábito de *usar* o meu cansaço, em vez de submeter-me completamente a ele e dormir. Ontem à noite, não consegui dormir nem senti o impulso de me levantar e fazer alguma coisa. Consegui manter contato com a minha camada esquizofrênica por um tempo considerável. Conectei-me — não como numa viagem de LSD, mas fazendo observações críticas e promovendo e intensificando a troca figura/fundo, dando a mim mesmo, dessa forma, a convicção de uma experiência significativa. Não, contatei-me com uma camada de coisinhas fracionadas, espalhadas, como introjetos pequenos, material externo. Muitas eram sensações físicas e imagens, mas desconectadas. A fala subvocal ainda era de certo modo coerente, até um pouco menos anuviada que a minha maneira habitual de pensar.

Fiquei contente com a confirmação da minha suspeita de haver uma camada esquizofrênica e por poder dar uma boa olhada nela.

Aparentemente, esse estar em contato produziu uma mudança, de alguma maneira — não tenho a menor noção de como. A compulsão libidinosa teve um intervalo real. Poucas vezes pude ir aos banhos, olhar e deixar para lá, em vez de planejar como criar oportunidades para tocar e ser tocado sexualmente.

Quando me perguntavam sobre parar de fumar, normalmente eu respondia: "Vou esperar até o hábito de fumar me deixar". Estou cada vez mais convencido de que trilho o caminho certo. Há cerca de três meses, abandonei a masturbação compulsiva e não restou praticamente nada dela.

Percebo agora a primeira interrupção na minha prática sexual e sei que, um dia, vai acontecer coisa semelhante com o meu tabagismo.

Ontem dei ao segundo grupo de Jim Simkin uma noite de trabalho com sonhos. Um caso merece registro.

Trabalhei com o sonho de uma mulher de meia-idade. Ela não consegue desgrudar da filha e está enlouquecendo com esse apego, chegando a ponto de ser internada. Ela vive a vida da filha, é excessivamente "responsável", interfere sem parar. Então, fiz algo novo.

Eu havia feito a encenação de um nascimento com várias pessoas que tinham fixação no cordão umbilical. Dessa vez, levei essa mulher a passar pelo processo de dar à luz a filha. Não houve nem há nenhum trauma de parto no caso, mas sim a falta de percepção da separação. Ficou cada vez mais claro que essa mulher tinha um buraco — um vazio estéril — onde outras têm uma sensação de *self*, personalidade, unicidade, individualidade ou como se queira chamar.

Depois da experiência de parto, eu a pus em contato com o próprio corpo e com o mundo — algo que faltava antes. Em outras palavras, comecei a mudar o vazio, que estava cheio com a filha dela, para o início de um vazio fértil de descoberta de sua substância e seu valor. Eu a vi hoje e, como sempre acontece nesses casos, ela sentia grande alívio e um início de mudança.

Isso só ressalta a opinião de Virginia Satir de que ainda precisamos encontrar a pessoa que leva um cliente à loucura.

Escarafunchando Fritz

Também recentemente fiz alguns acordos financeiros duvidosos que antes me incomodariam a ponto de me vingar ou tomar uma atitude, ou no mínimo me dar uma grande preocupação fantasiosa. Consigo suportar muito melhor tudo isso à minha maneira, achando isso desagradável, mas não catastrófico. *Agora* eles podem fazer isso comigo.

Uma inversão da ordem natural das coisas também poderia se transformar numa novidade bem importante.

Vou fazer uma confissão. Além daquela lata de lixo em que encontro pessoas, acontecimentos, brinquedos, teorias etc., tenho outra que é realmente fantástica. Encontro nela devaneios de todos os tipos. Encontro fantasias sexuais e sonhos megalomaníacos de gente que faz o bem e de gente que faz o mal. Encontro sonhos de esperança e sonhos de desespero.

Um dos meus favoritos é o que sou empossado ditador do mundo e, de vez em quando, passo um bom tempo pensando minuciosamente como o governaria. Depois, na conclusão, vejo que ter qualquer homem de bom senso seria melhor do que ter este mundo fracionado deslizando para o abismo da autodestruição.

Minha impotência para realizar qualquer parte disso não me incomoda. Já é bem gratificante ter o passatempo de fantasiar.

Minha fantasia favorita agora é escrever um manifesto da Gestalt, com quatro propostas.

1. O *kibutz* Gestalt.
2. A proposta de Kubie de uma nova ocupação: terapeuta-professor--psicólogo.
3. Dividir as universidades em unidades de ensino e de pesquisa.
4. Dividir nossa sociedade entre qualificados e não qualificados (com base numa inspiração de E. Dreykhos).

O mais próximo da realização...
"Pare com isso imediatamente."
...é a ideia do *kibutz* da Gestalt.
"Eu disse pare com isso, e retome as pontas que ficaram soltas antes."
Muita empolgação está surgindo...
"Você só quer inserir neste livro uma publicidade do seu *kibutz*."
Ontem recebemos uma oferta promissora. Ei, não quero propaganda.

"Esqueça. Pelo menos agora você me ouve. Escute! Esse manifesto cabe no fim do livro ou num apêndice. Continue com seus seis implementos. Ou com a interrupção da lascívia."

Você ficou maluco? Eu, desistir da lascívia? Eu disse que o primeiro intervalo na compulsão lasciva tinha acontecido. No momento, estou construindo uma compulsão nova: escrever isto aqui. Já está ficando difícil ter uma manhã livre e divertida hoje em dia, com banhos quentes, alguém para passar xampu e fazer massagem. Vou sentir muita falta disso no meu *kibutz* no Novo México."

"Fritz."

?

"Estou avisando! Você está sendo sorrateiro outra vez."

Tudo bem. Desisto. Mas não vou mais falar de classificação, choro ou da experiência da cadeira quente.

"Tudo bem. Pelo menos agora está sendo sincero. E a cadeira vazia?"

Já falei disso. A cadeira vazia é um exercício de projeção-identificação.

Adoro aqueles beija-flores, os dançarinos do ar. Vi um verde lindo nas flores perto dos banhos.

"O que eles têm que ver com as cadeiras vazias?"

Tudo. Eles estão lá. São reais. A cadeira vazia está vaga, esperando ser preenchida com pessoas e coisas de fantasia.

"Por exemplo?"

Por exemplo, ponha a cadeira vazia na cadeira vazia. O que você sentiria?"

"Se eu fosse uma cadeira vazia, me sentiria inútil até que alguém sentasse em mim e me usasse de apoio. Hum. Isso é engraçado. Sempre pensei que não precisava de ninguém."

Agora me diga uma pessoa ou um detalhe de um sonho.

Escarafunchando Fritz

"Não me lembro de nada."

Ponha Fritz naquela cadeira vazia.

"Fritz, não me lembro de nenhum material de sonho. Fritz diz que você está mentindo. Só me lembro de uma maleta."

Agora, sente-se na cadeira e seja a maleta.

"Se sou uma maleta, tenho um exterior duro, carrego segredos e ninguém pode ter acesso a eles."

Agora vou descer do palco e você "escreve um roteiro", que é como chamo essa troca de cadeiras e a condução de uma conversa.

Você está me deixando curioso. Quero conhecer seus segredos.

Não pode. Você não tem a chave para me abrir.

Eu sou uma chave. Sou forte e bem-feita, mas minhas funções são limitadas. Só consigo abrir uma fechadura. Seja a fechadura.

Represente a chave.

Estava esperando você. Venha me abrir. Venha para dentro de mim.

Nós temos um encaixe perfeito. Posso virar você como quiser.

O que diz a fechadura?

Obrigado. Não preciso mais de você. Pode ir para a lata de lixo.

Desgraçado.

Como prosseguimos agora?

Para quem você está perguntando?

Para você, Fritz.

Ponha Fritz na cadeira vazia. Vou lhe dar um Fritz personalizado. Pode chamá-lo de P. F. Leve-o para casa e use-o quando quiser, sem nenhuma cobrança. Esse é o "Fritz instantâneo".

P. F., o que devo fazer agora?

O que está evitando?

Abrir a maleta. Não há nada lá. Eu me sinto enganado, P. F.

Olhe com mais atenção.

É. Alguns papéis. Doação de três vacas. Doação para uma oficina de artesanato. Um misturador de cimento. Um caminhão.

O que acha?

"Eu me cansei da cadeira vazia. Quero resolver com você, Fritz."

O que foi que eu fiz agora?

Frederick S. Perls

"Mencionou as doações para o seu *kibutz* da Gestalt. Trapaceou."
Você é a minha projeção, não é? Você é eu. Não temos segredos.
A história a seguir é sobre uma projeção dupla. Um psiquiatra inventou um teste de Rorschach simplificado. Ele usou três imagens básicas.
Um dia, examinando um novo paciente, ele desenhou um triângulo. O que é isso?
"É uma barraca. Nessa barraca há um casal trepando."
Depois desenhou um retângulo. O que é isso?
"Isso é uma cama grande. Dois casais estão trepando nela."
Então, o psiquiatra desenhou um círculo. O que é isso?
"É uma arena. Aí há dezenas de casais trepando."
Você parece pensar muito em sexo.
"Mas, doutor, foi o senhor que desenhou as figuras."

"Fritz, não duvido de que você pense em sexo. Você contou a história das três figuras simples. Você achou que a fechadura é uma vadia."
Tem razão. Eu penso em sexo. Contei a história. Transformei a fechadura numa vagabunda.
Não quero falar do "destino da minha libido" e responsabilizar a libido ou o inconsciente, como faz Freud. Também não estou disposto a assumir toda a responsabilidade pelo meu desenvolvimento sexual.
Reconheço que o ponto de vista católico a respeito do sexo está em sintonia com a natureza. Sexo e filhos é um processo holístico indivisível.
Fui jogado num mundo onde esse processo era sigiloso e se tornou um mistério para nós.
Fui jogado num mundo onde mente e corpo eram coisas separadas, e a mente se tornou um mistério. Outra alma imortal criou uma complicação maior.

Fui jogado num mundo onde atividade sexual e procriação eram separadas, e o sexo se tornou uma questão de diversão proibida, doença e dominação.

Fui jogado numa família na qual filhos não eram a resposta profundamente desejada por duas pessoas apaixonadas.

Fiquei confuso com o conhecimento que recolhi da sarjeta.

Fiquei confuso com a teoria sexual pseudocientífica de Freud.

Fiquei confuso com a minha ignorância sobre quando o sexo era bom e quando era ruim, e quando eu era bom e quando era mau.

Fiquei mais confuso na puberdade. Devo culpar meus pais pela falta de compreensão, Ferdinand pela sedução, a mim mesmo por ser "mau"?

Fui "bom" por pouquíssimos anos, até que, devagar, me tornei "mau".

Demorei muitos anos para compreender os problemas da moral, e uma vez mais a perspectiva organísmica esclareceu tudo.

Até os nove anos de idade, tive muito reconhecimento. Meus avós diziam: "Ele é daquele tipo que conquista o amor de Deus e do Homem".

De fato, devo ter sido uma criança adorável. Afetuoso, interessado em agradar e aprender. Cabelos longos cacheados, que foram sacrificados pela escola sob protesto e lágrimas.

Aprendi a ler muito cedo. Não havia livros na casa dos meus pais, exceto dois. Meu pai tinha uma biblioteca trancada na sala dele. Aquela sala era um mistério. Gosto de pensar que meus dias de malvadeza começaram

Frederick S. Perls

quando invadi e explorei aquela sala. O mais provável é que tenham começado com minha transição da acolhedora e segura escola fundamental para a atmosfera rígida e estranha do *gymnasium*.

Na casa dos meus avós eu encontrava muitos livros. Costumava deitar no chão e ler Mark Twain e muitos outros.

Na verdade, recuperar essas lembranças para clarear a minha infância é uma invenção. Eu as procuro. Não faço isso por mim, mas por uma plateia, "como se" me pedissem que eu escrevesse a minha biografia, "como se" eu, *à la* Freud, devesse buscar explicações.

Estou na casa de Bob Hall[109], escrevendo na lavanderia. Abro um livro de astrologia. Sou canceriano e leio: "A lua desperta o desejo de tocar, colher, incentiva a curiosidade e afeta fortemente as emoções. Indica a capacidade de atrair pessoas". Incrível como se encaixa. Acrescente aí um "intelecto forte e obstinado", e você tem uma boa parte da minha identidade. Astrologia, outro mistério.

Estou abusando da palavra "mistério". Na avaliação que fiz há alguns minutos, parei diante de várias ocorrências de "mistério".

Além dos livros trancados do meu pai, tive acesso a uma série de "mistério", publicação mensal lida pela nossa empregada doméstica.

Minhas irmãs e eu éramos quase sempre próximos. Uma vez fui excluído de uma brincadeira delas num quintal, na qual um menino era o guarda. Suspeitei de brincadeiras sexuais. Não sei como cheguei a essa suspeita. Só estava convicto de que lá acontecia alguma coisa misteriosa.

A admiração tem íntima relação com o mistério.

Religião e os acontecimentos no templo não produziam nenhuma admiração. Eu achava estranho e diferente o que aquela gente fazia, abrindo o rolo de orações do santuário e lendo numa língua estranha, com movimentos e voz peculiares.

Devíamos aprender hebraico. Tudo era impessoal, com poucas exceções. Por exemplo, o interesse deles pelo meu nariz, depois de um acidente nítido na minha memória.

Nós, os três filhos, passávamos por uma casa em construção quando o vento derrubou uma cerca pesada. Uma quina da cerca atingiu o meu na-

---

109. Robert K. Hall (1934-2019), psiquiatra estadunidense, aluno de Perls e Ida Rolf. Budista, foi pioneiro da integração de Gestalt-terapia, trabalho corporal e meditação. [N. T.]

Escarafunchando Fritz

riz, e ela caiu sobre Grete, quebrando a perna dela. O empreiteiro correu desesperado, repetindo não ter culpa; uma ambulância nos levou ao pronto--socorro. Gostei da agitação e dos cuidados, mas gritei quando aplicaram iodo no ferimento; e gostei do escândalo que o rabino fez quando examinou o corte, porque o meu nariz nem estava quebrado.

Gostei da admiração e dos presentes que ganhei no meu *bar mitzvá*, quando todos se orgulharam de eu ter recitado bem a minha prece. Havia até um presente da família Staub. Durante algumas semanas, meu *status* de ovelha negra ficou suspenso.

Talvez eu tenha conquistado esse *status* sobretudo por ter invadido a sala secreta do meu pai.

Eu encontrara a chave não sei como e, quando não havia ninguém em casa, entrei nesse aposento.

Encontrei uma bagunça indescritível. Meu pai nunca permitia que alguém entrasse para limpar. Havia prateleiras de livros para investigar. Mas que decepção. Todos eles tinham relação com a ambição e o *hobby* do meu pai: ser grão-mestre da Maçonaria.

Ele adorava ser chamado de "orador", e, com a faixa azul e larga atravessada no peito, barba longa e impressionante e uma figura impressionante, sua presença era mesmo magnífica.

Nunca chegou a ser grão-mestre de uma das grandes lojas, por isso criou a dele. Depois de alguns anos, elas costumavam desaparecer, e ele criava outra a fim de ter plateia para a sua apresentação e seus longos discursos sobre ideais. A apresentação à loja, como você talvez saiba pela obra *A flauta mágica*[110], deveria ser uma provação na qual um neófito mostra coragem e valor para se tornar membro da seita secreta.

Quando eu tinha uns dezoito anos e vencera o impasse dos meus anos "maus", ele decidiu que era hora de eu ser apresentado à sua loja. Eu estava curioso para penetrar o véu do mistério e pronto para enfrentar a provação.

Que vergonha e decepção! Fui vendado. Dois homens me conduziram por corredores e salas, portas batiam, e ouvi barulhos que pretendiam fossem assustadores. Mais adiante, alguns rituais compulsivos. Tive dificuldade de ficar sério e nunca mais voltei às sessões.

110. Ópera em dois atos do compositor austríaco Wolfgang Amadeus Mozart, com libreto em alemão de Emanuel Schikaneder. Estreou em Viena em 1791. Schikaneder e Mozart eram da mesma loja maçônica. *A flauta mágica* está repleta de símbolos da maçonaria. [N. T.]

Frederick S. Perls

No entanto, nas festas, como o Natal, por exemplo, meu pai assumia sua personalidade rabelaisiana. Ele adorava dançar a *krapolka*, beber, beijar. Na verdade, escolheu a profissão de caixeiro-viajante por causa dos excelentes vinhos palestinos. É claro, ele não era um "caixeiro-viajante", mas sim um "representante-chefe" da Companhia Rothschild.

Uma vez ele fez um comentário que me magoou profundamente. "E daí! Eu bebo até morrer. Meu filho cuida da família."

No fundo, eu o odiava e à sua retidão pomposa, mas ele também era carinhoso e afetuoso. Não sei dizer quanto da minha atitude foi influenciada pelo ódio da minha mãe a ele, quanto ela envenenou os filhos com isso.

Não teria havido consequências a invasão da sala secreta se não tivesse ocorrido uma complicação: um cofre de porquinho que continha uma moeda de ouro que deveria ser propriedade da minha irmã Else, no futuro. Peguei aquela moeda de ouro e, com ela, comprei selos para o meu amigo loiro, bonito e cristão, esperando comprar a amizade dele ou provar a minha. Quantas broncas recebi por esse roubo e quantas vezes fui obrigado a pagar por ele!

Quando o roubo foi descoberto, fugi apavorado. Dormi na escada de casas estranhas. Não tinha dinheiro. Depois visitei alguns amigos do outro lado de Berlim, consegui comida e dinheiro para o bonde, que guardei para comprar pão no dia seguinte.

Então matutei: talvez "eles" estejam pensando que me matei e não me mandem para o reformatório, como "eles" ameaçavam com tanta frequência. Talvez "eles" até fiquem contentes por eu estar vivo.

Então voltei e encontrei uma reunião de caras feias, inclusive a do meu tio Eugen, irmão da minha mãe e médico, outro idiota arrogante. O veredicto foi do meu pai: "Eu perdoo você (lembrem-se de que ele era maçom, e perdoar era uma função importante daquela categoria: cf. a bela ária que Mozart compôs para baixo, a canção favorita do meu pai: "Esses aposentos sagrados não guardam vingança para você"[111]), mas eu nunca perdoarei o que fez para mim". Hábil, não?

Minha situação no *gymnasium* já se deteriorava. O diretor tinha um nome polonês e, possivelmente para provar seu sangue ariano, era muito,

---

111. Perls faz uma tradução livre de "*In diesen heil'gen Hallen / Kennt man die Rache nicht*" (Nestes salões sagrados / não se conhece a vingança), versos da ária *In diesen heil'gen Hallen* (Nestes salões sagrados), ato II de *A flauta mágica*. [N. T.]

Escarafunchando Fritz

muito nacionalista. A escola era nova, e ele reuniu um quadro de funcionários que pode ser mais bem descrito parafraseando Churchill: raramente tão poucos professores torturaram tantas crianças por tanto tempo. A atitude básica era disciplina e antissemitismo.

Fui reprovado no exame de admissão e mandado a um tutor, que gostou da minha inteligência e a usou sem reservas para diminuir o outro aluno, um boçal. Uma vez caguei na calça a caminho da aula com ele. Apesar de ter conseguido limpar a maior parte da sujeira num banheiro público, devia estar cheirando muito mal.

O tutor farejou o ar durante toda a sessão e ficou muito desconfiado do outro aluno. Eu não disse nada. Creio que esse foi meu primeiro ato de desonestidade. Nos anos seguintes, no *gymnasium*, aprendi a mentir com muito sucesso.

Éramos quatro judeus na turma. Krafft tornou-se psicanalista; Schildkraut construiu um nome no cinema; e Hollaender compôs muitas canções adoráveis para Marlene Dietrich.[112]

Quando levávamos uma advertência, os pais eram notificados, com postagem a cobrar. Eu me dividia entre o ódio à escola e o terror das reprimendas dos meus pais, até que encontrei uma saída: esperar o carteiro, interceptar a correspondência da escola e forjar a assinatura de recebimento. No final, também fui descoberto na tramoia. Lentamente mas sem descanso, levei minha mãe ao desespero. A grande ambição da vida dela se desvaneceu; eu me tornei indomável; cortei as tiras do chicote dela. Uma vez, quando fugia dela, tranquei a porta, quebrei a janela de vidro daquela porta e fiz caretas para ela, me divertindo com sua impotência para me pegar.

Na escola, eu ia tão mal que repeti o sétimo ano, repeti mais uma vez e fui expulso. Naquela época, na Alemanha, ninguém concluía que a evasão escolar de um menino brilhante e alegre pudesse não ser culpa só dele.

---

112. Richard Freiherr von Krafft-Ebing (1840-1902), psiquiatra alemão e autor da obra fundamental *Psychopathia sexualis* (1886).
Joseph Schildkraut (1896-1964), austríaco, ator de teatro e cinema, emigrou para os Estados Unidos em 1920 e ganhou o Oscar de Melhor Ator Coadjuvante pelo filme *Émile Zola* (1938).
Frederick Hollaender (1896-1976), anglo-alemão, compositor de músicas de cinema, como *Ich bin von Kopf bis Fuß auf Liebe eingestellt* (*Estou pronto para o amor da cabeça aos pés*), canção do filme *O anjo azul* (1930) que imortalizou a atriz e cantora germano-estadunidense Marlene Dietrich (1901-1992). [N. T.]

O outro desistente era o meu iniciador no sexo, Ferdinand Knopf, cuja liderança aceitei facilmente. Nunca masturbamos um ao outro, mas simultaneamente, enquanto ele me contava histórias das aventuras de sua irmã mais velha. Eu tinha ereção com facilidade, mas era jovem demais para ter ejaculação. Então veio a iniciação à trepada.

Compramos doces (cada etapa foi sugestão dele) e encontramos uma prostituta que deu sinais de gostar de Ferdinand. Tínhamos treze anos, mas parecíamos mais velhos.

Pegamos o trem para Grüner Wald, bem perto de Berlim. Eles conversavam o tempo todo; eu viajava apreensivo e mudo. Na floresta, prometemos não espiar. Contive a curiosidade. Então chegou a minha vez. A garota logo perdeu a paciência com minha incapacidade de ter um orgasmo e me empurrou. Virei para o outro lado. Ferdinand estava olhando. Eu me senti traído.

Pouco depois, a liderança dele resultou em algo importante por mim. Depois de ser expulso da escola, eu me tornei aprendiz de um vendedor de roupa de cama e banho. Preguei peças no patrão e fui demitido. Ferdinand foi o empreendedor de sempre e encontrou outra escola para nós, o Askanische Gymnasium, uma escola liberal. Passei no exame de admissão, adorei vários professores de orientação humanista e escrevi artigos e trabalhos tão bons no *Abiturium* que eles me dispensaram do exame oral.

Isso aconteceu apesar de eu já ter começado minha vida múltipla. Ou teria sido por causa dela...?

A caminho de São Francisco, parei em Monterey para participar de um debate no congresso de Análise Transacional. Gosto do termo "transação" para indicar que, numa troca verbal, algo real está acontecendo, algo mais que a troca de clichês, mais que um pingue-pongue verbal, mais que o

Escarafunchando Fritz

jogo do "quem está certo". Gosto de Eric Berne e gosto especialmente de Bob Goulding[113], que era o mediador. Tive um oponente jovem e bem-intencionado que não era páreo para mim. Fiquei desapontado porque Eric não foi a minha contraparte.

Sempre me impressionei com a ênfase de Eric no *role-playing*, mas o que vi no meu adversário foi decepcionante. Não só parecia um extrato da abordagem freudiana como também uma negação da própria máxima de Eric Berne de que *desempenhamos* papéis. Os dois papéis que pude observar restringiam-se a pai ou mãe e filho e eram levados *muito a sério*. Não identificaram o verdadeiro jogo deles, a categorização compulsiva de cada frase como propriedade do filho ou dos pais. A ideia de amadurecimento, de integração e transcendência do desempenho de papéis parecia ser desconhecida. Como ocorre com a análise ortodoxa, o interesse permaneceu na zona média. Estar em contato com o mundo e consigo mesmo não parecia integrar a abordagem do meu oponente. Acariciar é proibido, exceto simbolicamente.

Gosto de um dos jogos deles: coleção de selos. Se você tem um álbum de selos verdes, tem o direito de sentir-se com três metros de altura; se tem um álbum de selos pretos, tem direito a uma depressão, talvez até suicídio.

> Porém de Eric invejo o sucesso
> Sim, admito a inveja
> (Você tem faro perfeito)
> Aquele tratado de Eric foi sucesso...
> Cem semanas como *best-seller*.

---

113. Robert L. Goulding (1917-1992), psiquiatra estadunidense, um dos maiores expoentes da análise transacional e da terapia da redecisão, que se apoiava nos objetivos complementares da análise transacional e da Gestalt-terapia. [N. T.]

Frederick S. Perls

Deve haver algo entre a parte excitante dos Schutz e dos Gunther com sua centena de truques e a monotonia e pobreza da restrição a dois papéis dos bernianos. Cite ao menos um príncipe que de vez em quando se transforme num sapo feio.

Acabei de perceber que deixei de fora um mérito importante da abordagem de Berne. Reich deu corpo à ideia de resistência de Freud, realidade que ele chamou de couraça. Berne deu um oponente palpável ao superego de Freud, a criança. O superego de Freud oprime abstrações como sendo instintos, ego, atitudes. Assim, Berne estabeleceu uma polaridade real.

Chamo esses oponentes de dominador e dominado, com ênfase na necessidade de controle e em ressentimentos, demandas e frustrações mútuas.

Vejo aqueles conflitos internos, como os conflitos entre pais e filhos, marido e mulher, terapeuta e paciente, como tentativas — e normalmente tentativas bem-sucedidas — de preservar o *statu quo*: matar o futuro, evitar o impasse existencial e sua pseudoagonia.

Vejo esses conflitos atenuar-se e a integração e a harmonia se imporem, assim que os oponentes recuperam os sentidos, principalmente a audição. Não é um truque semântico equiparar audição e compreensão; é comunicação verdadeira.

A humildade da compreensão contrasta com as necessidades de controle da perseverança, da retidão.

Brigar é bom se mobiliza o potencial do indivíduo, como em muitos esportes e competição intelectual. Fundamenta-se na alegria de crescer.

Escarafunchando Fritz

Brigar é ruim se é mobilizado por preconceitos ou em nome da retidão. Fundamenta-se na alegria da destruição.

Isso é "bom" e aquilo é "ruim". Julgamentos, moral, ética.

De onde vêm? São elementos da natureza, a voz de Deus, capricho de legisladores? O que nos faz atacar o "mau" e idolatrar o "bom"?

Até a época de Nietzsche e Freud, a consciência é considerada a mais valiosa herança do homem. Kant ainda põe o imperativo categórico no nível das estrelas eternas.

Compare isso com a declaração cínica de Hitler: "Posso declarar qualquer um inimigo ou amigo à minha vontade".

O ponto de vista católico de que nascemos em pecado, com recursos morais inadequados para a vida, complica ainda mais a questão.

Assim como Darwin destronou o homem do papel muito especial de criação divina, Freud desbancou a consciência da condição de instituição divina. Deixou clara a intromissão da sociedade, via papai e mamãe, no animal humano. Deixou clara a continuação dos tabus sociais no ser humano pelo artifício da introjeção: a internalização do policial.

Ele não está pronto para aceitar o animal humano, inclusive o sexo, pelo que é. Precisa justificá-lo. Ainda existe um subtom da maldade católica na criança, aí incluída a projeção de uma perversidade polimorfa na criança.

"Podemos dar um passo à frente e ver a dicotomia bom-mau como uma função organísmica?"

Acredito que sim. Podemos considerar essa dicotomia uma reação organísmica projetada.

> "Ouvi corretamente?
> Creio que você disse
> Se re-agimos projetivamente
> Conhecemos o bom e o mau."

Isso vem mais tarde. Essa é a reação à reação projetada.

> "Acho impressionante
> O que você disse reafirma
> Como você me enlouquece
> Com sua pompa no falar."

Pelo contrário. Minhas nobres intenções são de levá-lo à sanidade.

"Você negou de todo
O estímulo reflexo.
Agora furtivamente
Traz reações de regrexo."

Traz as reações de regresso, não regrexo.

"Você não reagiu bem
Ao meu verso quebrado.
Afirmou cruel também
Sou mau e errado."

Está chegando perto. Se não tivesse me atrapalhado, eu poderia ter começado a discutir "bom" e "mau" como função organísmica; poderia até ter-me aventurado em território estranho: a química da moralidade.

"??????????"

Freud era um "dispositor". Isto é, ele se orientava topologicamente. Mudava as coisas de um lado para o outro; dispunha coisas. Embora reservasse o termo "deslocamento" para certas ocorrências, a maior parte da teoria dele pode ser entendida como movimentos no espaço. Soa paradoxal. À primeira vista, Freud parece orientar-se pelo tempo, já que a sua preocupação com o passado é óbvia.

"Vai voltar a Freud de novo?"

De jeito nenhum. Estou tentando chegar a ele. Pode-se dizer que o usei para a minha compreensão. Usei três formas de topologia (projeção, introjeção e retroflexão) durante vinte e cinco anos, seguindo claramente a maneira de pensar de Freud, ao mesmo tempo que negava a validade dele quanto a outros fenômenos.

"Dê exemplos."

Vejamos "transferência". Significa literalmente mudar uma coisa de um lugar para outro. Essa palavra ficou nebulosa por ter conotações de todo tipo, como confiança, fixação, demanda de apoio etc. Na origem, significa transferir para o terapeuta os sentimentos de alguém pelo pai etc. Depois, essa palavra se tornou, de modo vago e metodológico, um ilusionismo. Transferência negativa não significa mais a mudança de crédito para débito, mas a exibição de comportamento negativo, provavelmente hostil.

Consciência e "o" inconsciente também são lugares. O inconsciente torna-se um lugar de coisas *des*locadas. Boca, ânus e genitais são locais para colocar a libido.

O nome que Freud dá a figura/fundo é catexia: *Besetzung,* alocação, ocupação de um lugar — só que ele pôs cola onde é desejável a máxima liberdade para a mudança. Em outras palavras, o processo é negligenciado e substituído por raciocínio mecânico.

Em nenhum ponto isso se torna tão claro quanto na visão freudiana de introjeção. Num momento, o objeto está do lado de fora; no outro, está dentro do organismo. O processo mecânico de mastigação é apenas sugerido e a química inexiste.

Depois que a comida foi mastigada até virar papa, é necessária outra desestruturação, realizada pelos sucos digestivos. O alimento, tanto mental quanto físico, não pode ser usado pelo organismo nas suas necessidades específicas, a menos que ele se pulverize em aminoácidos etc., isto é, essas coisas elementares com que as células conseguem lidar.

Esse é o ponto zero. É o momento de assimilação, de transformação das coisas externas em *self*. Até esse ponto, o organismo lida com suas necessidades, seus apetites, suas subtrações (-).

O passo seguinte é a acumulação e o descarte de substâncias químicas não utilizáveis, que bloqueiam os processos a ponto de se tornarem venenosas e prejudiciais ao organismo. Da perspectiva fisiológica, acontece um processo de desintoxicação por meio dos rins, do fígado etc. Para alcançar o zero, o organismo precisar reduzir seus (+) de substância indesejável.

Os nocivos não têm um sistema em bom funcionamento que elimine o veneno.

Estamos longe de realmente compreender a relação entre — talvez a identidade do — o comportamento organísmico e o comportamento de personalidade.

"Percebi que você criou alguns atalhos *e* inseriu a sua química. Ainda não vejo a relação entre química e moralidade."

Gosto da formulação de que a moralidade não é originalmente um juízo ético, mas organísmico. Voltemos aos meus anos de "mau". Meu comportamento fazia meus pais se sentirem mal. Eles sentiam irritação, raiva, desgosto. Não diziam "*eu* me sinto mal"; diziam "você é mau", ou, na melhor das hipóteses, "você me dá náusea".

Em outras palavras, a reação primária é projetada e torna-se um julgamento moral. O passo seguinte é que certos comportamentos são considerados "maus" por uma comunidade e até elevados à condição de "crime".

A mesma coisa se aplica ao oposto. Um garoto que se esforça para agradar faz seu ambiente sentir-se bem. Ele é rotulado de "bom" menino e tem direito a elogio, pirulitos e medalhas.

Condicionamento, fronteiras do ego, educação, justiça, mudança, projeção e mais alguns fenômenos começam a se encaixar no seu lugar.

> Eu, você, pais, sociedade, marido e mulher dizemos:
> "Eu me sinto bem na sua presença, eu me sinto à vontade.
> Chamo você de "bom". Quero você *sempre* comigo.
> Quero que você seja sempre assim".

> Eu, você, pais, sociedade, marido e mulher dizemos:
> "Eu me sinto mal perto de você: você me intimida.
> Se você sempre me faz sentir-me mal, não quero você.
> Quero eliminar você. Você não deveria existir.
> No lugar onde você está, não deveria haver 'nada'".

> Eu, você, pais, sociedade, marido e mulher dizemos:
> "Às vezes me sinto bem com você, e às vezes mal.
> Quando você é bom, deixo extravasar o meu apreço e o meu amor e deixo que os compartilhe.
> Quando você é mau, eu me sinto perverso e punitivo.

Extravaso vingança e ódio e faço você sentir a minha inquietação".

E dizemos — Não toleramos que você se transforme de bom para mau para bom para mau para bom para mau. Vamos mudá-lo, condicioná-lo com recompensa e punição. Nós o educamos recondicionando o seu bom comportamento até que você, diabo, transforme-se num anjo ou ao menos a cópia de um, até se tornar o que Nós, Nós, Nós queremos que seja.

Passamos a responsabilidade a você. Abrimos mão da nossa responsabilidade, da *awareness* do *nosso* desconforto. Fazemos o *seu* comportamento ser responsável, que *você* corresponda à nossa necessidade. Nós o culpamos e *reagimos* a você.

Podemos ser santos que tudo aceitam, como Carl Rogers, ou misantropos hostis, doentios e patifes, rejeitando qualquer invasão da nossa privacidade. Podemos matá-lo ou prendê-lo se você mostrar o mínimo desvio em relação à diretriz do partido. Se você é mau, deve ser isolado até se arrepender e prometer ser bom. Será mandado para o seu quarto, se você ainda for criança, ou, se o chamarmos de criminoso ou psicótico, encarcerado e mandado para um campo de concentração, caso contrarie o ditador.

Se você é bom, nós o identificamos, pois você se identifica conosco. Se é mau, nós o afastamos; você não tem lugar entre nós. Se é bom, convergimos. Se é mau, erigimos paredes entre nós. Nunca estamos em contato, pois contato é o reconhecimento das diferenças. Convergência é o reconhecimento de igualdades. Isolamento é a condenação das diferenças. Em suma, a vivência de bom e mau regula a estrutura das fronteiras do ego.

Esalen está em crise outra vez. A enrascada financeira foi superada, mas algo mais fundamental está em jogo. Dentro e fora dos Estados Unidos, Esalen tornou-se o símbolo da revolução humanístico-existencial, por descobrir e promover novos caminhos para a sanidade, o crescimento e o desenvolvimento do potencial humano.

Mike Murphy, ávido demais para dar a todos uma oportunidade de "fazer um negócio próprio" e por causa da necessidade de manter a saúde financeira, não teve o discernimento necessário para deixar as ervas daninhas do lado de fora ou ao menos não deixá-las sufocar as flores. A missão histórica de Esalen está em risco. Jovens sem formação conduzem reuniões de grupos: "Ficamos ligados sem LSD. Que se danem o diagnóstico e a adulteração de casos limítrofes. Que se danem as reações de decepção quando a prometida 'autorrealização' não acontece".

Tudo bem se as pessoas da classe média estadunidense descobrirem que podem ganhar vida se experimentarem oportunidades e perceberem que a vida é mais do que produzir e cuidar de coisas.

Contudo, elas chegam despreparadas. Quando alguém lhes diz que este ou aquele artifício ou técnica é o caminho certo, elas têm medo de se manifestar e se tornam uma farsa de outro tipo.

Estamos apenas começando a descobrir meios de crescimento eficazes, que produzam mudança. Será que isso vai se perder numa onda de modismo que não produzirá mais que uma reação violenta? As farsas passarão a predominar ou as pessoas reais e sinceras é que sobreviverão?

Em contraposição aos alunos, a maior parte do corpo de funcionários aqui é gente de verdade. Ganham pouco dinheiro, mas têm o privilégio de ser quem são. Muitos são bonitos e encantadores. É claro, algumas maçãs podres e impostores também integram o grupo, mas são excluídos mais cedo ou mais tarde.

Sem os funcionários, Esalen não seria o lugar singular que é. Nunca na vida amei e respeitei tantas pessoas quanto lá.

Além de Selig, eu destacaria Ed Taylor e Teddy como dois dos poucos indivíduos no mundo em quem confio incondicionalmente.

Ed é Barbarossa, o de barba ruiva, pianista e padeiro. Quase escrevi que ele assou o pão que tornou Esalen famoso. Adoro jogar xadrez com ele.

Na maioria dos casos, os enxadristas são determinados a vencer, computadores compulsivos, que ocupam boa parte do meu tempo, são cheios de ódio quando perdem e se esquecem de que nada mais é que um jogo.

Ed não é assim. Jogamos, nos divertimos. Para nós, o xeque-mate é apenas uma das regras do jogo. Os movimentos não são compromissos irretratáveis. Deixamos isso para a vida real.

Teddy é uma mulher fina. Isso soa bem arrogante. Digamos que ela se tornou fina. Sei que as pessoas usam a palavra "fina" sem muita consideração. Eu raramente a uso. Refinada, bem-vestida. Uma boa constituição. Nada de grosseiro nela. Extravagante como sou, gosto do contraste do jeito despretensioso que ela tem. Amizade com uma pitada de amor, admiração e desaprovação velada. Com Teddy, estou sempre seguro.

Não posso dizer o mesmo sobre Lore. Depois de tantos anos, ainda me sinto confuso. Nós nos conhecemos há mais de quarenta anos por meio de Fred Omadfasel, que também trabalhava no Instituto Goldstein.

Ela era a mais velha de três filhos. Eu gostava da irmã dela, Liesel. Quando nos encontramos novamente em 1936, na Holanda, tivemos encontros memoráveis. Comparada com a densidade, o envolvimento intelectual e artístico de Lore, ela era simples, bonita e sedutora. O caçula era Robert, a quem Lore aparentemente tratava com desdém, como a um filho. Ele e eu tínhamos uma antipatia mútua que nunca superamos. Quando cheguei aos Estados Unidos pela primeira vez, sozinho, morei por um breve período com a família dele. Foi muito desagradável, para dizer o mínimo, como uma continuação dos dezessete anos anteriores na Alemanha, quando eu era considerado um pária que se atrevia a invadir a próspera família Posner.

Na verdade, era o contrário. Tentei me afastar de Lore várias vezes, mas ela sempre me seguia.

Mencionei o pai de Lore anteriormente, um homem que a amava e mimava, que a deixava fazer tudo que quisesse. A mãe era uma mulher muito sensível, apaixonada pelo seu piano, de audição prejudicada, o que explicava parte do seu retraimento. Lore tinha um profundo desgosto por ela. Eu gostava dela, e ela de mim. Foi nos visitar na África do Sul e insistiu em voltar, levando até mesmo suas joias valiosas, para o caso de os nazistas ficarem bravos com ela.

Não me sinto bem escrevendo sobre Lore. Sinto sempre um misto de agressão e defesa. Quando Renate, nossa filha mais velha, nasceu, me en-

Frederick S. Perls

cantei com ela e até comecei a me reconciliar, de alguma forma, com o papel de homem casado. Mas quando, mais adiante, eu era responsabilizado por tudo que dava errado, comecei a me afastar mais e mais do meu papel de *pater familias*. As duas viviam, talvez ainda vivam, num apego simbiótico muito peculiar.

Steve, nosso filho, nasceu na África do Sul e sempre foi tratado pela irmã como idiota. Ele se desenvolveu em sentido oposto. Enquanto Renate é uma farsa, ele é real, ameno, confiável, meio fóbico e obstinado em pedir e aceitar qualquer ajuda. Fiquei comovido quando, no Natal passado, recebi sua primeira carta pessoal e carinhosa.

Temos quatro netos. Ainda nenhum bisneto.

Talvez um dia eu me sinta propenso a me organizar e escrever sobre minhas compulsões voyeuristas em torno de Lore, sobre seus *insights* às vezes brilhantes e seu cuidado comigo quando estive doente.

No momento, parece-me que vivemos no fundo paralelos um ao outro, com relativamente poucas experiências de pico de brigas violentas e amor, ocupando a maior parte das nossas conversas com tediosos jogos de um ser melhor que o outro.

Lore, como muitos dos nossos amigos, era contrária a chamar nossa abordagem de Gestalt-terapia. Pensei em Terapia da Concentração, ou algo assim, e desisti. Isso significaria que minha terapia-filosofia acabaria sendo categorizada como uma de outras centenas de terapias, o que de fato, em certa medida, ocorreu.

Eu estava inflexível, pronto para o tudo ou nada. Nenhuma concessão. Ou a psiquiatria estadunidense um dia aceitaria a Gestalt-terapia como a única forma realista e eficiente de compreensão, ou ela pereceria nos escombros de guerra civil e das bombas atômicas. Não era à toa que Lore me chamava de mistura de vagabundo e profeta.

Em 1950, Art Ceppos[114] assumiu o risco de publicar o livro, que era, como a maioria das suas publicações, uma obra alternativa. Ele sem dúvida apostou, e apostou bem. As vendas de *Gestalt-terapia* aumentaram regularmente ano a ano, e agora, depois de dezoito anos, continuam aumentando.

---

114. Art Ceppos (?-?), administrador e editor, sobretudo do famoso livro *Dianetics: the modern science of mental health*, de Ron Hubbard (1911-1986), escritor de ficção científica e posteriormente fundador da Igreja de Cientologia. Esse livro tem edição em português do Brasil: *Dianética: o poder da mente sobre o corpo* (Bridge Publications, 2009).

Escarafunchando Fritz

Minha previsão era que levaria cinco anos para divulgar o título, mais cinco para atrair o interesse dos leitores pelo conteúdo, mais cinco para a sua aceitação e outros cinco anos para uma explosão da Gestalt. É mais ou menos o que está acontecendo. Minha filosofia veio para ficar. O maluco do Fritz Perls torna-se um dos heróis na história da ciência, como alguém me chamou na convenção, e isso está acontecendo enquanto estou vivo.

Há dois anos, mal conseguíamos ter um painel na convenção da Associação Americana de Psicologia. No ano passado, fui aplaudido em pé. Houve uma comemoração emocionante dos meus setenta e cinco anos com um banquete e *Festschrift* — uma coletânea de contribuições para a Gestalt-terapia — e um filme de Dick Chase.

O artigo de Joe Adams[115] me surpreendeu. Ele mora numa casa no litoral e é um sujeito acanhado, despretensioso. Nunca pensei que gostasse de mim e do meu trabalho; ele nunca compareceu a nenhum dos meus seminários. E apresenta uma discussão muito inteligente sobre os imortais, e Perls tem um lugar entre eles.

Outro artigo foi o de Arnold Beisser[116], que pode ser chamado um clássico em estilo e conteúdo.

Conheço Arnie há muitos anos. Olá, Arnie. É bom estar com você, mesmo que só em fantasia. Sei que nos amamos, mas raramente nos livrávamos da autoconsciência quando nos encontrávamos. Você parece muito frágil na sua cadeira. Nunca perguntei como se sente por não poder estender os braços livremente quando quer abraçar alguém. Que coragem aceitar a vida depois de ter-se dedicado tanto aos esportes e ser acometido por uma paralisia infantil, da qual sobreviveu por pouco.

Como está se saindo com seu centro de treinamento? Como vai Rita? Quero dizer que você escreveu um artigo excelente. Pouquíssimas pessoas entendem o paradoxo da mudança.

Muitas vezes pensei que eu não fora reconhecido por estar vinte anos à frente do meu tempo, mas vejo que você dispôs de uma perspectiva melhor destes tempos em rápida transformação.

---

115. Joe K. Adams (?-?), primeiro psicólogo que conduziu um seminário em Esalen, investigou as causas da esquizofrenia e trabalhou em experimentos com LSD. [N. T.]

116. Arnold R. Beisser (1925-1991), tenista profissional, psiquiatra e discípulo de Perls; paralítico aos vinte e cinco anos, elaborou a teoria paradoxal da mudança, segundo a qual a mudança acontece não quando tentamos ser quem não somos, mas quando aceitamos ser quem somos. [N. T.]

Quando Clara Thompson[117] sugeriu que eu me tornasse analista de treinamento na Escola de Psiquiatria de Washington, eu não quis. Recusei-me a aceitar a ideia de me ajustar a uma sociedade à qual não valia a pena ajustar-se. Como todas as escolas pregam o ajuste a algum ponto da história que já ficou no passado, elas criam apenas almas perdidas.

Eu, nós criamos um centro sólido em nós mesmos; passamos a ser como rochas, com as ondas à nossa volta.

Sei que essa é uma metáfora bastante exagerada. Você põe a sua marca no seu ambiente, em vez de reagir a ele.

Obrigado, Arnold Beisser, pela compreensão, confiança e coragem.

Ao trabalhar com um paciente ou alguém que encontro, fico alerta especialmente à intenção dessa pessoa, se quer me agradar ou desagradar, se quer ser o menino bom ou o menino mau.

Se quer me desagradar, controlar, brigar comigo, debochar de mim, me desafiar, não me interessa. Na verdade, estou no comando porque não tento comandar a outra pessoa. Posso me recusar a trabalhar com ela. Muitas vezes, depois de dispensar alguém da cadeira quente — ou, em raras ocasiões, expulsar do grupo uma pessoa muito destrutiva —, ela normalmente volta com uma espantosa prontidão para trabalhar. Afinal, existe um covarde atrás de cada valentão, como existe um pirralho ressentido dentro de todo bom menino.

O bom cliente, como o bom menino, usa o seu comportamento para subornar. Se o terapeuta tem interesse em lembranças da infância, o cliente

---

117. Clara M. Thompson (1893-1958), renomada psiquiatra e psicanalista estadunidense, dedicou-se sobretudo à formulação de uma psicologia feminina. [N. T.]

as traz em abundância. Se o terapeuta volta-se para os problemas, o cliente os traz e, se acabam, cria outros. Se o que interessa são vivências, ele mobiliza sua histeria e as exagera, até se tornarem vivências extremas. Vai dar enigmas ao intérprete, desmaios ao entendido, dúvidas ao persuasivo e assim por diante — qualquer coisa que mantenha a sua neurose.

Voltamos ao ponto de partida, o problema da identificação. Identificamo-nos com o nosso verdadeiro *self* ou com as exigências alheias, inclusive as de uma autoimagem? Essas demandas do ambiente e de introjetos colocam-nos em estado de reação, em vez de ação, expressão, extravasão. As teorias de ajuste dão preferência às demandas sociais. Muitas filosofias e todas as religiões classificam de egoístas e animalísticas as necessidades organísmicas. As melhores soluções aparecem, claro, quando as necessidades do *self* e as da sociedade coincidem. Na sociedade incluo pais, cônjuges, terapeutas, professores e parasitas — a sociedade externa e também a interna, os introjetos. A indecisão de a quem agradar, se a si mesmo ou aos outros, constitui o conflito neurótico.

Os dois lados estão repletos de perigo. Se estamos do lado dos anjos, precisamos sacrificar, desapegar, alienar, reprimir, projetar etc. boa parte do nosso potencial; se nos identificamos com as nossas necessidades, podemos ser punidos, marginalizados, desprezados, privados de apoio externo.

A solução terapêutica é a racionalidade, a percepção de que muitas das nossas expectativas catastróficas não têm validade, muitos dos nossos introjetos são obsoletos, apenas um fardo. Ao entrar em contato com o ambiente e o *self*, o cliente aprende a diferenciar suas fantasias da sua avaliação da realidade.

Enquanto o conflito entre indivíduo e sociedade é óbvio e conhecido de todos, enquanto o conflito entre vender-se à sociedade e fazer a própria

Frederick S. Perls

cama não é novidade alguma e enquanto a divisão entre obedientes e rebeldes permanece imutável ao longo das eras, pouco se sabe sobre a internalização desses conflitos e como encontrar uma solução integrativa.

Essa solução requer uma compreensão da função da fronteira do *self* e da fronteira do ego. Ambas são fronteiras de contato. A expressão fronteira do *self* é correta; a expressão fronteira do ego restringe-se ao indivíduo, mas suas leis se aplicam a todas as fronteiras de contato. Essas fronteiras são determinadas pela dicotomia identificação-alienação. A investigação nos levará, espera-se, ao fenômeno mais importante e mais difícil: projeção.

Gostaria de interromper esta tediosa discussão abstrata com um exemplo esclarecedor da relevância da nossa investigação.

Um grupo de cidadãos dedica-se à derrubada da separação entre pessoas pretas e brancas. Normalmente, os guerreiros da liberdade se identificam com a luta do negro e exigem a identificação do negro com seus esforços. Embora se dediquem a essa integração, cria-se outra fronteira, uma dicotomia entre os guerreiros da liberdade e os guerreiros antiliberdade.

Durante a Segunda Guerra, existia uma fronteira entre os aliados e os nazistas, e ela logo passou a ser uma fronteira diferente chamada "cortina de ferro".

Eu poderia recitar dezenas de exemplos de fronteiras como essas, que sempre existiram entre indivíduos, famílias, grupos, clãs, nações, camadas da sociedade, e concluir que ideais como as Nações Unidas e fraternidades universais carecem da perspectiva da situação geral e, por isso, provocam um otimismo bobo.

Escarafunchando Fritz

Em Durban, tínhamos um clube internacional com brancos, negros e indígenas. Nós nos dávamos bem com os negros e os indígenas, mas falharam todas as tentativas de aproximar os dois últimos grupos.

A verdadeira fronteira nos Estados Unidos não é a divisão entre democratas e republicanos, ou entre patrões e empregados, ou entre brancos e grupos minoritários, ou entre cidadãos que cumprem as leis e rebeldes.

A fronteira é entre "ajustados" e "desajustados".

Uso esses termos deliberadamente, a fim de evitar julgamentos morais como bons e maus ou certos e errados.

Para entender minhas ideias a respeito de uma solução, devemos perceber que ela implicaria um plano de uma magnitude como a de um programa aeroespacial multibilionário, mas a diferença seria que, em vez de empregar mais dinheiro, ela acabaria economizando muitos bilhões. Mais ainda, ela pode ser implementada ou pelo menos considerada e iniciada por qualquer regime no poder.

Duvido, porém, que numa sociedade tecnocrata quase ilimitada no seu planejamento das "coisas", um empreendimento humanístico de tal magnitude pudesse ser entendido. A única esperança está em reconhecer que estamos de fato presos a um problema humanístico de proporções gigantescas, com o poder explosivo de uma possível guerra civil evidente.

Com uma pequena porcentagem de exceções, cada cidadão pertence a uma destas três categorias:

a) Os ajustados. Eles produzem, comercializam e entregam "coisas" e cuidam de produtores, comerciantes e entregadores. São autossuficientes e formam uma sociedade bem organizada.

b) Os desajustados. Essa é uma sociedade bastante desorganizada e aceita falsamente em várias categorias diferentes e independentes: os criminosos, os lunáticos, os que abandonam a escola, os desempregados, os *hippies*, os pobres, os dependentes químicos, os doentes, os moradores de guetos. São um fardo financeiro para os ajustados, uma vez que precisam ser sustentados ou aprisionados.

c) A classe intermediária, os cuidadores dos desajustados. Também são pagos e usados pelos ajustados. Entre eles estão a polícia, os trabalhadores sociais, as equipes de hospitais e penitenciárias, psicólogos, médicos, padres etc.

Importa aqui a ideia, não as minúcias dos ocupantes de cada lugar.

Importa o ressentimento que os ajustados sentem pelos desajustados, por causa da enorme quantia do dinheiro de impostos gasta com eles.

Importa o ressentimento e o ódio que os desajustados sentem por dependerem dos ajustados e não ser compreendidos.

A tendência tem sido sempre transformar os desajustados em ajustados mediante uma cura, um arrependimento e um condicionamento.

Tornem os desajustados autossuficientes! Ajustados, entendam a coexistência! Ao menos olhem para o problema. Usem seus computadores!

Façam estudos-piloto. Deve haver em algum lugar do mundo um sociólogo capaz de se encarregar de um programa socioespacial. E generais, pensem nisto: campos de concentração não são a resposta.

> Fronteiras de contato, reconhecimento da diferença, sim.
> Muros, condenação da diferença, não.
> Poder ou sanidade?

Ou: seria bom usar o poder para restaurar a sanidade. Todavia, ele será sempre mal utilizado.

Embora a fantasia me acompanhe, o conceito de fronteira mostra-se com clareza. Estou satisfeito.

A fronteira do *self* poderia ser chamada de obviedade dos sentidos. A fronteira do *self* vai aonde a vista alcança e toca a superfície dos objetos. Os sentidos tocam a superfície; não a penetram. Para ir mais fundo, devemos destruir a superfície, o óbvio. Estar em contato significa orientar-se para a superfície, o que é uma das principais características da Gestalt-terapia.

Sem respeito pela superfície, penetramos e analisamos *ad infinitum*[118], porque, por mais fundo que penetremos, sempre se encontrará outra superfície. Como na cebola, ao remover uma camada, outra aparece, e outra, e outra, até chegarmos ao nada.

Freud discorre sobre repressões e retorno do inconsciente. Se entendemos a linguagem do óbvio, não precisamos dessa conversa dupla. Nada nunca é realmente reprimido. Todas as *Gestalten* relevantes emergem, estão na superfície, são óbvias como a nudez do imperador. Os seus olhos e ouvidos têm consciência delas, desde que o pensamento-análise do seu computador de não o tenha cegado, desde que você mantenha as autoexpressões não verbais, os movimentos, a postura, a voz etc. Sem mirar a superfície, a fronteira do *self*, você fica irremediavelmente fora de contato — e também a contraparte, fora de *alcance* — isolado por grossas camadas de verbosidade.

A fronteira de contato, por exemplo, a fronteira do ego, mostra-se uma questão muito mais complicada até que a sua simplicidade seja compreendida. A fronteira do ego é como a cama de Procusto.

118. Em latim no original: indefinidamente. [N. T.]

Procusto era um homem da Grécia antiga que adorava fazer o jogo do ajuste. Ele só tinha uma cama. Então, se o hóspede fosse muito alto, ele lhe cortava os pés; se fosse muito baixinho, ele o esticava e esticava até ajustá-lo ao comprimento da cama.

É isso que fazemos conosco se o nosso potencial não se encaixa na nossa autoimagem.

Nem todas as fronteiras são tão rígidas quanto essa cama. Uma história da antiga Palestina mostra uma fronteira que é rígida e móvel.

Num vilarejo de lá, vivia uma prostituta. Um dia, os habitantes do vilarejo decidiram apedrejá-la. Não sei por quê. Talvez ela tivesse cobrado mais caro de um cliente ou transmitido a ele uma doença venérea[119]. De qualquer maneira, quando eles se preparavam para apedrejar a moça, apareceu um rapaz de barba loira e cabelo comprido, parecendo um *hippie* limpo. Ele levantou o dedo indicador direito e disse: "Aquele que nunca pecou que atire a primeira pedra". Todos soltaram as pedras. Silêncio. Então, "pá", uma pedra foi arremessada.

A jovem se virou: "Mamãe!"

O que aconteceu? O comportamento da mãe não mudou. E os outros? Ficaram subitamente inibidos? Teriam calculado a equação pecado = pecado? Perceberam a projeção deles? Tudo isso é possível, mas não aborda a questão central. A questão é que eles acordaram de um transe de fúria, entraram em contato com a realidade, tiveram uma experiência do tipo *satori*.

---

119. O autor usa a abreviatura VD, de *veneral disease* (doença venérea), termo que, muitos anos depois, a ciência substituiu por DST (doença sexualmente transmissível) e a seguir por IST (infecção sexualmente transmissível). [N. T.]

Escarafunchando Fritz

Estamos num verão fora de época. Quente além da conta. Tirei um cochilo rápido, acordei de um sonho vívido em que me despedia da família Rund, a da minha mãe. Dizer adeus ao meu avô parece irrevogável. Verei os outros de novo, mas não ele. Estou sentado a uma distância considerável dele, beijo-lhe a mão e percebo que ele está sentado adiante, e eu tenho um braço ao meu lado sem uma pessoa ligada a ele. Um braço masculino.

Estou entediado e bocejando. Sinto preguiça demais para fazer qualquer coisa com esse braço.

Tédio e cansaço. Você me ajudou antes. Não quero trabalhar o sonho à moda de Perls, nem fazer associações no estilo de Freud. Quero reter o clima. O dizer adeus e a minha reverência por ele é algo falso, forçado.

Procuro imagens, bocejo, comparo-o com o meu pai, comparo o meu abraço quando sou falso e quando sou real. A mudança na minha curiosidade sexual está emergindo.

Minha compulsão de olhar genitais femininos, tocá-los, manipulá-los, de repente mudou de caráter.

Estou despertando. Alguma coisa se encaixa. A ganância compulsiva vazia = transe determinado por um impulso intenso nunca, nunca satisfeito. Supercompensando um desgosto, e ainda uma curiosidade sem fim. Espiando com apreensão e medo de ser surpreendido. Nos últimos dias eu acordei. O espiar transformou-se num olhar livre e isento de culpa, interessado nas diferentes particularidades de vaginas diversas.

Elas me dizem muito da personalidade de cada garota, como o encontro muito mais superficial do beijo. A experiência da vagina é intensa e não verbal. Sou tímido demais para falar disso. Liberdade, nada sorrateiro, olhos abertos interessados, nenhum transe, nenhuma necessidade de interferir e "criar" a garota.

Agora sou o avô. Sou austero e carrancudo. Não demonstro muito amor. Dou a Fritz um presente de aniversário. Não são só aqueles soldados baratos estampados sobre um cavalo. Eles montam e desmontam. Dá para ver que os cavalos têm buracos e os soldados têm alguma coisa entre as pernas. Entendeu a minha mensagem?

Olhe para os cavalos reais. Que membro poderoso. "Dê uma olhada na sua coisinha insignificante!"

Sinto vontade de defender o meu pinto. Houve um tempo em que era muito grande e potente, mas chegou a hora de dizer adeus.

Vovô, a sua morte mal me tocou. E eu na pele de avô? Recebi uma carta de Ren com fotos de Leslie para o álbum de formatura. É a primeira carta em que ela não me pede nada, mas tenho certeza de que é a introdução de um pedido que talvez seja feito por meio de Lore.

O fato é que gosto muito de Leslie, menina graciosa e inteligente. Há algo de verdadeiro nela, comparado com a insinceridade da mãe e da irmã.

Teddy e eu sempre lemos este manuscrito antes de ela o levar à sua casa para datilografar. Ela disse que não entendia a diferença entre fronteira do *self* e fronteira do ego. Sei que deixei muitas pontas soltas, mas também sei que não estou preparado para escrever um relato sistemático da filosofia da Gestalt. Ainda a estou descobrindo, mas também tenho muitas partes prontas para compor o panorama geral. Com o meu primeiro livro, violei o veredito de McLuhan: "Nenhum livro com mais de dez por cento de ideias novas será aceito". Desta vez, não quero só mostrar o que sei; quero que você me veja e veja também a minha pesquisa. Talvez você confie em mim e eu confie em mim e, em algum momento, filosofia e eu nos tornemos um todo. Reluto em dizer que serão integrados. Esse termo me parece uma finalidade.

Escarafunchando Fritz

Mais uma vez, tenho de mencionar Freud para fazer uma comparação. No fim da vida ele disse: "Nenhuma análise jamais pode ser concluída", e eu digo antes do fim da minha vida: "Não existe um fim para a integração".

Ele diria — Sempre se pode analisar e descobrir material novo.

Eu digo — Sempre existe algo que se pode assimilar e integrar. Sempre existe oportunidade de crescimento.

Freud — A integração se encarrega de si mesma. Se você liberar as repressões, elas se tornam disponíveis.

Fritz — Elas podem se tornar disponíveis desde que não sejam só arquivadas como *insights* interessantes — tenho visto com grande frequência que material reprimido e liberado não era trabalhado como você determinou corretamente, mas continuava alienado e projetado. Vi isso mais vezes com Reich e os outros destruidores de couraças.

Freud — Não sou responsável por eles.

Fritz — De certo modo, é. Você promoveu a teoria da "descarga de emoção". Foi inconsistente quando, na sua magnífica obra sobre a melancolia, demonstrou que melancolia, o trabalho do luto, é um processo de promoção da sobrevivência eminentemente proposital, não só uma descarga.

Teddy — Toda essa conversa não me serve. Quero entender a diferença entre fronteira do *self* e fronteira do ego.

Fritz — Muito bem. Então, Teddy, até onde você consegue alcançar?

T — (estendendo os braços para cima) Até aqui!

F — Nem chega ao teto.

T — Eu vejo o teto.

F — Consegue ver através do teto?

T — É claro que não.

F — Então, você chega aonde consegue alcançar com os braços, os olhos e os ouvidos, certo?

T — Certo.

F — Seu ego participa disso?

T — Não que eu perceba.

F — Você estende os braços para o teto. Está tentando tocar o teto?

T — Sim.

F — Seu ego está tentando tocar o teto?

T — Essa pergunta parece boba. *Obviamente* "eu" faço isso.

F — Essa é a fronteira do *self*. A filosofia do óbvio.

Trapaceei nessa história, e duvido que alguém tenha notado. Quando tentou tocar o teto, Teddy fez uma representação. Não havia nada no teto que ela quisesse alcançar. Portanto, o esforço para alcançar era um artefato, uma demonstração. *Fenomenologia não é uma ciência fácil.* O imperador parece que sempre veste uma roupa rapidamente para obter uma superfície que não seja a própria pele.

Embora as leis da fronteira do ego se apliquem a todos os grupos sociais ou multi-individuais, quero, para simplificar, ater-me à fronteira do ego individual. Sem entender essas leis, toda terapia e todas as relações interpessoais limitam-se a uma manipulação sustentada por artifícios.

A fronteira do ego é o ponto zero entre bom e mau, identificação e alienação, conhecido e estranho, certo e errado, autoexpressão e projeção.

Podemos até agrupar os termos da direita e da esquerda e colocá-los dentro e fora da fronteira.

Sempre volto à palavra "identificação". Tenho uma coisa com ela, de verdade. Associo o sistema sensorial ao sistema de orientação, e a orientação se constrói sobre a capacidade de identificar alguma coisa como X. Sem isso, não há nada além de caos e confusão. Percepção e cognição parecem fundir-se como o processo de identificação.

Um sentinela pede a senha a um homem. "Identifique-se como identificado conosco". Cartões de identificação. Impressões digitais. Testemunhas para identificar um criminoso. Aqui a identificação serve à polaridade de certo e errado. Ele é o homem certo? Só uma pessoa pode ser a certa, um bilhão são as erradas.

Identificação é familiaridade, anticonfusão.

A estranheza é insólita — nenhum meio de orientação. Num pequeno vilarejo o forasteiro é de fora da fronteira, um inimigo. Os métodos dele são desconhecidos. Ele talvez esconda algo com que não se possa lidar.

O psicanalista identifica uma coisa alongada como um pênis. Isso se encaixa na sua orientação, é um sistema que ele conhece.

Um gato identifica uma coisa como um pedaço de peixe, algo que pertence ao mundo do sustento.

Eu me sinto um pouco como Heidegger, aprofundando-me na linguagem até o ponto em que a linguagem encontra existência. "Identificar" alcança os dois sistemas, o sistema de orientação (sensorial) e o sistema de enfrentamento (motor). Por meio da senha, o sentinela identifica esse homem "como" amigo ou inimigo. Ele o identifica "com" o amigo e o deixa atravessar a fronteira, o *cordon sanitaire*.[120] Ele rejeita ou destrói o inimigo. O amigo é bom, o inimigo é mau.

O princípio de fronteira estende-se das fronteiras nacionais até o comportamento dos elétrons. Um capacitor tem uma chapa isolante onde as cargas positiva e negativa se opõem.

A fronteira de contato também é uma fronteira de separação. Dentro da fronteira, coisas e pessoas assumem uma conotação positiva; fora dela, uma negativa. Uso "positivo" e "negativo" no sentido de julgamento: "positivo" com o significado de aceitar, dizer "sim"; negativo com o sentido de rejeitar, dizer "não".

O deus do indivíduo é o deus dos justos, piedosos. Outros deuses são os regentes dos pagãos. Os soldados do país do indivíduo são heróis e defensores, o exército oponente tem os atacantes e os estupradores.

"Conheço tudo isso. Todo filme de segunda é cheio de homens bons e maus. Essa coisa de fronteira serve para quê? E especialmente fronteira do *self versus* fronteira do ego. Isso pode ser um tema para filósofos e o

---

120. Em francês no original: cordão sanitário. [N. T.]

Frederick S. Perls

pessoal da semântica, não para mim. Por que você não nos mostra algo mais pessoal, algo excitante sobre a sua vida sexual, por exemplo."

Nessa área não há muito para dizer. Os dois únicos pontos dignos de menção são que o vovô ficou comigo por mais algum tempo, até eu perceber que ele representava trabalho e falta de diversão. Vivia exclusivamente dentro da fronteira da sua família e do seu tempo. Meu pai vivia sobretudo fora da fronteira da família. Em casa ele era um hóspede, alguém a quem se serve e se respeita.

Meu pai e minha mãe tinham muitas brigas acirradas, inclusive físicas, quando ele a agredia e ela agarrava a barba magnífica dele. Muitas vezes ele a chamava de peça da mobília ou merda.

Ele se isolou gradativamente, à medida em que nos mudávamos de um lugar para outro.

Na Alemanha, todos os prédios tinham apartamentos de frente e de fundo. Os de frente, com vista para a rua, tinham escadas de mármore, carpete e entrada de empregados. Os apartamentos de fundo na rua Ansbacher tinham pelo menos um jardinzinho e uma vara que os criados usavam para bater nos tapetes e tirar a poeira. Não havia eletricidade nem, portanto, aspiradores de pó ou refrigeradores.

Minha mãe usava aqueles batedores de tapete em mim. Ela não quebrou o meu espírito; eu quebrei os batedores.

Testemunhei a chegada da era moderna. O proprietário instalou campainha elétrica na nossa casa. A energia vinha de baterias. Eram operadas por meu primo Martin, de quem eu gostava muito. Ele se interessava por todo tipo de artesanato e aparelho, e todos me fascinavam. Parecia que ele nunca se interessava por garotas. Ele se matou, e eu sempre fantasiei que foi por desespero, porque não conseguia se livrar do "pecado" da masturbação.

Os bondes eram puxados por cavalos até a eletricidade ser instalada. Quando construíram o metrô de Berlim, eu passava horas vendo as marretas gigantes enfiando vigas enormes no chão. Vi os primeiros voos curtos dos irmãos Wright no Campo de Tempehof, que era o território do grande desfile do imperador e agora é um aeroporto famoso. Depois vi as corridas de avião, nas quais eles atingiam até sessenta quilômetros por hora.

Enquanto isso, meus pais se tornavam cada vez mais alienados na lenta ascensão da classe média. O primeiro apartamento ainda era de fundos e tinha quatro cômodos.

Escarafunchando Fritz

No apartamento de baixo morava a viúva Freiberg com um filho que primeiro queria ser ator, depois cantor. Por intermédio dele tive minha iniciação no palco. Não é bem assim.

Quando eu tinha quatro anos de idade, me apaixonei por uma artista de circo que andava a cavalo e parecia ser de outro mundo, um mundo maravilhoso. As roupas douradas, a elegância e a compostura... ela era a encarnação da princesa de conto de fadas. Minha primeira deusa posta num pedestal.

Aquele mundo estava fora do meu alcance? Talvez não. Pouco depois, vi uns meninos brincando de circo num tanque de areia. Identifiquei-me com o palhaço. Um dia, quem sabe, um dia...

Nossa ampla sala de estar tinha uma grande alcova. O menino de Freiberg, Theo, usou esse espaço para produzir uma peça. Duas irmãs da minha mãe, tia Salka e tia Clara, participaram dela. Eu não entendia uma palavra, mas me deixavam puxar a cortina, ajudar em pequenas tarefas e assistir aos ensaios. O que ele mais adorava era ensaiar abraços — embora eu não conseguisse imaginar o que ele ganhava apertando aquelas senhoras espremidas por espartilhos.

Mais adiante, apreciei e levei a sério os espetáculos de *Punch e Judy*[121], as verdadeiras encenações teatrais. Que tipo de pessoa eram aqueles atores que conseguiam se transformar em algo diferente?

Quando Theo montou um espetáculo de ópera, *Il trovatore*[122], com a ajuda do meu professor de hebraico, fiquei decepcionado. O palco e o cenário eram baratos; as personagens se contorciam no chão e cantavam uma para a outra. Compensei meu prejuízo achando aquilo engraçado. Disfarcei a decepção ridicularizando os esforços dele.

Mantivemos contato e depois acompanhei a trupe de Theo a cidades pequenas para apresentar diversos espetáculos de teatro.

Eu já havia invadido o teatro verdadeiro. Isso foi depois de eu ter-me reconciliado com a vida no Askanische Gymnasium.

Às vezes eles precisavam de muitos figurantes para o Teatro Real. Um

---

121. Obra de teatro de bonecos cuja primeira apresentação registrada foi no século 17. Tem influência da *comedia dell'arte* italiana e se popularizou na Inglaterra. Punch (Soco) é um personagem violento que sempre se dá bem. [N. T.]

122. Ópera em quatro atos com música de Giuseppe Verdi e libreto em italiano de Salvatore Cammarano. Estreou em 1853, em Roma. [N. T.]

Frederick S. Perls

ator se encarregava disso. Para cada um, dispunha de meio marco, doze centavos e meio de dólar, e como nós, estudantes, recusávamos esse dinheiro, éramos muito bem-vindos. Adorávamos os figurinos, a participação e o contato com a literatura de um jeito tão animado.

Às vezes o imperador comparecia a uma apresentação de *Kolberg*[123], a história de um cerco militar. Nessas ocasiões recebíamos a ordem: "O dobro dos gritos e urras habituais".

Então transferi a minha lealdade para o Teatro Alemão, que Max Reinhardt comandava. Max Reinhardt foi o primeiro gênio criativo que conheci. Os sonhos dos escritores precisavam tornar-se realidade. Os cenários pintados precisavam desaparecer. As vozes empoladas de locutor de rádio precisavam desaparecer. Personagens que não interagiam com outras personagens precisavam desaparecer. Nada ficaria em pé até que uma peça transcendesse para um mundo real, mas deixando espaço suficiente para a fantasia da plateia.

Com infinita paciência, ele era capaz de ensaiar atores até as vozes combinarem e se encontrarem. Ele entendia o ritmo das tensões e do silêncio, de modo que a prosa se transformasse em música. A tragédia de *Édipo*, encenada num grande circo com centenas de pessoas gritando por socorro no ritmo marcado por um gongo, revelando incansavelmente a culpa inocente do homem; *Sonho de uma noite de verão* tornando-se o mais encantado dos contos de fadas; a segunda parte do *Fausto* de Goethe, com sua riqueza de mitologia clássica e medieval, estendendo-se por seis horas e meia de testemunho vívido de história, de filosofia e do anseio do homem por redenção; a riqueza pictórica dos encontros com a morte em *Everyman*[124] — tudo isso ganhava vida em sua máxima intensidade; deixavam de ser "só peças".

Eu entrara numa vida de existência multifacetada. Num verão, por exemplo, muitos dias se passaram assim: de manhã, eu fazia o meu dever de casa no trem elevado, a caminho da escola; da escola para casa para almoçar rápido, e de bicicleta para um teatro ao ar livre, onde fui contratado

---

123. *Kolberg* (1865), obra teatral de Paul Johann Ludwig von Heyse (1830-1914), escritor e tradutor alemão. Conta a história do cerco à cidade de Kolberg, na Prússia, em 1807, durante as Guerras Napoleônicas. [N. T.]

124. Obra clássica da dramaturgia inglesa, datada de 1485, de autoria desconhecida. O personagem Everyman (literalmente, "todo homem") recebe a visita da morte. A história é marcada pela ética protestante de redenção por meio de trabalho árduo. [N. T.]

como ator pela primeira vez. Recebia cinco marcos por apresentação, uma quantia inusitada, para mim.

Dinheiro no bolso era algo que eu não conhecia. Antes, ou roubava da carteira da minha mãe ou dava aulas particulares para idiotas. Então pude pagar aulas de teatro e ainda comprar uma motocicleta.

Depois da apresentação vespertina, pedalava de volta aqueles seis quilômetros, e às vezes nem ia jantar em casa, a fim de chegar no horário para as apresentações de Reinhardt, que frequentemente se estendiam até tarde da noite. Minha mãe morria de medo de que meu pai voltasse para casa antes de mim e criasse outra cena. Mas isso era raro. Ou ele estava em algum lugar na Alemanha vendendo seus vinhos e ideais, ou estava fora saboreando vinho, mulheres e música.

Durante todo esse tempo, não fui um bom ator, e as aulas de teatro não me ajudaram muito. Mas eu era muito bom na imitação da voz de vários atores famosos. Em outras palavras, eu era um bom imitador, mas nada criativo. Só descobri o meu segredo para a boa atuação cinco anos atrás.

Foi numa festa em Ein Hod, Israel. Várias pessoas se apresentaram. Fiquei com inveja e, quando sinto inveja ou ciúme, o diabo em mim passa a comandar. Decidi dar o maior susto da vida deles e encenei a minha morte. O truque era acreditar que estava realmente morrendo. Agora acredito que esse truque é a base da histeria. A coisa aconteceu lindamente. Puxa, eles ficaram preocupados e assustados — até que me curvei para agradecer, e eles ficaram muito zangados. Agora sou um bom ator e artista; consigo realizar com facilidade uma transformação digna de camaleão. Levo bastante alegria a muita gente, em especial com minhas palhaçadas.

Estou entediado e aborrecido de novo. Depois de trabalhar um pouco no sonho com o vovô, vi que tenho todos os motivos para estar satisfeito. Tenho fama, dinheiro, amigos, talentos. O trabalho com a minha patologia progride bem. O tédio mortal desapareceu depois que investi neste texto. Voltou agora em versão reduzida. Às vezes, eu me sinto vivo e envolvido quando desfruto a minha crueldade — como na guerra, contra um exército de formigas que marcha incansável e indestrutível como uma tribo, minando minha casa ou, no mínimo, comendo minhas guloseimas.

Quando me concentro na minha camada esquizofrênica, permaneço cada vez mais alerta e presencio o aparecimento de fenômenos. Mas, então, ou pego no sono ou fico tão inquieto e agitado que muitas vezes não suporto a agitação e vago perdido em confusão, sem a âncora do envolvimento.

Pensei por um tempo que a esta altura eu já teria dominado a minha máquina de escrever e produziria a uma velocidade de umas cinquenta ou sessenta palavras por minuto — então me atrapalhei e perdi o interesse de novo.

Estou me tornando muito *aware* do demônio em mim, de seus julgamentos justos e venenosos. Ainda estou estagnado. Ouço o quinteto para clarineta de Brahms. Não, não estou escutando, estou só ouvindo; não estou envolvido. Agora, é claro, ele começa a mobilizar meu interesse e a

Escarafunchando Fritz

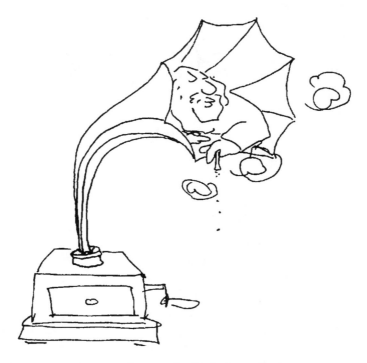

escrita se torna impessoal e pesada. Tudo bem, Brahms, eu me rendo. Perdi meu tédio.

Estou mais interessado nos dois fenômenos de projeção e dor. Se nos apegamos à simplificação excessiva de topologia, de localizar e mover pelo espaço, observamos repetidas vezes que cada um de nós tenta manter a região dentro da fronteira tão harmoniosa e agradável quanto possível. Para isso, temos que limpar o ego.

Quero voltar ao início do livro, à diferenciação da autenticidade da autorrealização e da distorção da autoimagem; entre o que somos como potencial herdado e o desejo de nos tornarmos o que devemos ser; entre ser e realização produzida; entre espontaneidade e deliberação.

Escrevi aqueles dois parágrafos há cerca de dez dias. Depois perdi o impulso de escrever. Conduzi um *workshop* para a equipe do "centro de explosão" e um seminário de fim de semana. Também tive algumas ideias boas que escrevi só em fantasia. A racionalização era, é claro, "para quê", esquecendo de maneira conveniente que estou escrevendo para minhas necessidades, e não para a humanidade.

Frederick S. Perls

  Eu disse a Dick Price que trabalho por uma vida de não comprometimento. Que estou interessado — não, fascinado — em resolver o enigma da esquizofrenia. Creio que um caso plenamente entendido vai fazer mais que a pesquisa e o exame de centenas de casos e casos de controle. Nesse aspecto, sigo à risca Kurt Goldstein e Sigmund Freud. O que me faz falta nos dois é a apreciação do *role-playing*. A pesquisa de Goldstein centra-se essencialmente no enfrentamento. Como Schneider, seu famoso caso, comporta-se ao receber uma tarefa? Ou que o faz *desempenhar*, para começo de conversa? Estou retomando a representação do caso de encefalite, quando ele foi orientado a beber um copo d'água sem sentir sede. Quando faz isso como uma *representação*, isto é, como um ato deliberado de comportamento falso, é com tremor e esforço. Quando é autêntico, espontâneo, sem representar, ele bebe a água com facilidade e comodidade. Se a teoria está correta, se uma pessoa com lesão cerebral não tem um jeito categórico de pensar, a resposta deve ser "não quero, não preciso obedecer".

Uma coisa é certa. Como com todos os fenômenos obscuros, temos uma resposta dada. A única dificuldade é fazer a pergunta correta.

Ken Price parte hoje para cuidar do nosso primeiro imóvel, para um *kibutz*. Superficialmente, parece uma incongruência, se digo que não quero me comprometer com nenhum outro projeto e, ao mesmo tempo, falo sobre investigar esquizofrenia e fundar o primeiro Gestalt-*kibutz*.

Quando me comprometo, sou muito responsável. Posso marcar um compromisso em qualquer lugar dos Estados Unidos, em qualquer horário, que estarei lá. Ainda tenho várias oficinas e vários seminários para conduzir; prometi passar um mês no campus da Universidade da Califórnia em Santa Barbara. Tenho mais um circuito de *workshops* e palestras da Flórida a Vancouver, durante seis semanas, e depois estarei descompromissado e deixarei o futuro em aberto, dependendo dos desdobramentos políticos e do meu interesse.

Ao mesmo tempo, estou cheio de fantasias e planos, cheio de possibilidades e da falta de certezas. Qualquer coisa pode acontecer, inclusive a morte.

Escapei da morte várias vezes, e muitas vezes ansiei por ela. No presente, sinto a vida tão cheia de promessas e riscos que até gosto dela.

Uma das maneiras mais bobas com que quase me matei foi durante o meu primeiro voo sozinho. Hoje em dia, você abaixa o trem de pouso do seu "triciclo" para o chão. Tínhamos de aterrissar com a parada correta do avião. Naquela época eu era inseguro, fiz um pouso ruim e decidi arremeter imediatamente. Mas o maldito caixote não quis sair do chão, e havia uma floresta diante de mim, na cabeceira do aeródromo. Enfim arremeti, certo de que ia bater nas árvores, e consegui desviar delas por pouco. Olhei para trás. Lá estava o meu instrutor abanando os braços como louco. Retorno e faço uma boa aterrissagem. Ele aponta para a hélice. Mal acredito nos meus olhos: não sobrou quase nada da hélice. Com o fiasco do primeiro pouso, eu a arrebentei e, (que avião!) a uma altitude de seis mil pés (Joanesburgo), consegui fazer aquela coisa voar com o toco que sobrou do que havia sido uma hélice.

Viver naquela altitude nunca me incomodou, nem voar a alguns mil pés numa cabine aberta. Naquela época, eu não tinha nenhum problema aparente no coração. E agora?

O *kibutz* fica a dois mil e trezentos metros de altitude no Novo México. Isso pode ser motivo de tensão.

O que quero dizer quando falo de Gestalt-*kibutz*? Como antes considerava a terapia individual obsoleta, agora considero obsoletos os fragmentados *workshops* e reuniões de grupo. As maratonas de reunião são muito forçadas.

Proponho agora conduzir o seguinte experimento. No *kibutz*, a divisão entre internos e funcionários precisa ser abolida. Todo o trabalho deve ser feito pelas pessoas que vão ao *kibutz*. Pessoal permanente: 1) o zelador e empreiteiro, alguém que tenha experiência na criação de animais e em construção etc.; 2) o terapeuta.

A ênfase principal está no desenvolvimento de um espírito comunitário e maturação. As pessoas devem passar três meses lá, inicialmente por uma taxa de mil dólares por período. Haverá um revezamento todos os meses,

Escarafunchando Fritz

com dez pessoas partindo e dez chegando. Haverá agricultura orgânica e uma oficina de artesanato para criar móveis simples.

Temos lá uma boa casa, mas outras construções serão necessárias. Quando isso for feito, a tarifa poderá ser reduzida, talvez até abolida em algum momento.

Esse primeiro *kibutz* deve ser um lugar de formação de líderes. Já tenho vários terapeutas profissionais inscritos.

Se esse experimento funcionar, haverá lugar para famílias, solteiros não profissionais, adolescentes, negros e brancos, *birchers*[125] e *hippies*.

Quem sabe? Em algum momento, isso pode até se espalhar para os guetos e outros lugares onde a vida construtiva seria bem recebida.

Agora à noite eu finalmente sinto um impulso para escrever. Mais algumas peças estão se encaixando. A transformação da nossa relação com o

---

125. Membro ou adepto da Sociedade John Birch, organização conservadora anticomunista fundada em 1958 nos Estados Unidos. [N. T.]

mundo num sistema sensorial e motor faz cada vez mais sentido. Na semana passada, eu estava preocupado com ouvir, principalmente música, e a urgência motora de escrever, fazer, falar recebeu menos bioenergia. Tive vários casos de comportamento motor compulsivo até o ponto da obsessão e da paranoia (existe entre elas uma relação muito próxima), e em todos esses casos havia falta de sentimento.

Isso será útil para a compreensão dos polos extremos na esquizofrenia: o paranoico motor com falta de sensibilidade e o sensível retraído com falta de atividade motora proposital. Também sei que estou certo em não abolir meu hábito de fumar. Sempre que evito algum sentimento desagradável, a energia é direcionada para o movimento, e o cigarro, é claro, é a desculpa mais à mão.

Com a redução do entusiasmo pela escrita, meu dominador assume o comando e me atormenta para concluir este livro, juntar as pontas soltas e encontrar um jeito de tornar minhas ideias mais fáceis de entender. Estou pensando, por exemplo, na palavra indiana maia — na filosofia europeia, a filosofia do "como se". Maia deve ser comparada com *realidade*, o mundo comum observável. As duas podem estar a quilômetros de distância, o que implica insanidade, ou estar integradas, o que implica arte. Toda fantasia, raciocínio, jogo e *role-playing*, sonho, romances etc. faria parte disso. Mais importante é a ilusão do ego e sua fronteira.

O relato da função de fronteira está quase completo, mas precisamos acrescentar mais dois fenômenos: estética e propriedade.

Os polos do comportamento estético têm destino semelhante ao das questões morais: tudo que é bonito pertence ao interior da fronteira, e tudo

que é feio se põe fora dela. Em alemão, feio é *hässlich*, detestável. Amor e beleza são quase idênticos.

Ricardo III[126] é como muitos casos "anormais", uma inversão da fronteira normal. "Como sou feio, posso muito bem ser um vilão e odiar a beleza e a bondade."

Talvez seja mais fácil entender a sensação de propriedade dentro da fronteira. Tudo dentro da fronteira é "meu", pertencente, devidamente estimado. Tudo fora dela é seu, não meu, sejam coisas ou atitudes. A inveja ou a cobiça podem querer abarcar alguma coisa externa à fronteira do indivíduo, e o indivíduo quer se livrar de coisas e atitudes dentro da fronteira que são experienciadas como feias, tóxicas, más, fracas, loucas, estúpidas, estranhas, sintomas e, no entanto, no caso de sanidade, identificadas como suas.

Esse é o metabolismo que leva às introjeções: falsificação do *self* ao parecer ser mais do que se é. Em repressões e projeções também há falsificação do *self*: parecer ser menos do que se é. Esse metabolismo pretende evitar dor, desconforto, pseudossofrimento.

Agora finalmente vemos emergir o retrato de saúde, neurose e psicose. Os casos extremos são raros e praticamente todo mundo participa de alguma maneira das três possibilidades.

Na saúde, estamos em contato com o mundo e o *self*, isto é, com a realidade.

Na psicose, não temos contato com a realidade e estamos em contato com *maya*, um sistema delirante centrado essencialmente no ego, por exemplo os sintomas frequentes de megalomania e inutilidade.

---

126. Ricardo III (1452-1485), rei da Inglaterra de 1483 à sua morte, foi o último monarca inglês morto em batalha. [N. T.]

Na neurose, acontece uma briga constante entre ego e *self*, delírio e realidade.

O sistema delirante funciona como um câncer, absorvendo cada vez mais energia vital e drenando progressivamente a força do organismo vivo. A severidade da doença mental depende da função de identificação com o ego ou *self*. O psicótico diz: "Sou Abraham Lincoln". A pessoa neurótica: "Eu gostaria de ser Abraham Lincoln". E a pessoa normal: "Eu sou o que sou".

O procedimento para tratamento agora se torna óbvio. Temos que drenar o sistema delirante, a zona intermediária, o ego, os complexos, e colocar essa energia à disposição do *self*, de forma que o organismo possa crescer e usar seu potencial inato.

Durante esse procedimento podemos observar como os buracos na personalidade desaparecem e como essa pessoa se torna novamente um todo em bom funcionamento.

Sigmund Freud — Dr. Perls, o senhor não está me contando nenhuma novidade. Apenas sua formulação é diferente. Também posso explicar minha abordagem na sua linguagem. Se uma pessoa é sexualmente impotente, o senhor diria que ela tem um vazio no lugar dos genitais. Em vez de ir para os genitais, a excitação vai para as zonas oral e anal, onde cria muitos transtornos, como perversões e caracteres de personalidade. Quando a libido flui para a zona genital, as outras zonas são liberadas para suas funções organísmicas, sem a perturbação da libido invasora. Os genitais tornam-se vivos e têm um funcionamento biológico correto — e possivelmente até sociológico. Maturação e saúde foram alcançadas. O vazio está preenchido.

Escarafunchando Fritz

Fritz — Fico feliz por termos encontrado um fundamento em comum. É claro que admiro a tenacidade que o senhor demonstrou para salvar o sexo de seu *status* pecaminoso na cultura ocidental. O senhor também estabeleceu o padrão para preencher outros buracos: as inúmeras descobertas que fez durante a vida, descobertas que se tornaram instrumentos indispensáveis para a nossa pesquisa.

De fato, precisamos reformular sua abordagem do século 19 com instrumentos intelectuais limitados, a fim de adequá-la ao século 20. Certamente o senhor vai concordar comigo quando digo que há muitos buracos para preencher. Na verdade, o senhor viu com clareza pelo menos outro buraco: amnésia. Usou a imagem do censor — tomada por empréstimo da realidade —, que proíbe a publicação de certos parágrafos nos jornais, e apontou o vazio branco deixado no lugar da impressão.

Peguei emprestado esse seu exemplo para ilustrar o neurótico do nosso tempo: a personalidade incompleta, insípida, com buracos em vez de mensagens relevantes que interessem.

A ênfase agora se transfere da atenção para sintomas específicos, caracteres de personalidade e conflitos para uma caça às bruxas do vácuo, do buraco, do espaço vazio, do nada, da incompletude.

Seu específico *meio pelo qual*[127] se dá a produção de vazio é a repressão. Precisamos ampliar isso para qualquer tipo de evitação: remoção de atenção, atitudes fóbicas, fixação em questões irrelevantes, distorção da formação de Gestalt, dessensibilização, névoa mental etc.

Portanto, a questão "o que você está evitando?" está muito em voga na Gestalt-terapia e torna-se a atitude básica do nosso trabalho com sonhos.

A questão fundamental para nós, existencialistas, é sem dúvida a totalidade do *self*, a autenticidade, de ser real e íntegro.

A totalidade do *self* é trocada e substituída pelo maia do ego. Como Alan Watts disse outro dia a respeito de alguém: "Ele não passa de um ego embrulhado em pele".

Para deixar essa questão fundamental bem clara, usemos outra vez um exemplo extremo, o caso da encefalite. Nele, comparamos a deliberada função *ego* alcançando trêmula o copo d'água, com a facilidade do funcionamento do *self*, se determinado pela formação de Gestalt da sede.

---

127. Itálico do autor. Veja a nota 9 a respeito da expressão "meios pelos quais". [N. T.]

Frederick S. Perls

No alcoolismo, às vezes vemos a amnésia da síndrome de Korsakoff. O cliente não tem consciência de sua memória total e a substitui por fantasias. Ele preenche o vazio estéril com memórias forjadas.

Portanto, quanto maior a falta do *self* autêntico, mais preenchemos o buraco com funções. Quanto menos contato e suporte o ego recebe do *self*, maior a falsificação e o caráter de papel machê do ego.

Durante a minha análise com Clara Happel, tive uma das poucas experiências reais que jamais vivi com a psicanálise. Grande parte do meu apoio direcional veio do meu dominador. Quando isso desabou, passei várias noites andando perdido pelas ruas de Frankfurt, sem saber o que fazer. Havia um buraco em vez de uma direção autônoma ou de uma direção externa aceitável. Eu não confiava nela e não confiava em mim mesmo.

Um dia vou aprender a confiar em mim completamente?

Instituto de Gestalt do Canadá
Lake Cowichan, Colúmbia Britânica

Julho de 1969

Escrevi *Escarafunchando Fritz* em três meses, e depois disso... nada. Da mesma maneira repentina como surgiu o impulso de escrever, eu sequei.

Embarquei em nova aventura, uma comunidade terapêutica. O *kibutz* ainda não se materializou. Fiz belos filmes com a Aquarian Productions em Vancouver, e de vez em quando imagino que voltarei a escrever.

No momento, a realidade exige que todo o meu entusiasmo e mais um pouco seja deixado para a verbosidade. Você pode encontrar muita verbosidade em *Gestalt-terapia explicada* e, se quiser me ouvir, escute as gravações com as quais John Stevens criou este livro.

www.gruposummus.com.br